Todos os Animais merecem o Céu

Marcel Benedeti

Todos os Animais merecem o Céu

Guarulhos, 2025

Todos os Animais Merecem o Céu @ 2012 Marcel Benedeti

Obra premiada no Concurso Literário João Castardelli 2003 – 2004, promovido pela Fundação Espírita André Luiz - FEAL.

(Reimpressão 2025)

Mundo Maior Editora
Fundação Espírita André Luiz (Feal)
Rua José Bonifácio, 284 – Vila Renata
07056-020 – Guarulhos – SP
(11) 4964-4700 – editorial@feal.com.br

Diretoria Editorial: Onofre Astinfero Baptista
Editor: Antonio Ribeiro Guimarães
Assistente Editorial: Marta Moro
Capa: Leonardo Lopes
Diagramação: Helen Winkler

Dados Internacionais de Catalogação na Publicação (CIP)
(Câmara Brasileira do Livro, SP, Brasil)

Benedeti, Marcel
  Todos os animais merecem o céu / Marcel Benedeti. -- 11. ed. -- São Paulo : Mundo Maior Editora, 2012.

ISBN 978-85-8743-056-4
Bibliografia1

1. Espiritismo 2. Ficção espírita I. Título.

12-03893   CDD-133.93

Índices para catálogo sistemático:

1. Ficção espírita : Espiritismo   133.93

SUMÁRIO

Homenagem a Marcel Benedeti.................................. 7
Apresentação 9
Animais... 19
Bob 49
O malamute 83
Kayamã 89
O presente... 103
O incêndio 109
No hospital 125
O resgate 137
Tia Nana 147
Formosa 155
Suzy 165
Aprendizado 177
Café 187
Na fazenda 203

Animais assustadores 213
Sabatina 231
Em auxílio 239
Os condenados 259
Surpresas 271
No mar 287
Os animais reencarnam 301
Todos os animais merecem o Céu 309
Ilustre visita 325
Referências bibliográficas 333

Homenagem a Marcel Benedeti

Marcel, um seguidor de Francisco de Assis

Na cidade de Gubbio, na Itália, onde São Francisco viveu durante algum tempo, havia um lobo "terrível e feroz, que devorava homens e animais". São Francisco teve compaixão pela população local e foi para as colinas achar o lobo.

Logo, o medo do animal fez todos os seus companheiros fugirem, mas Francisco continuou e, quando achou o lobo, fez o sinal da cruz e ordenou ao animal para vir até ele e não ferir ninguém.

Milagrosamente, o lobo fechou suas mandíbulas e se colocou aos pés de Francisco. *"Irmão lobo, você prejudica a muitos nestas paragens e faz um grande mal"*, disse São Francisco. *"Todas estas pessoas o acusam e o amaldiçoam. Mas, irmão lobo, eu gostaria de fazer a paz entre você e essas pessoas."* Então, Francisco conduziu o lobo para a cidade e, cercado pelos cidadãos assustados, fez um pacto entre eles e o lobo. Porque o lobo tinha "feito o mal pela fome", a obrigação da população era alimentar o lobo regularmente e, em retorno, o lobo já não os atacaria nem a seus rebanhos. Desta maneira, a cidade de Gubbio ficou livre da ameaça do predador.

Os ensinamentos de São Francisco de Assis, ***"que amou os animais como nossos irmãos"***, foram revividos nas obras e no trabalho de Marcel Benedeti, jovem veterinário, que é um exemplo a ser seguido.

Todos os Animais Merecem o Céu mostra como é grande o Amor do Pai pela Sua Criação e que ninguém está desamparado. Tudo faz parte de um projeto evolutivo pelo qual passa a Humanidade.

Grandes estudiosos já descreveram a inteligência dos animais, em muitos artigos e teses. Marcel nos mostra mais que simples pesquisas; ele relata como é grande o amor que eles sentem por seus donos. Por mais ingratos que sejamos, ainda assim nos perdoam e continuam a nos amar, deixando claro com seus exemplos, que, realmente, Somos Todos Irmãos.

Homenagem da Equipe Mundo Maior
Trecho extraído do livro I Fioretti *(Pequenas Flores)*
Ed. Vozes

APRESENTAÇÃO

A plateia aplaudia, entusiasmada, ao vê-lo recebendo o diploma de graduação, como médico veterinário. Ali, naquele salão, cerca de quinhentas pessoas estavam reunidas para contemplar seus amigos e parentes que se formavam também, assim como ele.

Seus pais e suas irmãs estavam felizes por vê-lo colando grau, pois sabiam que não havia sido fácil para todos conseguir chegar até ali. Foram anos de esforço e até mesmo de privações, para atingir aquele objetivo, uma vez que vinha de uma família de operários, na qual os recursos financeiros eram escassos.

Mas todos os anos de esforços foram recompensados naquele momento. Tornara-se médico veterinário. Ao receber o diploma, virou-se para a plateia e agradeceu de volta a salva de palmas que recebeu, mostrando seu cartucho azul e sorrindo como nunca.

De cima do palco, acenou para seus parentes, em agradecimento, quando os viu sentados entre o público. Havia, entretanto, pessoas que ele não conhecia, acenando, também, e estavam próximas aos seus pais.

Quem seriam aqueles que pareciam tão felizes por sua diplomação? Um deles usava uma espécie de batina marrom-escuro, com um grosso cordão preso à cintura, do qual um brilhante crucifixo de madeira polida pendia. Poderia ser algum padre que o conhecia ou seus pais. O eclesiástico estava acompanhado. Ao lado, estava alguém vestido de branco como um médico, que segurava consigo um livro e um pequeno cão da raça *fox terrier* de pelos duros. Ele também acenava. Ao lado de ambos, outra figura bem-vestida. Usava um terno azul bastante alinhado. Eram três pessoas que estavam ali, marcando sua presença no evento.

O recém-formado veterinário, por uma fração de segundo, desviou o olhar e já não mais os encontrou ali. Seus parentes continuavam a aplaudi-lo e pareciam não se surpreender com o súbito desaparecimento daquelas três pessoas. Com um grande aceno, despediu-se de todos e desceu do palco, levando seu cartucho.

Após a cerimônia, procurou seus pais para abraçá-los, enquanto, discretamente, procurava aquelas pessoas entre os presentes, mas não as encontrou mais.

Os colegas de turma se abraçavam uns aos outros, com lágrimas nos olhos pela despedida, quando ele notou aquele que estava de roupas brancas, próximo à porta do saguão, fitando-o, com um sorriso nos lábios. Quis ir até ele para conhecê-lo e agradecer-lhe a presença, mas, naquele saguão lotado, perdeu-o de vista. Desde então, não mais o viu.

De um salto, saiu da cama. O visitante inesperado, com sua voz suave, acalmou o rapaz e explicou-lhe quem era. Após desculpar-se pela surpresa, disse que eram amigos de outras vidas e que o acompanhava há muito tempo, mas nunca se manifestou antes, pois não havia chegado o momento.

Pediu que não se assustasse quando se encontrassem novamente, visto que estariam muito próximos, a partir de então. Ele era um monge franciscano, que estava ali, a seu próprio pedido, antes de reencarnar nesta vida atual, para ajudá-lo a atingir as metas propostas para esta existência. Seria um amigo com quem poderia aconselhar-se e pedir auxílio, quando precisasse. O monge usava uma vestimenta típica, de tecido grosso e um capuz que cobria metade de sua cabeça. Suas mãos magras e sua baixa estatura davam a ele uma aparência frágil, mas sua força estava na sabedoria e ponderação, que dividiria com o recém-formado veterinário.

Desde então, o ouvia aconselhando-o em sua mente, como se fossem seus próprios pensamentos. Somente se diferenciava dos seus, porque as frases eram sempre na terceira pessoa. Quando ele precisava de conselhos, lá estava o monge ou o homem de branco com seu cão e o inseparável livro. Este último foi veterinário em uma vida anterior e também prometeu aconselhá-lo e inspirá-lo positivamente na vida profissional.

Os anos se passaram, o rapaz se casou, tornou-se pai, abriu sua própria clínica veterinária e levava uma vida tranquila, ao lado da esposa e da filha pequena, que eram seus tesouros na Terra. Posteriormente, foi pai mais duas vezes. A esposa, muito espiritualizada, o levou a conhecer a Doutrina Espírita. De início, estranhou os conceitos, contudo, lembrou-se de seus amigos espirituais e acabou aceitando também como sua a Doutrina, porém, nunca se aprofundou nos conhecimentos que ela lhe oferecia, por simples desinteresse.

Queria, apenas, acompanhar a esposa às reuniões, e nada mais. Suas preocupações eram com a clínica e com a família. Nada de estudos doutrinários, apesar de sua companheira insistir para que ele estudasse e entendesse melhor o fundamento daquela Doutrina.

Aos poucos foi se interessando pelos estudos referentes à Doutrina Espírita e começou a fazer parte de um grupo de estudos no Centro Espírita. Os assuntos eram, realmente, interessantes e mereciam sua atenção. Passou a ler mais e mais livros. *O Livro dos Espíritos* passou a ser sua obra de cabeceira, por conter perguntas objetivas e respostas claras a diversos temas.

Como veterinário, pesquisou sobre o seu maior interesse, que era a vida espiritual dos animais, e notou a escassez de informações a respeito. Queria saber mais, uma vez que tinha a certeza de que os Espíritos Superiores não estavam desinteressados em divulgar o assunto. Era possível que as informações fossem raras, porque as pessoas ainda não estavam preparadas para elas. Pesquisou, procurou livros que relatassem sobre seu tema de interesse e encontrou alguns: *Os Animais têm Alma?*, de Ernesto Bozzano, escrito no início do século passado, e *Evolução Anímica,* de Gabriel Delanne. No entanto, nenhum deles relatava como eram tratados os animais no Mundo Espiritual.

Continuou sua busca, mas pouco encontrou. Em seu consultório, ouvia comentários de clientes, que indagavam, curiosos, sobre o porquê de tanto sofrimento entre os animais e se eles reencarnavam. Queriam saber se tinham Alma ou Espírito e quais atenções receberiam na outra dimensão. A curiosidade do veterinário aumentava, a cada livro que lia, todavia não encontrava as respostas que procurava.

Quando surgiu a oportunidade, pediu ao seu amigo espiritual, Monge Franciscano, que o orientasse em sua busca, e a resposta foi: "Ainda não!". Mesmo não entendendo a recusa, não ousou questionar e esperou. Enquanto isso, continuou por sua conta a busca, durante meses seguidos. Nesse ínterim, lhe chegou uma má notícia, que o abalou e o entristeceu: era portador do vírus da hepatite do tipo C, uma doença incurável e letal que contraiu, em 1978, quando sofreu um acidente automobilístico, em que quase desencarnou, e recebeu sangue contaminado por esse vírus que apenas se transmite por transfusão sanguínea.

Naquela época, não se sabia da existência deste vírus. Chocado com a notícia, sentiu-se abatido depois que soube que talvez tivesse apenas mais dois anos de sobrevida antes que deixasse este mundo, pois ainda não existia um tratamento eficaz.

Procurou, novamente, seu amigo monge para saber dele se seria bem-recebido do "Outro Lado", quando chegasse sua hora. Ele lhe revelou que não era o momento de se preocupar com isso, visto que havia muito trabalho ainda a fazer. Mas o jovem médico não recuperou o ânimo, rapidamente. Estava convencido de que lhe restavam poucos meses de vida. Certo dia, o amigo monge lembrou-lhe de que a vida era eterna e pediu que se afastasse dessas ideias tristes que lhe faziam baixar o padrão de pensamentos.

Não convencido, sofria por não se sentir preparado para a volta à outra dimensão e pensou: se era inevitável o retorno, então, ao menos, queria deixar uma boa impressão de si aos que ficassem. Procuraria ser uma pessoa melhor do que havia sido até então. O amigo monge perguntou-lhe o que o afligia e ouviu como resposta um pedido. Ele queria, ao ingressar na dimensão espiritual, poder enviar aos que ficaram informações sobre a vida espiritual dos animais.

O amigo sorriu, largamente, e disse: "Eu já esperava isso de você".

O veterinário sorriu, também, sem entender por que e ouviu: "Você não precisa desencarnar para obter as respostas que procura. Não se preocupe, você viverá, ainda, por muitos anos".

O médico sorriu e pediu que o auxiliasse a encontrá-las, então.

O eclesiástico lhe sugeriu que estudasse mais e anotasse tudo o que encontrasse sobre o assunto, pois lhe serviriam como uma espécie de manual de consultas para entender o que viria depois. Feliz, começou a fazer, no mesmo dia, seus apontamentos. Foram quatro anos de pesquisas antes de encerrar suas notas.

Em uma noite, o monge surge-lhe e pergunta: "Podemos iniciar o trabalho?". E ele entendeu que se referia ao recebimento das informações da Espiritualidade. No entanto, os meses se passaram sem que o amigo espiritual fizesse novo contato.

Um dia, o veterinário, ao acordar, sentiu-se compelido a pegar uma caneta. Estava ansioso, eufórico e entusiasmado com algo que não sabia o que era.

Chegando ao consultório, sentou-se em sua escrivaninha, e, como se fosse guiado por uma força invisível, começou a escrever as primeiras palavras. Naquele instante, seus sentidos ficaram levemente entorpecidos, sentindo como se flutuasse. Era uma sensação agradável, acompanhada de intenso bem-estar. Desligou-se do mundo exterior. Não ouvia mais as pessoas que passavam na rua nem o som dos automóveis que, antes, o incomodavam. Perdeu a noção de tempo e espaço. Suas mãos, impacientes, continuavam a escrever, enquanto uma tela se formava em sua mente, através da qual podia acompanhar as cenas mais comoventes e emocionantes por ele já presenciadas.

As cenas se desenrolavam, mas ele era, meramente, um expectador. As telas eram vivas, como se ele pudesse tocar os personagens, se o quisesse. Mas apenas as olhava, ouvia e sentia o que acontecia. Sua secretária o observava em sua escrita frenética, sem interrompê-lo. Eventualmente, era o telefone que tocava ou um cliente que entrava em seu consultório para pedir sua ajuda profissional, contudo, nos intervalos de cada atendimento, reiniciava de onde tinha parado, ansioso por conhecer o desfecho, que nem mesmo ele sabia.

Após escrever milhares de palavras, repentinamente, voltou a si. Tudo ao seu redor parecia estar exageradamente colorido, brilhante e barulhento. Suas mãos não acompanhavam sua vontade de terminar o que começara. O calor agradável que o acompanhou por muitos minutos, de repente, tornou-se como um gelo colocado sobre sua testa. As cenas desapareceram de sua mente, as palavras do narrador deixaram de ser ouvidas. Por mais que se esforçasse, as palavras não lhe ocorriam. Restava, apenas, parar e ver o que escrevera.

Era a história de Paloma, uma égua da raça *mangalarga* que retornava ao Mundo Espiritual. Só então entendeu o que estava acontecendo. Eram as informações que desejava receber e que lhe estavam chegando. No dia seguinte, novamente sentiu aquela compulsão de pegar uma caneta e escrever. Desligou-se de tudo em seu ambiente, de forma quase involuntária, retornando a ele somente quando o dever profissional o chamava de volta. Após cada atendimento, cada telefonema, retomava seu trabalho de descrever o Mundo Espiritual dos animais.

A cada cena que lhe aparecia na mente, como se estivesse mergulhado em um filme, surpreendia-se, pois não sabia por antecipação o que ocorreria a seguir. A curiosidade também o impulsionava a continuar com este trabalho que se tornou prazeroso para ele.

Aos poucos, envolveu-se com os personagens. Emocionou-se com a passagem de Paloma, com a lealdade de Formosa, com o sofrimento de Bob, de Sofia e dos outros. Alegrou-se com os momentos felizes e ria das situações engraçadas. Surpreendeu-se ao saber da existência de animais no umbral; revoltou-se com aqueles que os maltratavam. Era surpreendido a cada cena e queria conhecer o desfecho daquelas narrativas.

Ao final de seu trabalho literário, descobriu que há muito a aprender e a descobrir no convívio com os animais, que nos passam muitas lições de humildade, paciência e resignação. Eles são, realmente, nossos irmãos e não só não estão desamparados pela Espiritualidade, como são bem-

-assistidos. Existem tantos assistentes quantos forem necessários, pois eles merecem a mesma atenção que nós.

Com o despertar dessa nova consciência que desponta com a nova era e com o novo milênio, as pessoas já estão mais bem preparadas para aceitar e reconhecer nos animais a sua própria imagem. Eles são nossos irmãos caçulas, por isso cabe a nós a responsabilidade do bom exemplo.

Francesco Vita
Mentor Espiritual do autor

Animais

Eram três horas da manhã e uma brisa suave e refrescante soprava fazendo sibilar as folhas pontiagudas dos pinheiros que rodeavam a fazenda, como se fossem milhares de flautas executando uma melodia monótona. A Lua cheia deixava cair sua luz prata sobre as águas do lago, criando um efeito que lembravam pinceladas em quadro pintado em fundo escuro. Próximo ao lago, semelhante a um grande espelho que refletia a bola branca e brilhante, alguns cavalos pastavam sobre a grama úmida pelo sereno. O luar intenso daquela noite deixava ver os seres noturnos alados em voos rasantes como sombras voadoras sobre as folhagens do pasto. Eram morcegos frugívoros, isto é, aqueles que se alimentam de frutos, exibindo-se acrobaticamente, ligeiros, e corujas, observadoras atentas com seus grandes olhos à luz vinda das lâmpadas que iluminavam o estábulo onde estavam duas pessoas em um trabalho silencioso e delicado.

O serviço exigia silêncio e concentração, por isso sussurravam também para não assustar a velha Paloma, uma égua, já aposentada dos afazeres na fazenda desde que contraiu uma enfermidade no casco que a impedia de trabalhar. Apesar da idade relativamente avançada, Paloma mantinha uma aparência jovem, com seus pelos macios e brilhantes tal como quando deu sua primeira cria. Somente os pelos encanecidos denunciavam que ela não era mais a jovem da época em que trabalhar era diversão. Paloma já tinha 34 anos de idade e sempre viveu na fazenda onde nasceu. Por isso, era como se fosse um membro da família do sr. Mataveira, dono daquelas terras.

Guilherme, o veterinário, estava dando assistência ao parto daquela que não deveria mais engravidar, por causa de sua idade avançada. Quanto a isso, quando indagado pelo veterinário, sr. Mataveira justificou-se:

– Foi um descuido nosso, pois há muito tempo Paloma não era, ao menos aparentemente, fértil. Acreditávamos que estava estéril. Infelizmente, Ventania, o nosso garanhão mais jovem, em sua fase mais viril, na qual os hormônios estão à flor da pele, não se interessou em distinguir uma fêmea jovem de Paloma. Nossa Paloma é uma senhora de respeito, que nos ajudou muito em trabalhos que somente ela era capaz de fazer, graças à sua agilidade e força. Hoje está fraca e velha, mas já foi jovem e forte. Ventania devia tê-la poupado! – sussurrou Mataveira, para não incomodá-la.

Guilherme, o veterinário de 26 anos de idade, com quatro de experiência, estava ali não somente como profissional, mas como amigo, pois era conhecido do fazendeiro desde criança, quando vinha com seu pai para comprar queijo e mel e cavalgar em Paloma. Guilherme olhava sério para o sr. Mataveira, enquanto ouvia as explicações do amigo, quando resolveu responder, também em voz baixa, depois de soltar o queixo que apoiava com sua mão direita.

— Sr. Mataveira, os animais não são como nós. Eles não pensam e não sabem distinguir situações que exijam raciocínio. Os hormônios mandam em seus instintos, pois é somente isso que são. São os instintos que os levam a procurar as fêmeas em época de reprodução, a fim de preservar a espécie. Não podemos esperar deles uma atitude inteligente como teríamos nós. Seus cérebros não foram feitos para pensar, por isso não podemos condenar Ventania por dar vazão aos seus instintos reprodutores. O descuido foi nosso em deixá-lo próximo dela e não perceber que Paloma ainda estava com seus hormônios ativos. Agora não podemos lamentar. Cabe a nós tentar o que for possível para mantê-la viva, pois Paloma foi fecundada por Ventania e já está em trabalho de parto, que será bem difícil. O filhote passa bem, mas há outro grande problema: além do fato de ela possuir um útero flácido, com possibilidade de se inverter e se exteriorizar, o filhote está em uma posição inadequada. Ele se encontra de costas, quando deveria estar de frente para o canal do parto. Teremos de manipulá-lo e tentar modificar sua posição no interior de Paloma para que consiga nascer. Isto significa uma situação de risco para ela, porque, como sabemos, já é idosa e seu coração é fraco; talvez não suporte grandes esforços durante as contrações — explicou o médico, pausadamente.

— Então, haverá o risco de ela não suportar e sucumbir também — perguntou o dono da fazenda, muito apreensivo, temeroso pela saúde de seu animal preferido.

— O risco, como já disse, é muito grande, por causa de seu estado de debilidade física. Seria como se uma senhora com idade para ser bisavó engravidasse. Há uma possibilidade de que não suporte a dor e o trabalho de parto até o final. Os equinos são muito sensíveis à dor. Daremos analgésicos, mas não há garantias – respondeu Guilherme, com olhar sério e penetrante, como se, com esse olhar firme conseguisse colocar a ideia da gravidade do problema de forma mais completa.

Mataveira entendeu e somente observou o trabalho do médico, que começou sua intervenção. Guilherme era um veterinário experiente, apesar da pouca idade. Por isso, utilizando-se das habilidades médicas, estava monitorando a respiração e os batimentos cardíacos de Paloma. Eram notáveis os sinais de cansaço, e uma certa arritmia cardíaca comprometedora o preocupava. Ao contrário do que se esperava para o início do parto, as contrações eram muito fracas e insuficientes para expulsar o filhote, que já dava sinais de estar passando do tempo de nascer. Uma intervenção cirúrgica parecia urgente. Mataveira, fazendeiro que também tinha experiência, percebeu que algo não estava bem com sua égua preferida e pediu ao médico que fizesse o que fosse necessário e possível para salvá-la, mas se ela não sobrevivesse, ele entenderia.

João Rubens, o auxiliar de Guilherme, estava sempre atento aos parâmetros de saúde de Paloma, enquanto seu patrão cuidava do filhote. A pedido de Guilherme, João aplicou uma dose de sedativos previamente preparada pelo doutor, fazendo com que o animal relaxasse um pouco, o que permitiu a intervenção. O filhote, muito grande e pesado, exigiu que o doutor utilizasse alguns instrumentos médicos para melhor posicionamento do potro, requerendo de ambos esforços físicos extenuantes. Paloma estava mais debilitada e fraca, e o médico percebeu que precisaria decidir quem deveria salvar. Optou por salvar o filhote, pois a égua já demonstrava sinais de falência e não suportaria uma cirurgia. A manipulação do filhote também estava se prolongando por mais tempo do que o esperado.

Duas horas se passaram, e Guilherme estava totalmente esgotado pelo esforço. Posicionando o filhote em direção ao canal do parto, conseguiu expor uma das patas, e a ponta do focinho podia ser vista também, buscando o ar. O médico fazia trações lentas para não ferir o potro, mas percebeu que Paloma começou a respirar com dificuldade e que sentia dor. O doutor pediu ao auxiliar que aplicasse novamente os sedativos, a fim de amenizar o sofrimento e para que conseguisse suportar a intervenção. Então, João aplicou uma nova dose na mãe. Ela parecia estar suportando mais do que podia, tão somente para dar tempo de tentar salvar o seu filhote. Paloma relaxou um pouco e o veterinário retornou ao pequeno potro, que se mostrava ansioso por se livrar da angústia de estar preso.

Guilherme podia sentir com sua mão o filhote, bem como observar os movimentos das narinas dele, que procuravam o oxigênio pela pequena abertura para o exterior. Mas não percebeu que os movimentos das pernas do filhote perfuraram a parede uterina, provocando uma hemorragia. Paloma contraiu-se de dor, mas permaneceu firme, à espera do nascimento de seu bebê. Com os instrumentos auxiliares de tração, foi possível expor gradativamente o filhote. Com a ajuda de João, conseguiram retirar o escorregadio corpo saudável da pequena Palominha, pois era uma fêmea, cópia idêntica da mãe. Até mesmo a mancha branca entre os olhos, que lembrava o contorno de uma pomba em voo, ela possuía.

Com toalhas secas, Guilherme retirou os envoltórios e enxugou o filhote, além de romper o cordão umbilical que o ligava à mãe. Imediatamente, após ver-se livre de todo aquele material materno, pôs-se sobre as quatro trêmulas patas e tentou dar alguns passos, mas caiu. Nova tentativa de se levantar e, por fim, conseguiu firmar-se o suficiente para se manter e caminhar de maneira insegura até próximo ao rosto da mãe, já fraca. Normalmente, o filhote ao nascer procura mamar, mas Palominha procurou o rosto de sua mãe como se soubesse o que estava para acontecer. Permaneceu ali, trêmula, ao seu lado e se deitou, apoiando a cabeça sobre a dela, como se tivesse alcançado o seu objetivo, e, então, relaxou. Ela encontrou o que buscava com aquela que lhe deu à luz. Ao sentir o toque da filha, Paloma abriu, levemente, os olhos e seu olhar encontrou o do filhote recém-nascido. A expressão dela mudou ao ver a cria ao seu lado. Era notável a felicidade estampada em seus olhos. A mãe a olhava com grande ternura. Era uma linda potrinha, suas pernas eram esguias. Os olhos expressivos depois de ver a mãe passaram a contemplar ao redor como se já conhecesse a todos. Parecia que ela sorria com os olhos em agradecimento pelo que fizeram Guilherme e João em seu favor e de sua mãe.

O veterinário estava aplicando medicamentos em Paloma, quando João notou sua respiração ofegante. O auxiliar chamou o doutor que, deixando o que estava fazendo, a examinou novamente. Pegou seu estetoscópio e auscultou o coração da mãe, que estava ainda mais arrítmico e fraco. Olhou para Mataveira e fez um sinal com a cabeça de que a morte era inevitável. Mesmo assim, ainda tentou aplicar-lhe alguns medicamentos cardíacos estimulantes, mas Paloma estava se despedindo de todos. Com grande esforço, levantou um pouco a cabeça, passou um longo olhar em todos e parou em Mataveira, a quem era mais apegada. Fixou o último olhar em seu maior amigo. Deu um longo e sonoro suspiro e deixou de respirar, definitivamente. Suas pupilas se dilataram, porém, como se uma força invisível a guiasse, aproximou-se da cria e a tocou com seu focinho já gelado, para, a seguir, ficar imóvel. Guilherme tentou reanimá-la, mas foi em vão. Mataveira deu um impulso, saltou sobre Paloma e a abraçou, sem conseguir pronunciar uma só palavra, enquanto as lágrimas inundavam seus olhos. Permaneceu em silêncio por alguns segundos e, enxugando as lágrimas, disse:

– Vamos enterrá-la próxima à sede; ela merece um lugar especial para descansar. Adeus, amiga. Que Deus a receba como você merece – lamentou com o olhar distante no horizonte, como se estivesse fazendo um pedido direto a Deus.

Em um canto escuro, estava João Rubens, chorando, discretamente, escondido, de seu patrão. Ele era uma pessoa extremamente sensível e espiritualizada, que conseguia ver além do que percebia seu patrão materialista. Estava sentido com a perda de Paloma e com a cena de Mataveira, despedindo-se dela pela última vez.

Guilherme, ao contrário, encarava seu trabalho e seus pacientes de uma forma extremamente racional, evitando deixar misturar sentimentos com a rotina de trabalho. João

Rubens sabia que, se fosse flagrado naquele estado, seria repreendido, pois o patrão, apesar de ser uma ótima pessoa, algumas vezes era duro demais. Acompanhando tudo em silêncio, estava ali perto dona Natália, a esposa de Mataveira, que, assim como João, era muito sensível. Notando a tristeza do auxiliar do veterinário, aproximou-se dele e o abraçou, dizendo:

– Você é uma boa pessoa, João. Nós percebemos que tem algo difícil de se encontrar nas pessoas: compaixão pelos animais. Fico feliz por você ser assim. Nunca deixe de ser como é, continue a ser um exemplo, pois, talvez, um dia, outras pessoas possam ser como você. Boa noite, João. Vá para casa e nos perdoe por incomodá-los a esta hora, tirando-os do sossego de seus lares para acudir um animal que, praticamente, já estava morto. Agradeço-lhes por virem nos atender, tendo que pegar estradas esburacadas neste escuro. Sei que fizeram o possível.

Guilherme fingiu nem notar que dona Natália estava tentando mostrar a ele, com sua discreta crítica, quanto João poderia ensinar-lhe. Desapontada por não atingir o coração do médico, dona Natália abraçou-o e se afastou, em silêncio.

Assim que ela lhe deu as costas, o médico de animais dirigiu um olhar de reprovação a João Rubens, por misturar sentimento com profissionalismo, e ainda deixou que percebesse o seu estado emocional, que ele considerava uma falta grave no trabalho e, pior ainda, deixou margem a comentários.

Voltando sua atenção para o trabalho e, após certificar-se de que Palominha estava bem, recomendou ao encarregado da fazenda que a deixasse para ser amamentada com Flecha, que também acabava de se tornar mãe havia poucos dias. Ela era jovem e poderia amamentá-la e ao seu próprio filhote, sem dificuldades. O médico guardou seus pertences, sem dizer uma palavra ao auxiliar que aguardava uma repreenda. Despediram-se de Mataveira e dos empregados da fazenda, que ainda estavam acordados à espera de boas notícias, que não vieram, todavia a presença de Palominha amenizou a gravidade da situação.

Partiram dali em um pequeno, mas confortável, veículo adaptado para percorrer os terrenos acidentados das fazendas a que assistiam. Guilherme, ainda com feições de poucos amigos, nada disse a João, mas este já sabia o que o esperava. Mal entraram no automóvel, Guilherme o repreendeu, tentando, sem conseguir, não ser grosseiro, pois sua maneira de falar já era normalmente áspera.

— João, você precisa aprender a controlar seus acessos de choro em público. Não podemos demonstrar fraqueza aos nossos clientes. Caso contrário, não nos chamam mais para atendê-los. Precisa entender a minha posição. Já imaginou se todos ficam sabendo que você chora assim, cada vez que morre um bicho? — dizia isso franzindo a testa e em tom de voz autoritário.

— Perdoe-me, patrão, mas não pude me conter dessa vez, pois vi nos olhos do sr. Mataveira quanto ele e sua senhora sentiram pela perda de Paloma. Não pude conter-me ante a cena comovedora de uma mãe tentando, com suas derradeiras forças, tocar a filha pela última vez — explicou João, já aos soluços, como uma criança, e com lágrimas caindo a cântaros.

— Calma, João. Eu não quis ser grosseiro. Não precisa se ofender, pois eu apenas acho que você não deve se envolver emocionalmente com os pacientes. Animais, como eu disse ao sr. Mataveira, não sabem de nada. Morrem e nem sabem o que aconteceu. Eles não sentem e não são como nós. Veja se entende isso: animal é animal, gente é gente. Não confunda as coisas, João. Procure não agir como se eles fossem capazes de ter alguma espécie de sentimento. Animais só sabem comer, dormir e dar cria. São somente instintos. Quando morrem é como se uma máquina estivesse parando de funcionar. Sou como um mecânico de animais. Se a máquina não quer funcionar direito, lá vou eu tentar consertá-la; mas, se não tiver jeito, o melhor é substituí-la por outra. Simplesmente joga-se fora a máquina estragada e substitui-se por outra. Morreu, morreu! O que se pode fazer se ninguém é eterno? Esqueça o que aconteceu com a Paloma e vá descansar, porque amanhã é outro dia.

João Rubens nunca respondeu às críticas do patrão, mas, desta vez, resolveu falar da maneira mais polida possível:

— Sinto muito, doutor, mas não consigo ser tão racional quanto o senhor. Quando vejo um animal sofrendo, eu sofro junto. Por isso, não quero ser veterinário. Prefiro continuar meus estudos supletivos e quando for possível irei para a faculdade de Química. Só assim não precisarei mais deparar com tantos animais sofrendo – falou João, que no seu íntimo queria mesmo era ser veterinário.

— Mas eu pensei que gostasse de fazer o que você faz! – exclamou Guilherme. Pensei que quisesses ser veterinário também, para trabalharmos juntos.

— Sinto muito, doutor. É muito sofrimento para mim. Gosto do que faço, pois ajudo o senhor a salvar animais que não sobreviveriam sozinhos. É a maneira que tenho de contribuir com os nossos irmãos animais.

Guilherme olhou para João com expressão de deboche e por pouco não soltou uma gargalhada de desdém.

— Irmãos? — perguntou o médico, surpreso com o termo usado por seu funcionário, pois nunca supôs que um animal pudesse ser seu irmão por considerá-los apenas objeto.

Para ele era uma ideia simplesmente fora da realidade. E prosseguiu:

— Você acredita em um absurdo destes? Quem, em sã consciência, poderia supor que animais sejam nossos irmãos? Como você consegue ter essas ideias tão doidas?

— Para mim, é algo natural, patrão! Sempre os considerei assim, desde criança. Não tenho muito estudo, mas sei que eles são inteligentes e estão aqui na Terra para nos auxiliar. Aprendem conosco e nós com eles — tentou explicar João Rubens.

— Inteligentes? — Guilherme riu, debochando, sem disfarçar desta vez. Você vem com cada uma que, algumas vezes, acho que lhe faltam parafusos na cabeça. Que ideias mais esquisitas. Irmãos e ainda inteligentes! Imagine eu sendo irmão de um burro, ou de um rato transmissor de leptospirose. Eu, hein? — falou Guilherme, em tom de sarcasmo.

— Mas é isso mesmo, doutor. Por que o senhor acha que os animais estão à nossa volta? Qual o propósito de estarem convivendo conosco? O senhor acredita que eles estejam aqui apenas para nos servir?

– É claro que sim – respondeu.

– É claro que não! – replicou João. O senhor nunca se perguntou por que alguns animais nascem em locais onde são bem tratados, enquanto outros somente vivem sofrendo e morrem sofrendo também? Nunca se questionou por que um bovino é levado ao abate em um processo doloroso de morte em massa, enquanto um cão de raça, por exemplo, é criado como um rei, comendo as melhores comidas, sendo cuidado como uma criança, recebendo o melhor tratamento possível?

– Uns têm mais sorte que outros – concluiu Guilherme.

– Se fosse só isso, não seria justo. Deus não agiria injustamente com ninguém, nem mesmo com um animal. Eu acredito que estejam aqui para aprender algo conosco com os sofrimentos e alegrias que compartilhamos – argumentou João Rubens.

– João do céu! Você está precisando de um psicólogo. Está ficando doido, mesmo. Onde já se viu? Animal não pensa, não entende nada do que acontece ao seu redor – Guilherme ironizava, não querendo aceitar os argumentos do amigo. Já pensou um cachorro descobrindo teorias científicas? – finalizou, com uma barulhenta gargalhada.

João Rubens ficou ruborizado com as observações irônicas do médico, que queria fazê-lo sentir-se um estúpido, e disse:

– Doutor, os animais são tão inteligentes quanto nós em alguns aspectos, e talvez em outros sejam melhores que nós. Acredito que o problema seja apenas de comunicação. Eles não conseguem pronunciar palavras e por isso não os entendemos. No entanto, quando você dá uma ordem ao seu cão, por exemplo, ele obedece. Você, muitas vezes, não o entende, mas ele consegue entendê-lo.

— Ah, isso é verdade. O meu cão Boris é demais. Parece gente, entende tudo e só falta falar — concordou Guilherme, ao menos neste momento.

— Então, doutor, o Boris já não é uma prova de que os animais são inteligentes? — perguntou o amigo a Guilherme, feliz por encontrar um exemplo que o tocou intimamente, pois o médico adorava seu cão de tal maneira que chegava a causar ciúmes em sua noiva, Cláudia.

— Vamos com calma — falou Guilherme. Eu não disse que o Boris é inteligente. Acho que ele consegue copiar de nós algumas maneiras de agir, mas é só uma repetição. Não é espontâneo. Ele não poderia fazer algo se não tivesse me visto fazer algumas coisas que ele repete — retrucou Guilherme, insatisfeito com o argumento de João Rubens.

— Mas, doutor, o Boris é cego. Como poderia ver e copiar? — argumentou o amigo, convencido do que dizia.

O automóvel estava se aproximando da casa de João e não teriam tempo para continuar o assunto, por isso João pediu:

— Por favor, doutor, pense no que estamos falando. Amanhã cedo, ou daqui a pouco, pois já são quase seis da manhã, conversaremos a respeito. Aí o senhor me diz se estou certo ou não em acreditar no que falamos sobre a inteligência dos animais.

— Tudo bem! Amanhã... daqui a pouco, conversaremos a respeito. Depois de alguns minutos, parou seu automóvel em frente da casa de João Rubens. Despediram-se e Guilherme retornou, exausto, para sua casa, onde foi recebido por Boris, que veio correndo e latindo, alegremente, pelo retorno de seu melhor amigo.

Boris é um cão sem raça, que o médico recolheu em uma de suas consultas à granja do sr. Ichimura. Ele estava passando de automóvel por uma estrada que corta um intenso canavial, quando ouviu um som estridente. Parecia um miado de gato, de tão agudo que era o latido do recém-nascido filhote, mestiço com *cocker*, que foi abandonado na beira da estrada para morrer.

– Caramba! – exclamou Guilherme. Quem poderia ser tão ruim assim para abandonar um filhote neste sol, sem água e sem comida? Dificilmente, alguém passa por aqui. Que gente mais doida! – pensou o médico.

O jovem doutor recém-formado parou seu veículo, desceu e saiu à procura de onde vinha aquele choro sentido e agudo. Vasculhou entre os pés de cana e encontrou um monte de pelos pretos ressecados da poeira da estrada, com os olhos tomados por uma secreção pegajosa causada pela conjuntivite que estava a ponto de cegá-lo. Estava em adiantado estado de subnutrição. Deveria estar ali há dias sem se alimentar. Guilherme admirou-se com a força com que gania, mesmo depauperado como estava. Ao examiná-lo, notou que um líquido viscoso e malcheiroso escorria e empapava os pelos do abdome. Era miíase (afecção parasitária). Enormes larvas de moscas de até dois centímetros devoravam-lhe a carne, deixando um grande ferimento, no qual se podiam ver os vermes movendo-se.

– O sr. Ichimura que me perdoe, mas não poderei atendê-lo agora – falou consigo mesmo.

Colocou o cãozinho enfraquecido, quase morto, no

automóvel e o levou à sua clínica para tentar reanimá-lo. Chegando ao local, que ficava no centro da cidade, Guilherme entrou como um tiro e foi direto à sala de emergências. Sedou levemente o pequeno cão e, cuidadosamente, retirou larva por larva, deixando à mostra os tecidos internos e músculos lesados pelos vorazes parasitas. Feito o curativo e cauterizada a ferida, o médico, trêmulo de preocupação em salvar a vida do animalzinho, banhou-o com antissépticos e ministrou medicamento que o livrou de uma possível septicemia.

Terminada a aplicação de líquidos hidratantes, notou após uma higienização dos olhos, que suas córneas estavam perfuradas em consequência da infecção, da presença de pus e do contato prolongado com o sol, que as queimou.

– Pobre animalzinho! Está cego. Mas não se preocupe, eu farei o que estiver ao meu alcance para salvá-lo, cãozinho – falou Guilherme ao pequeno animal, enquanto ele movia a cabeça tentando localizar quem pronunciava tais palavras.

Sem que pudesse notar, João o observava, de longe, conversando com o pequeno cão. Guilherme não se deu conta, mas estava conversando com o que ele considerava um objeto sem discernimento. Foram vários dias de tratamento, porém, incrivelmente, no dia seguinte ao resgate, o pequeno já se mostrava muito esperto e com uma fome desproporcional ao seu pequeno tamanho. Comia vorazmente e, após comer, ficava com o abdome tão volumoso que até dificultava seus movimentos. Guilherme não queria que se alimentasse em excesso, deixou-o, pois estava ávido por comida, após, sabe-se lá, quantos dias sem se alimentar.

Tendo alimentação regular e tratamento adequado, em alguns dias ele estava irreconhecível. Seus pelos brilhantes e macios, a pele fofa, que já formava dobrinhas nas patas e no pescoço, davam a ele um ótimo aspecto, mas sua visão não se restabeleceu. Foi levado para a casa de Guilherme, onde cresceu saudável. Mesmo cego, desenvolveu outras sensibilidades que compensavam a falta de visão. O médico procurou não modificar a disposição dos móveis e, com isso, acostumou-se a se movimentar normalmente em casa, sem se acidentar.

Assim, ele corria, brincava, como se pudesse ver, guiava-se por sons, tato e olfato. Mal se podia notar sua deficiência. Era, sem dúvida, um cão especial, e Guilherme sabia disso. Por isso, adotou-o e cuida dele até hoje, quando já completou seu quinto ano de vida. Boris é um belo cão de pelos longos e brilhantes, orelhas longas e cobertas por densos pelos ondulados e negros.

Depois que foi resgatado por Guilherme da morte certa, nunca mais ficou doente, nem sequer pegou um resfriado. Desde que foi adotado, são inseparáveis. Por isso, quando o dono chega em casa, sempre é recebido por Boris, o resgatado que agradece a seu modo, em cada latido, por ter sido salvo por este grande amigo.

Ao chegar em casa, então, após aquela noite de trabalho extenuante, Boris o abraça e o lambe com tamanha alegria que parece que não o encontra há anos. Ele correu, pulou, rolou pelo chão, latiu de alegria. Apesar do cansaço, Guilherme não resiste ao convite de Boris e começa a brincar com ele. Rolavam pela grama do quintal e corriam feito crianças de um lado para o outro. Com esta algazarra toda, surge na janela, sonolenta, dona Elza, mãe de Guilherme.

– Guilherme Tavares Benati! Que bagunça é essa no meu jardim a esta hora da manhã? Você não cresce, mesmo, hein? Olha a sua roupa, está toda suja e babada. Vão tomar banho os dois, enquanto esquento o café!

– Oi, mãe! Foi culpa do Boris, eu estava quietinho! – brincou Guilherme com sua mãe, como se fosse apenas uma criança com seu cachorro.

Dona Elza entendeu a brincadeira do filho, sorriu e fez um sinal com a cabeça chamando-os para dentro. O cão correu para a frente, como se pudesse ver.

– Senta, Boris! – ordenou dona Elza. Ele se abaixou e colocou a cabeça entre as patas dianteiras e não se moveu dali, obediente. Então, dona Elza repara no odor exalado pelo filho e pergunta: – Que cheiro é esse?

Guilherme dá um sorriso sem graça, pois, por estar acostumado com os cheiros que adquire no trabalho, esquece-se de que podem incomodar outras pessoas. Ele foi direto tomar um banho para livrar-se daquele odor que incomodou sua mãe e retornou para a mesa que o esperava com o desjejum. Mas antes de se ajeitar em sua cadeira, sua mãe fala:

– Filho, você vai acabar doente trabalhando deste jeito. Está desde a noite de ontem atendendo. Ninguém aguenta este ritmo. Descanse hoje – pediu dona Elza ao filho, que nem pensava em dormir. Ele só queria comer algo e voltar para a clínica.

– Mãe, a senhora já deveria saber, vida de médico é assim mesmo, as emergências surgem quando menos esperamos, seja dia ou noite. E, além do mais, eu não poderia deixar de atender a Paloma. Eu a conheço desde que me conheço por gente. Lembra-se de quando íamos com papai à fazenda do sr. Mataveira comprar mel e queijo? Enquanto vocês ficavam de conversa, eu ia cavalgar Paloma, acompanhado pelo seu Juca, o capataz. Paloma era muito querida – explicou Guilherme, já com a voz um pouco lenta por causa do sono que se aproximava e o abatia. Seus olhos estavam irritados pela vigília prolongada, que o fazia esfregá-los sem parar, enquanto bocejava várias vezes.

– Tudo bem! Você é quem sabe. Eu sou só sua mãe e você já está bem crescidinho para saber o que é melhor para você ou não. Coma ao menos, para não piorar sua saúde. Fiz bolo de fubá com queijo, de que você tanto gosta. Ah! Antes que eu me esqueça, a Cláudia ligou ontem, porque não o encontrou o dia todo e estava preocupada com o seu excesso de trabalho – disse dona Elza ao filho, que mal prestava atenção às palavras, enquanto as pálpebras pesadas caíam, obrigando-o a dar longas piscadas e fazer um grande esforço para se manter acordado.

– Está bem, mãe. Já ligo para ela.

Dona Elza serviu-lhe o desjejum e foi cuidar dos afazeres domésticos. Guilherme morava com sua mãe e com Boris; seu Vitor havia morrido há dois anos de câncer no pulmão, pois era fumante inveterado. Dona Elza nem gostava de tocar em assuntos relativos à doença, pois a faziam lembrar-se quanto ele sofreu, quando a doença se alastrou sem que os médicos nada pudessem fazer.

Guilherme serviu-se de uma xícara de leite com café muito açucarado e uma grande fatia de seu bolo preferido.

Separou um pedaço de queijo fresco que dona Elza mesma fez e bebericou um pouco, cuidadosamente, pois estava muito quente. Mais um gole, uma mordida no bolo de fubá e o sono se abate sobre Guilherme. Mastigava, lentamente, e, por fim, apoiando a cabeça nos braços, adormeceu sobre a mesa. Mal fechou os olhos, sentiu-se leve, como se flutuasse.

Estava sonhando. Subitamente, se vê em uma grande fazenda, muito arborizada, onde soprava uma brisa refrescante sobre sua face, fazendo movimentar sua cabeleira. A entrada era enfeitada por flores de um colorido pouco comum, e pareciam ter sido plantadas com extremo cuidado por um paciente jardineiro. Elas coloriam o ambiente de uma forma tão harmoniosa que poderiam ter sido feitas por um artista plástico de muito bom gosto. Pareciam exóticas, pois eram de espécies nunca vistas antes por ele. A estrada que dava para a entrada da fazenda era muito bem trabalhada por tijolos amarelos e pedriscos que pareciam ter sido colocados um a um.

Olhando para cima, Guilherme se depara com um céu muito azul e límpido e admira-o, pois não se lembra de um firmamento assim tão limpo e com atmosfera tão perfumada em lugar antes visitado pelo jovem doutor dos animais.

Os pássaros de plumagens tão diferentes eram amistosos e pousavam próximos ao médico, como se soubessem que ele não representava qualquer ameaça. Eram de todas as cores, e o canto deles parecia música tocada por um experiente flautista. Na entrada, havia uma grande porteira, com uma inscrição acima, no ponto mais alto: "Rancho Alegre".

– "Rancho Alegre!" Que lugar mais bonito! Parece um sonho! – exclamou o médico. Quem será o dono disso tudo? Deve ser alguém muito rico que tem muitos empregados para manter tudo tão organizado e limpo deste jeito. Não me lembro de ter estado aqui antes, mas sinto-me estranhamente familiarizado... parece que já conheço este lugar. De qualquer modo, estou admirado com tanta beleza, sem falar do bem-estar que me invade. Gostaria de conhecer este local. Será que alguém virá me receber?

Mal acabou de pensar nisso, notou, ao longe, uma figura conhecida, que se aproximava. Estava mais jovem e mais disposto, muito mais forte e corado do que quando o viu pela última vez. Mas, sem dúvida, era ele. A semelhança era muito grande para não ser. Era o pai do sr. Mataveira.

– Sr. Gustavo! – exclamou Guilherme, estranhando a presença deste que conhecia desde criança.

– Sim, Guilherme! Prazer em revê-lo bem e forte – disse o senhor que o doutor reconheceu como seu velho amigo.

– O senhor não morreu? Eu não fui ao seu enterro porque não me sinto bem em velórios, mas tenho certeza de que meus pais foram. O senhor morreu ou estou sonhando? – perguntou, admirado, à aparição.

– Morrer? Ninguém morre, Guilherme. A morte é uma ilusão. É um período temporário entre dois estados evolutivos em que apenas nos desvencilhamos do envoltório que nos serviu enquanto vivíamos no mundo físico e deixa de ser útil quando acertamos o retorno ao nosso verdadeiro mundo, o espiritual. Aquele revestimento físico, que foi somente um instrumento, é deixado para trás e devolvido à Natureza quando novamente nos reunirmos aqui nesta outra dimensão – explicou Gustavo, com voz paternal.

– Então eu morri também? – perguntou, assustado com a possibilidade de ter desencarnado. Devo ter cochilado enquanto estava tomando meu café da manhã e me afoguei no leite, ou bati com a cabeça na mesa, e nem notei que não estou mais vivo.

– Nada disso, Guilherme. Todas as vezes que dormimos, nosso corpo espiritual, com a nossa consciência, se torna livre do corpo físico pelo período que durar o sono. Estando libertos, agimos como se estivéssemos desencarnados sem estar. Podemos voltar ao corpo físico a qualquer momento. Com isso, iremos aonde quisermos, com a velocidade do pensamento, pois nos movemos pelo pensamento quando estamos livres do denso corpo físico. Você ainda está ligado ao seu corpo físico por estes fios brilhantes, quase invisíveis, que saem do seu peito e da sua cabeça.

– Ah! É verdade. Posso perceber. Há mesmo um fio aqui – falou Guilherme, que tentou tocá-lo, mas suas mãos os atravessaram; era como se presenciasse uma ilusão óptica.

Tentou várias vezes tocar o cordão, sem sucesso, e desistiu. Então, olhou para o seu amigo e notou que nele não havia resquícios de cordão ou algo parecido.

– O senhor não tem cordão? Por quê? – questionou Guilherme.

– Não, eu não preciso mais, pois não estou encarnado. Meus laços com o mundo físico se romperam há anos. Os únicos contatos que faço com o mundo físico são visitas ocasionais aos familiares, quando me sobra tempo.

– Mas se o senhor não vive mais entre nós, então não precisa se preocupar em sobreviver, nem tem que trabalhar para pagar contas e os salários dos empregados, não vai mais fazer negócios com gado e mel. Como pode não ter tempo para reencontrar a família e os amigos? – perguntou Guilherme, curioso.

– Com frequência, recebo visitas dos familiares, que vêm nos auxiliar em nosso rancho, e de amigos que nos procuram para uma prosa e também para trabalhar conosco, mas retornar ao mundo físico em visita social é muito raro, pois pode não parecer, mas há mais trabalho a fazer aqui do que quando eu era encarnado e trabalhava na fazenda.

– O senhor é o dono desta fazenda aqui também?

– Não, não. Sou apenas um dos trabalhadores. Esta fazenda é, na realidade, uma colônia espiritual, isto é, uma comunidade que cuida dos animais, auxiliando-os principalmente no seu aprendizado evolutivo. Há vários colaboradores de diversas áreas de especialização e equipes especializadas em assuntos relativos aos animais. Há os colaboradores das equipes de resgate, de cirurgiões, os responsáveis por animais selvagens, que incluem os animais marinhos e outros. Aqui em nossa fazenda trabalham muitos que foram, quando encarnados, veterinários, que nos auxiliam, mas há outros que se encontram ainda encarnados também. Dentre os especialistas, há aqueles que atuam na mesma especialidade que exerceram na Terra, trabalhando aqui em funções semelhantes. Há os que não são especialistas, mas, sim, grandes colaboradores e valorosos naquilo que fazem e que por isso merecem tanto respeito quanto os outros.

— Então, há muitos trabalhadores aqui que ainda vivem na Terra, assim como eu? Como podem trabalhar no Mundo Espiritual estando encarnados?

— Sim, há vários colaboradores encarnados, e quando dormem, assim como você está fazendo agora, se transportam mentalmente até aqui para exercer o que sabem e o que podem fazer para auxiliar os nossos irmãos animais em sua escala evolutiva. Ficam pelo tempo que acharem necessário ou que tiverem disponível, mas o melhor de tudo isso é o fato de que, quando estão auxiliando, ajudam a si próprios também a se elevar espiritualmente. Trabalhar na espiritualidade é um aprendizado constante, pois já dizia São Francisco de Assis: "É dando que se recebe".

— O senhor falando assim parece o João, meu secretário, que chama os animais de irmãos.

— Você se refere ao doutor João Rubens? – perguntou Gustavo.

— Não, doutor não. O João Rubens mal fez o primário, está tentando terminar o primeiro grau fazendo escola supletiva por correspondência. Ele é semianalfabeto – explicou Guilherme, um tanto quanto constrangido com o suposto mal-entendido. Este aí deve ser outro João Rubens! – completou Guilherme.

— Engano seu, amigo. Aqui ele é conhecido como doutor João Rubens, e é um dos diretores mais graduados de nossa comunidade. Em outras épocas, em reencarnações passadas, ele já ajudava em nossa instituição e, aliás, é um dos fundadores desta que foi formada há mais ou menos quinhentos anos por índios, negros africanos que eram escravos dos senhores de engenho, e alguns europeus, principalmente portugueses e ingleses. Depois disso, juntaram-se a nós japoneses, chineses, egípcios e outros de diversas nacionalidades e em épocas diferentes. O doutor João Rubens, quando da fundação de nossa colônia de animais, era um índio muito respeitado em sua comunidade. Como líder, era uma pessoa extremamente justa e bondosa, mas sempre sentiu necessidade de reencarnar para resolver problemas cármicos e para ajudar naquela outra dimensão em que você vive hoje. Retornou a nós novamente como escravo em diversas reencarnações. Em outras, estudou medicina; foi engenheiro, físico, químico, biólogo. Foi um cientista brilhante, reconhecido por mérito entre a comunidade científica no século XX. Recebeu prêmios importantes. Hoje, é um humilde auxiliar, por opção, mas não o subestime. É uma mente notável – expôs Gustavo ao visitante, que nem piscou, atento e boquiaberto.

– Quem diria, hein!? O João Rubens. Eu nem poderia imaginar. Esse João Rubens sempre me surpreendendo – comentou Guilherme, com um misto de surpresa e constrangimento por tê-lo subestimado.

Notando que Guilherme ficou pouco à vontade com a notícia de ter um auxiliar tão graduado, Gustavo o convidou para conhecer o "Rancho Alegre".

– Vamos entrando, venha conhecer a casa! Nós o chamamos aqui para isso mesmo.

– Vocês me chamaram? Como assim? Eu pensei que tivesse chegado aqui por acaso.

– Depois que você e João Rubens conversaram sobre a vida espiritual dos animais, sentimos que você estava quase amadurecido para nos auxiliar. Se quiser, é claro.

– Mas eu discordei de quase tudo o que o João me falou!
– Mesmo assim você está apto a auxiliar.
– O que devo fazer, então?
– Por enquanto, só conhecer a casa e depois a rotina dos trabalhos daqui. Posteriormente, você irá trabalhar conosco efetivamente; por enquanto, ainda precisa preparar-se melhor para as tarefas que desenvolvemos aqui. Venha, vamos entrando...

Ao se aproximarem da grande porteira, ela se abriu, automaticamente, ficando quase invisível para tornar-se novamente sólida, após a atravessarem. Guilherme admirou-se com o mecanismo de abertura daquela porteira enorme e exclamou:

– Ah! Por isso não notei as porteiras se abrirem quando você saiu!

– Exatamente. Este portal somente se abre às pessoas cadastradas. Assim, são evitadas invasões e ataques de selvagens que querem agredir os irmãos sob nossa responsabilidade.

– Selvagens?! – perguntou Guilherme.

– Sim, os selvagens são seres ignorantes, no sentido espiritual. Não o são intelectualmente, pois muitos deles são até mesmo doutores na Terra; no entanto, se comprazem em ferir e maltratar animais. Organizam caçadas e safáris no mundo físico para exterminar animais indefesos e, durante o sono, libertam-se do corpo físico e tentam entrar clandestinamente em nossos limites, a fim de praticar este esporte detestável, que é a caça com armas plasmadas mentalmente por eles. Os animais que estão aqui não podem ser aniquilados, pois já estão desencarnados, mas, mesmo assim, podem sofrer graves desequilíbrios que atrasariam seu retorno ao mundo físico, em função dos transtornos decorrentes. Essas pessoas são frequentemente acompanhadas por seres horripilantes, que se assemelham a animais em aspecto, apesar de serem humanos vindos de regiões trevosas, agindo como guias de caça, indicando os lugares onde se encontram os animais e fornecendo armas e munições em troca de um pagamento que me arrepia só de pensar.

– Pagamentos?

– Sim, como pagamento pelos serviços de guia, eles entregam suas energias vitais a eles, que os sugam enquanto estão em atividade na Terra durante a vigília.

– Nossa! Que terrível. E se conseguirem entrar, como se defender?

– Temos uma equipe de segurança a postos, ininterruptamente, munida de armas elétricas que produzem descargas dolorosas que fazem os encarnados desdobrados despertarem na Terra com horríveis dores de cabeça. Os desencarnados atingidos pelos raios geralmente desmaiam e são levados de volta ao seu lugar nas profundezas. Enquanto os encarnados se preocupam com a cefaleia, esquecem nossos animais e os seus parasitas espirituais também não os alcançam, pois os raios possuem uma característica que é a de modificar seus padrões vibratórios. Quando os mudam, tornam-se "indigestos" aos parasitas que procuram se afastar, ao menos, temporariamente. Na verdade, a descarga elétrica que recebem se assemelha, em termos de frequência, ao passe magnético, ou à hóstia, ou, ainda, quando vão à igreja evangélica, às energias da imposição das mãos. Quando os selvagens se sobrecarregam destas energias positivas, que são contrárias às energias que carregam consigo, normalmente, sentem forte mal-estar e acordam.

– Deve ser uma guerra, não é mesmo?

– Sim, é terrível; mas, vamos entrando – convidou Gustavo, novamente.

Caminharam por uma estrada rodeada de extensos jardins floridos e de onde podiam ver diversos caminhos que ligavam muitos prédios. Eram dezenas de edifícios em todas as direções. Continuaram a caminhar por alguns metros. Então, Guilherme olhou para a frente e percebeu uma nuvem de poeira que se formava e se movia a grande velocidade em direção aos dois. Gustavo não parecia surpreso, mas o visitante ficou curioso.

– O que será aquilo? – perguntou.

– Não reconhece? Olhe melhor.

– Parece um cavalo, e veja como é esperto e ágil. Faz movimentos muito rápidos como nunca presenciei algum animal destes fazendo. Galopa tão velozmente que mal consigo acompanhar seus movimentos. Ele parece flutuar no ar. Isso é incrível! – observou Guilherme, admirado com tamanha agilidade em um animal tão pesado.

– Repare melhor e verá que é a nossa Paloma.

– Paloma?! Mas ela estava agora mesmo morrendo, totalmente enfraquecida. Como pode? Ela parece tão jovem e saudável!

– Lembra-se do que lhe disse sobre o corpo físico? – perguntou Gustavo. – Pois então, o corpo de Paloma já estava gasto pelo tempo, mas seu espírito permanece jovem. A aparência dela agora é reflexo de como se sente neste momento e era assim que também estava, mesmo quando sua máquina física falhou. O corpo envelhece, mas o espírito, não. Assim que a libertamos de seu corpo físico, ela saltou para nossa dimensão como uma borboleta sai de sua crisálida, dando galopes e saltos, como se nada houvesse acontecido. De fato, nem houve necessidade de sedá-la para proceder à soltura dos liames que a prendiam ao seu velho corpo esgotado. É espantoso como praticamente não se ressentem dos males sofridos no físico ao retornarem.

Enquanto Gustavo falava, Paloma vinha se aproximando dos dois. A poucos metros, diminuiu seu ritmo e aproximou-se trotando, para demonstrar como estava bem. E, mesmo a longa distância, já havia reconhecido Guilherme. Aproximou-se ainda mais e devagar para tocar-lhe a face com seu grande e quente focinho, como quem diz: "Eu sabia que você viria. Bem-vindo, amigo, à minha nova casa". Em seguida, com um olhar meigo a ambos, afastou-se dali, a galope, até sumir de vista.

Guilherme não tinha certeza, mas parecia-lhe ouvir as palavras de Paloma ecoarem dentro de seu cérebro. Tentou disfarçar, para não parecer tolo, e se recompôs antes de perguntar:

– O que acontece com Paloma agora? Viverá aqui para sempre? Aqui seria como o paraíso dos cavalos?

– Aqui não é o paraíso, mas é um ótimo lugar, onde os animais são bem tratados até se recuperarem e estarem em condições de retornar ao mundo físico e continuar seu aprendizado. Aqui se encontram não somente cavalos, mas todas as espécies de animais que conhecemos na Terra, dos quais cuidamos até sua recuperação. Aqui nós os preparamos para um novo retorno à vida física. Como pode perceber, não é exatamente um paraíso, mas tão somente uma colônia espiritual. Este lugar é apenas um posto intermediário. Há muitos outros em localidades que cuidam de assuntos ligados a animais mais evoluídos que os que conhecemos, cuja tecnologia é desconhecida por nós.

É necessário muito tempo de estudo e trabalho para sermos levados a pontos mais avançados que estão, digo, com certeza, a muitos anos-luz de nossa capacidade. Nosso trabalho aqui é bem elementar, se comparado com o que desenvolvem por lá, mas não nos preocupemos com isso ainda.

Gustavo ia prosseguindo com o diálogo quando, subitamente, notou que Guilherme estremeceu, como se fosse tomado por um grande susto, para, a seguir, seus cordões prata serem avolumados e aumentada sua consistência. Os músculos se retesaram e as pupilas se dilataram. O cordão que o ligava ao corpo físico aumentou de diâmetro e parecia se contrair. Estava como que tomado por uma dor repentina que o impedia de continuar o diálogo. Então, Guilherme, como se desmaterializasse diante de Gustavo, desapareceu sem ter tempo de se despedir de seu velho amigo. Retornou subitamente ao corpo físico, pois sua mãe o estava acordando.

– Acorde, Guilherme! Acorde! Não durma sobre a mesa, você vai ficar com a coluna toda dolorida. Tome seu leite e deite-se na cama. Já está arrumada, à sua espera.

Guilherme ainda sonolento e sem recuperar totalmente consciência, acordou, falando de modo desconexo.

– O que foi? O que aconteceu? Sr. Gustavo? – perguntava Guilherme atormentado pelo retorno inesperado e repentino à sua mãe.

– Que Gustavo, que nada. Você está sonhando. Vá deitar-se em sua cama – pegando o filho pelo braço, carregou-o como a uma criança, ajudando-o a encontrar o quarto.

– Mãe! Eu vi o seu Gustavo no sonho e a Paloma também estava lá. Que sonho mais esquisito! Sonhei que ela falou comigo. Quanto tempo eu dormi?

– Ah! Não chegou a um minuto, mas ali não é lugar de dormir. Lugar de dormir é na cama – falou a mãe, com certa autoridade.

Ajudando-o a deitar-se, acomodou o rapaz e o cobriu, saindo devagarzinho, sem dizer mais nada, pois notou que seu filho novamente tinha pegado no sono. Em silêncio, afastou-se e fechou a porta atrás de si com todo cuidado. O cansaço físico após o trabalho extenuante com Paloma o havia esgotado. Por isso, dormiu sem notar que já estava em sua cama, para onde caminhou quase automaticamente sem saber como chegara ali.

Bob

Guilherme dormiu como uma pedra. E, ao acordar, quatro horas depois, de nada mais se lembrava, exceto algumas cenas e alguns diálogos rápidos com seu Gustavo, o velho amigo. No entanto, algo ficou muito marcado em sua mente: as palavras ditas mentalmente por Paloma.

A cena daquele contato de sua face com o focinho de Paloma não saía de seu pensamento. Ele ainda podia sentir o hálito e a respiração da égua, como se ela ainda estivesse ali do seu lado. Ele mantinha intacta a impressão de poder ouvi-la, como se falasse com ele por pensamento, e isso o deixou abalado, pois era muito cético sobre estes assuntos espirituais. Não conseguia pensar em outra coisa após acordar apressado por estar atrasado para ir à clínica. Mesmo assim, acreditou que era por causa do diálogo que teve com João Rubens, momentos antes de chegar em casa pela manhã, a influenciá-lo. Mas, naquele momento, sua preocupação maior era com seus horários de trabalho.

– Mãe, por que você não me chamou antes? Estou atrasadíssimo! Os clientes devem estar furiosos comigo. Eu já deveria estar na clínica há horas – disse Guilherme, que segurava uma escova de dentes e falava em voz alta com sua mãe, que se encontrava em outro cômodo da casa. Apressado, Guilherme tentava escovar os dentes e se vestir, ao mesmo tempo.

— Eu deveria visitar o sítio do sr. Ichimura e do sr. Nakayama logo cedo – completou – eles devem estar pensando que não irei mais.

— Não se preocupe, filho – respondeu a mãe, falando também alto, do outro lado da casa. A Cláudia passou por aqui e o encontrou em sono pesado, por isso cuidou de tudo. Ela já deve ter organizado sua agenda de hoje de modo a não sobrecarregá-lo. Você sabe, a Cláudia é a organização em pessoa. Se ela não ligou é porque não surgiu nenhuma emergência. Fique tranquilo, tenho certeza de que estará tudo pronto, à sua espera, quando chegar ao consultório.

Ainda apressado, Guilherme gritou de novo, já na porta da saída, e se despediu.

— Mãe!, estou indo. Até mais tarde!

— Até mais tarde, filho. Tenha um bom dia de trabalho!

Saindo rápido, do lado de fora estava Boris, que veio correndo em sua direção e pulou sobre ele para desejar-lhe um bom dia, mas acabou sujando sua calça branca.

— Não, Boris. Seu desastrado! Agora vou ter que ir trabalhar sujo. Veja o que fez na minha calça! Ah! Você nem pode ver. Fique aí. Depois nós conversaremos sobre isso – bronqueou Guilherme.

Saindo apressado rumo ao consultório, Guilherme nem ao menos reparou quanto feriu os sentimentos de seu amigo. Boris sentiu-se o último dos cães. Então, ficou ali, cabisbaixo. Abaixou as orelhas, como se estivesse se desculpando. Ele parecia dizer: "Desculpe-me" e afastou-se indo deitar-se, triste, sobre o tapete da porta da cozinha. Permaneceu imóvel por horas, deixando dona Elza preocupada.

Guilherme, ao chegar ao consultório, encontrou João Rubens, seu auxiliar técnico, em uma animada conversa com sua noiva, Cláudia, que o ajudava na clínica enquanto estava de folga no hospital onde trabalhava dando plantões.

Ela é nutricionista do Hospital Municipal – o principal da cidade. Cláudia é descendente de japoneses. Aqui, seus parentes se estabeleceram e criaram raízes. Tiveram seus filhos e netos. Cláudia tem uma vitalidade de dar inveja. Adepta da prática de *ioga* e *tai chi chuan*, possui energia de sobra para trabalhar em seu plantão e ainda dar auxílio em uma creche e em outros trabalhos voluntários pela cidade, com pessoas carentes.

No hospital é conhecida como mosquitinho, por não parar quieta um segundo. Sobe e desce as escadarias do prédio com uma celeridade que chama a atenção de todos. Ela é muito querida pelos pacientes, médicos e enfermeiros, que a respeitam por ser uma pessoa que se importa com todos. Passa de quarto em quarto para obter a opinião dos pacientes sobre a qualidade e a aceitação dos alimentos que são servidos e ainda encontra tempo para ouvir o que cada um tem a dizer. Todos querem contar como surgiu sua enfermidade e como sofrem com isso. Cláudia, pacientemente, ouve a todos e sempre transmite a cada um deles a confiança que os motiva a lutar contra o mal físico que os aflige. Isso os ajuda a enfrentar suas doenças com mais ânimo, pois

Cláudia sabe quanto são carentes, principalmente aqueles com enfermidades incuráveis.

A nutricionista é tão querida que em alguns chega a causar ciúme. Sua chefe está constantemente dando-lhe reprimendas, porque ela fica ouvindo os "lamentos" dos pacientes. Mas Cláudia sabe que são apenas reações de ciúme, pois ela consegue cumprir suas obrigações a contento, sem deixar de ouvir um paciente que seja.

Ela faz seu trabalho, que vai além de sua obrigação, mas com boa vontade. Quando os pacientes têm alta, voltam sempre ao hospital, somente para visitá-la. É uma pessoa especial, sem dúvida, tímida, mas ao mesmo tempo carismática. Ela é muito espiritualizada e compartilha com João as mesmas opiniões a respeito dos animais serem nossos irmãos, mas nunca comentou com Guilherme a respeito, pois sabe como o seu noivo é cético.

Certa vez, perguntou-lhe sobre Deus. A resposta foi, no mínimo, estranha para ela, cuja condição espiritual é elevada. Guilherme respondeu: – Deus?! Deus não existe. É apenas uma criação mental das pessoas para que se sintam amparadas de alguma forma, mas é só isso.

Cláudia, surpresa com a resposta, indagou-lhe:

– Guilherme, se Deus não existe, o que faz tudo funcionar tão coordenada e sincronizadamente no Universo? Quem criou e põe ordem nessa imensidão?

– É a Natureza! A Natureza é perfeita – respondeu o noivo, certo de que sua resposta era abrangente o suficiente para convencer a noiva de que seu argumento era melhor.

Então, Cláudia acalmou seu coração, ao notar que Guilherme entendia Deus como a Natureza e sentiu-se satisfeita, pois de certa forma ele estava certo e discutir não era sua intenção. Aliás, Cláudia raramente entrava em contendas por pontos de vista. Ela respeitava todas as opiniões.

Por isso, ambos se davam bem. Ela era o oposto de Guilherme. Um completava o outro de certa forma. Dona Elza, a mãe de Guilherme, não sabia ainda, mas ambos estavam planejando unir-se em matrimônio em breve tempo e pretendiam ter João Rubens como padrinho.

Ao entrar na clínica, vendo João Rubens e Cláudia em animado colóquio, Guilherme sentiu-se um pouco enciumado. O amigo percebeu sua expressão e calou-se, repentinamente.

Cláudia estava de costas para a porta de entrada e, notando a mudez repentina de João Rubens, virou-se e viu Guilherme com fácies de poucos amigos.

— Bom dia, Gui! — era assim que ela o chamava. Dando-lhe um beijo no rosto disse: Acordou mal-humorado? O que aconteceu? Levantou com o pé esquerdo? — brincou a noiva, tentando reanimá-lo. Então, fez-lhe cócega na barriga, oferecendo um largo sorriso.

— Ah! Foi o Boris. Encheu-me de terra. Olha só — falou Guilherme, apontando com o indicador a pegada de poeira do cão carimbada em sua coxa esquerda — como é que vou trabalhar, estando sujo de pata de cachorro?

— Trabalhando, ué! Todos sabem que veterinário pode se sujar um pouco no seu ramo. Ninguém liga para isso! Relaxe — e deu outro beijo no rosto de seu noivo, que se mostrou mais sossegado.

— Tudo bem. Vamos à agenda — disse Cláudia. Algumas pessoas ligaram e eu expliquei que você ficou a noite toda no sr. Mataveira em uma emergência e voltou exausto. Estava descansando um pouco, mas atenderia a todos. Marquei os nomes dos que querem sua visita e os horários em que você poderá atendê-los.

Guilherme examinou a agenda, verificou os horários e agradeceu:

– Obrigado, Cláudia. Não sei o que eu faria sem você. Não sei onde você consegue energia para fazer tantas coisas ao mesmo tempo. Trabalha no plantão do hospital e, na sua folga, em vez de descansar, vem aqui e organiza a minha bagunça. Que energia! Guilherme estava admirado com a vitalidade de sua noiva de pequenos olhos amendoados e cabelos pretos com leve tom castanho.

– Irei atendê-los de acordo com sua organização. Aposto que o primeiro da lista é o sr. Ichimura, estou certo?

– É ele mesmo! – respondeu a pequena sansei de pele branca como algodão.

Guilherme, após conhecer seu roteiro e horários, começou a preparar a valise que carregava consigo quando saía em consultas externas e quis saber:

– Mas me digam, sobre que assunto vocês falavam tão animados!

– Falávamos sobre a espiritualidade dos animais. João me falou que vocês conversaram a respeito – contou Cláudia.

– Isto mesmo, mas não sabia que se interessava por isso. Eu sei que você estuda assuntos relativos a estas coisas, mas achei que só entendia de fantasmas – disse Guilherme, mostrando sua ignorância a respeito dos assuntos espirituais.

Cláudia, com paciência extrema, nunca se exaltava com as observações debochadas e sarcásticas do noivo. Ao contrário, via nessas atitudes e palavras a oportunidade de expor suas ideias ao noivo cético que, aos poucos, estava aceitando melhor os assuntos preferidos dela.

— Ah! Como você é bobo, Gui! Não tem isso de fantasmas. São espíritos. E animais também têm espírito. Quando morremos, nosso espírito se liberta definitivamente e deixamos para trás nosso invólucro físico do corpo e nos atiramos a outra dimensão: a espiritual, onde não mais precisamos daquele corpo que nos serviu enquanto vivíamos na Terra. Assim, temos nosso espírito livre. Alguns são encaminhados às colônias espirituais para tratamento ou educação. Outros, que não acreditavam, ou nem sabiam enquanto estavam encarnados que a vida continua, após a perda do corpo físico, nem ao menos notam que não pertencem mais a esta dimensão e ficam vagando por entre as pessoas. Antes de serem resgatados por parentes e amigos que os esperam naquela dimensão, podem ser vistos por algumas pessoas encarnadas que tenham maior sensibilidade mediúnica, isto é, se mantêm perceptíveis aos que possuem vidência. Os animais são como nós: quando morrem, também são encaminhados para a dimensão espiritual e são acolhidos por equipes que os tratam e alimentam.

Guilherme interrompeu neste ponto, com intenção de fazer mais deboches. Mas Cláudia percebia um interesse oculto, que ele relutava em revelar:

— E fantasma precisa comer?

— A maioria das pessoas está muito ligada aos hábitos terrestres. Precisam se alimentar, dormir, vestir-se etc. Os animais são mais ligados ainda aos hábitos alimentares, por isso, apesar de não precisarem para manter seu corpo físico – que não possuem mais –, são alimentados mais para não perturbar seus hábitos do que por uma necessidade real.

– Ah! – exclamou, dando um sorriso enigmático. Cláudia continuou com sua explicação:

– Então, continuando de onde parei: os animais são agrupados por afinidade, senão haveria um reboliço quando um cão, por exemplo, se encontra com um gato. Eles mal distinguem as duas dimensões. Para eles estar aqui ou lá é a mesma coisa. Por isso, um cão que deteste gatos, ao se deparar com um deles lá, o atacaria e o outro tentaria defender-se, usando seus instintos que estão impressos no seu corpo espiritual. Se tivéssemos uma boa vidência, notaríamos, talvez, a presença de espíritos de animais à nossa volta, pois eles transitam facilmente entre as duas dimensões sem distingui-las. E outra coisa interessante de se salientar: a vidência nos animais. Eles são naturalmente videntes. Eles veem espíritos de seres humanos, por exemplo, que nós mesmos vemos com dificuldade, sem distinguir praticamente em que dimensão estão vendo. Tanto veem a nós quanto aos espíritos que estão em outras dimensões – argumentou Cláudia, com destreza de palavras e paciência.

– Nossa! Você está parecendo o João. Acredita nestas coisas com tanta convicção que quase chega a me convencer. Se não fossem as minhas convicções, eu poderia achar que o que você diz é verdade mesmo – disse Guilherme à noiva, que não se abalou com a sinceridade do parceiro.

– Mas o que o faz ter tanta certeza de que não é como eu digo? – perguntou Cláudia.

— A razão! É só pensar um pouco e tudo isso que você diz perde o valor – respondeu, sem rodeios.

— Ora, Gui! Pense você, então, no que eu digo e me diga onde está o absurdo de minhas palavras. Nós temos provas da existência da espiritualidade e de seus habitantes o tempo todo. Muitos cientistas estão atestando isso.

— Devem ser cientistas malucos – ironizou o doutor.

Sem dar ouvidos aos comentários irônicos do noivo, Cláudia tenta explicar-lhe sobre os estudos científicos a respeito.

— Na Rússia, os cientistas conseguiram provar que nós possuímos também um corpo não físico, que eles chamam de biofísico ou corpo de bioplasma. Este seria o nosso corpo espiritual. Parte deste corpo de bioplasma nos acompanha após nossa desencarnação ou durante o nosso sono, quando podemos abandonar temporariamente o corpo. Quando dormimos, nos livramos, pelo tempo que durar o sono, do corpo físico. Estando novamente livres, entramos na dimensão espiritual para retornarmos dela para mais um dia aqui, quando acordamos. Quantas vezes sonhamos com pessoas que já partiram e obtemos delas informações que somente elas poderiam nos trazer? – disse Cláudia ao companheiro incrédulo, que permaneceu um momento imóvel tentando lembrar o sonho que teve há pouco. Ele pareceu realmente interessar-se por este tópico.

— Se for verdade o que está dizendo, então, há pouco, em sonho, conversei com o sr. Gustavo, pai do sr. Mataveira, e me encontrei com a Paloma, que morreu – revelou o médico.

— Claro, você realmente os encontrou. Não há dúvida.

Guilherme estava relutante em demonstrar interesse e

por isso quis interromper a conversa, demonstrando um falso desinteresse.

— Vamos parar um pouco. Esse papo está me deixando cansado. Eu vou sair para atender estes clientes e depois voltamos ao assunto. Irei ao sr. Ichimura e à casa de Luciana, que está com sua gata doente. Volto logo.

E saiu, apressado, sem levar o auxiliar, como se estivesse fugindo da conversa.

Assim que saiu, entrou uma pessoa com uma gata nos braços. Era Luciana, que, a pedido de Bruno, seu irmão, preferiu não esperar por Guilherme em casa e a trouxe para o consultório.

Olá, Luciana — cumprimentou Cláudia. Não aguentou esperar pelo Guilherme?

— Não é isso. O Bruno é muito estressado e não sossegou enquanto não peguei a Branquinha para trazê-la para ser examinada e tratada. Eu sei que não é grave, mas você sabe como é o Bruno, não é? Ele nunca deixa nada para depois. Mas deixe-me sentar um pouco. A caminhada me deixou cansada. O doutor está ocupado agora? — perguntou Luciana.

— Ele acabou de sair para atender o sr. Ichimura e depois iria à sua casa. Vou ligar para o seu celular e avisá-lo que você está aqui.

— Diga a ele que não precisa ter pressa. Faz tempo que não conversamos e esta é uma boa oportunidade para pormos nossa conversa em dia.

Concordando com a cabeça e dando um sorriso, Cláudia avisou o veterinário que Luciana estava na clínica.

— Você está de folga hoje do hospital? — perguntou Luciana.

— Não, já fui fazer meu plantão e estou dando uma pequena ajuda ao Gui. Ele anda muito atarefado, ultimamente. Hoje trabalhou durante toda a noite na fazenda do sr. Mataveira e está exausto.

— Pelo jeito você gosta também dos bichinhos, não é, Cláudia?

— Sim, adoro os animais, mas não gostaria de ser veterinária. Gosto do que faço no hospital. Admiro os animais por sua natureza e inteligência, principalmente.

— Isso é verdade. São muito inteligentes. A Pretinha, minha outra gata, é demais. Não que a Branquinha não seja também, mas o que aconteceu ontem foi muito interessante e prova o que digo. Estávamos eu e o Bruno tomando nosso desjejum, quando Pretinha veio até nós, miando, fortemente, e olhando para a jarra de leite, como que pedindo um pouco de forma insistente. Estranhamos, pois ela não gosta de leite. Mesmo assim, peguei uma vasilha e coloquei um pouco para ela no chão. Para minha surpresa, Pretinha saiu correndo e voltou acompanhando Branquinha, como se estivesse amparando-a até se aproximar do leite. Deixou-a beber e ficou observando-a o tempo todo, em silêncio. Parecia que ela estava ali certificando-se de que ela tomaria tudo. Estava preocupada com a saúde de Branquinha, que não acordou bem naquela manhã.

— Então o leite era para a outra gatinha? — perguntou Cláudia.

— Exatamente. Ela se preocupou em saber se a Branquinha estava se alimentando adequadamente e pediu o leite. Não é uma gracinha? Bruno ficou tão comovido com a cena que quase chorou. Foi aí que notamos que a Branquinha não estava bem de saúde e resolvemos chamar o doutor. E também percebi como Pretinha é evoluída.

Como estavam na clínica, o assunto de animais se mesclou com os espirituais e voltaram ao assunto de que conversavam antes de Guilherme sair.

— Pois é. O Guilherme não entende que os animais sofrem tanto quanto nós e aprendem com o sofrimento. Não é, João? — falou Cláudia, tentando puxar o tímido auxiliar para o assunto.

— Sim, é verdade. O patrão não aceita estes conceitos por acreditar que animais somente existem para nos servir e servir aos seus próprios instintos — respondeu João Rubens, timidamente. Mas, aos poucos, acredito que se interessará pelo assunto e os entenderá melhor. O tema é muito vasto e complexo. O maior problema é a falta de material para estudos. Existe somente o contato com eles e as explicações dadas por mentores espirituais para conseguirmos um pequeno acesso às informações mais profundas. Ontem, digo, hoje de madrugada, quando fomos atender Paloma, lá no sítio do sr. Mataveira, pude presenciar as equipes espirituais trabalhando conosco para salvar o filhote dela, a Palominha, e desligar a sua mãe do envoltório físico para que passasse para a outra dimensão sem traumas.

João Rubens era uma pessoa altamente espiritualizada, cuja mediunidade era muito evidenciada.

— A equipe numerosa teve pouco trabalho com Paloma, que colaborou com eles, facilitando tudo. Pude notar quando ela se soltou das amarras e saiu de seu estado de semissonolência para o outro em que inclusive tinha uma aparência bem mais jovem e vivaz. Saiu em galope em direção ao pasto, não sem antes fazer um carinho no filhote. Havia várias pessoas, mas alguns só observavam como se estivessem ali para aprender como era feito o trabalho que consistia em desativar pontos que serviam como fixação do corpo físico ao espiritual. Enquanto uns aplicavam raios de energia sobre o corpo, outros se detinham sobre o útero. Parece que estavam fazendo o possível para que Palominha nascesse antes que sua mãe se libertasse totalmente. Foi uma cena realmente comovente. Difícil foi conter as lágrimas diante de tudo sem que o doutor notasse.

— Não é fácil para você ter um patrão excessivamente racional, sendo você o outro extremo em termos de sensibilidade. Você consegue vislumbrar o Mundo Espiritual, mas não pode compartilhar com ele o que pode captar da espiritualidade — falou Luciana.

— Eu sei que o patrão se importa com o que se passa com os animais e sei também que ele é sensível ao sofrimento dos nossos irmãos, mas prefere manter esta aparência indiferente por simples questão profissional. Ele acredita que, se demonstrar seus sentimentos, estará se expondo. Por isso, os esconde das pessoas e talvez até de si mesmo, algumas vezes. Tenho certeza de que ele tem interesse por assuntos espirituais, mas não quer se abrir.

Após algum tempo de conversa, o telefone toca. Era Guilherme, avisando que já terminara a consulta no sítio do sr. Ichimura e estava voltando para atender a gata Branquinha, de Luciana.

O sítio é um tanto retirado da cidade e para chegar até lá é necessário passar pelo mesmo canavial onde Guilherme encontrou Boris. Sempre que passa por ali, ele revive a cena do resgate do cão, que é hoje seu companheiro, e se comove com essas lembranças.

Guilherme vinha dirigindo, apressado, para não deixar Luciana esperando por muito tempo no consultório. Enquanto isso, Boris, deixando sua depressão momentânea por causa da reprimenda que recebeu de seu dono, passou a se comportar de modo estranho, ficando um tanto agitado e inquieto. De um momento para outro, ficou ansioso e angustiado como se algo o estivesse ameaçando. Dona Elza não podia ver o que era e não entendia o que estava ocorrendo e provocando esta transformação em Boris, que não parecia o mesmo. Ele fixava o olhar em alguma coisa, mas não poderia, pois era cego.

Repentinamente, começa a rosnar e a mostrar seus caninos ameaçadores, enquanto continuava a fixar o olhar em algum ponto no horizonte. Parecia que estava mesmo vendo algo. Dona Elza aproximou-se, tentou tocá-lo e conversar com ele para acalmá-lo, mas, como se estivesse hipnotizado, não deu atenção à voz da mãe de Guilherme, que o chamava sem ser ouvida. Quando ela o tocou no dorso para tentar acalmá-lo com carícias, Boris deu um salto, como se estivesse querendo se defender ou atacar alguém. Dona Elza assustou-se, pensando que ele queria atacá-la, por isso correu para dentro de casa e trancou a porta da cozinha, isolando-se do animal que estava transtornado. Parecia raivoso, com aparência alterada como nunca antes ela havia visto.

Observava-o através da janela, temerosa por um ataque, e notou que continuava rosnando insistentemente para algo ou alguém que somente ele poderia ver. Dona Elza estava achando que o cão havia enlouquecido e não queria ficar sozinha com aquele perigo, por isso ligou para o consultório, mas seu filho não estava. Tentou ligar para o celular, mas não tinha sinal algum, então, pediu à Cláudia que o avisasse sobre Boris e lhe pedisse que voltasse para casa o mais rapidamente possível.

Naquele instante, Guilherme voltava pela estrada que cortava por entre a enorme plantação de cana. Eram quilômetros e quilômetros de cana. Repentinamente, ouviu um estrondo e quase perdeu o controle de seu veículo, que derrapou e quase entrou no canavial. O susto foi grande, mas nada sofreu.

— O que aconteceu? — pensou Guilherme.

Pálido de susto e com o coração disparado com aquele acidente que poderia ter sido mais grave, se não fosse por sua perícia ao volante, Guilherme parou e deu um grande suspiro de alívio por estar bem. Permaneceu imóvel dentro do carro por algum tempo, tentando se recuperar do susto, e em alguns minutos se refez. Ainda trêmulo e com a respiração ofegante, desceu para verificar o que acontecera, e qual era a causa daquele som que se assemelhava ao estouro de uma bomba. Observando ao redor, notou uma tábua com várias pontas de aço perfurantes que, coberta pela poeira da estrada, ficou camuflada. Provavelmente, foi a causa do estouro dos dois pneus dianteiros.

— Que azar! — exclamou Guilherme em pensamento — dois pneus furados, e só tenho um sobressalente. Terei que chamar um guincho para me rebocar. Droga! Agora complicou tudo. Vou atrasar todas as consultas por causa disso.

Nesse instante, em casa, Boris continuava com comportamento cada vez mais estranho, agressivo e fora do normal. Começou a eriçar os pelos das costas e latir fortemente de forma ameaçadora para alguém ou alguma coisa que dona Elza não podia ver o que era. De repente, a expressão de Boris modificou-se completamente. Parecia um animal selvagem prestes a atacar o inimigo. Com expressões faciais alteradas, partiu em disparada na direção do muro, batendo fortemente com a cabeça e desmaiando em seguida.

Guilherme, nesse momento, nada sabia sobre Boris. Sua única preocupação era conseguir ajuda para sair dali, daquele deserto de canas. Mas seu celular não tinha sinal por causa de uma colina que fazia barreira à transmissão das ondas. Se quisesse pedir ajuda, teria que caminhar a pé por alguns quilômetros até o topo da colina onde haveria sinal. Enquanto a ajuda não chegasse àquele local, ele estava isolado e desprotegido. Retirando aquela tábua de pregos do caminho e observando os estragos ocorridos por causa do acidente, não notou que surgiam dentre as folhagens dois vultos.

Os assaltantes se aproximaram de Guilherme, sorrateiramente, quando ele estava distraído. Foram eles que, propositadamente, colocaram o artefato perfurante na estrada, com intenções escusas.

Ao se aproximarem de Guilherme, gritaram, anunciando o assalto. Assustado com mais esta surpresa, quase não podia se mover diante da arma de grosso calibre portada por um dos homens de expressão dura. Estavam com o controle da situação, mas notava-se que eram inexperientes e estavam mais assustados que o próprio assaltado. Suas mãos tremiam, assim como a voz, que ordenou a Guilherme que lhes entregasse todo seu dinheiro. Ele tentou argumentar, dizendo que tinha poucos valores consigo, mas poderiam ficar com seu celular e seu relógio. Irritados, pois queriam somente o dinheiro, os dois homens gritavam e ameaçavam atirar se não lhes entregasse o que acreditavam que o médico escondia. O jovem se viu em uma situação de grave perigo, pois, realmente, não dispunha de valores monetários consigo, apenas carregava o cheque recebido do sr. Ichimura.

Quando Guilherme lhes ofereceu tal cheque, ficaram ainda mais irritados. Foi então que um deles desferiu um tapa no rosto do médico, que sangrou, imediatamente.

O medo invadiu-lhe o íntimo, acreditando que seria seu fim. Somente um milagre poderia salvá-lo. Assim acreditava o noivo de Cláudia que não encontrava mais saída para aquela situação de extremo perigo. Sentiu suas faces esquentarem e os vasos sanguíneos saltarem, produzindo latejamento em um dos lados de sua cabeça. Seus olhos tornaram-se injetados como que tomados por uma conjuntivite súbita. Seus instintos de defesa foram acionados e altas quantidades de adrenalina corriam pelas veias do doutor.

Estava pronto a reagir contra os assaltantes, pois acreditava que não iriam poupá-lo. Quando estava prestes a pular sobre seu oponente, para tentar desarmá-lo, ouviu um som que vinha por trás de seu automóvel. Parecia o rosnado de um animal selvagem.

— Só me faltava essa – pensou Guilherme —, além de ser assaltado, também ser ameaçado por uma fera do mato.

Mas, para sua surpresa, não era uma fera do mato, mas um conhecido seu que surgiu, não se sabe de onde, e rosnava feito um urso, produzindo um som assustador. Não era somente o rosnado que assustava, seu rosto também era assustador. Grandes olhos amarelos fixos nos do assaltante armado. Um forte latido de aviso e partia como um touro espalhando poeira atrás de si.

Correu como uma fera enlouquecida para cima dos bandidos e sua intenção era realmente fazer estragos nos larápios. Instintivamente, o assaltante desviou sua arma, que estava apontada para o doutor, e disparou contra aquele animal peludo com pelos eriçados no dorso.

Quatro tiros e nenhum sinal de que o animal fosse desistir do ataque. Aproximou-se tão rápido que não deixou tempo hábil para que o homem de seus 30 anos e rosto cheio de cicatrizes evitasse o ataque daquele animal feroz. Um salto sobre o assaltante e um grito de terror foi ouvido. O bandido, assustado, atrapalhou-se e escorregou. Tentou fugir e tropeçou, ferindo-se no peito e no rosto. Seu comparsa, notando o perigo, fugiu entre a plantação, abandonando o companheiro que ficou por sua própria conta.

O ladrão, ainda armado, disparou mais dois tiros e a fera continuava a atacá-lo, com agressividade. Acreditou que o animal fosse indestrutível, pois os disparos pareciam ineficazes. Não poderia errar daquela distância. Mirou entre os olhos, mas percebeu o projétil ricocheteando em uma rocha, à beira da estrada. Por fim, o animal bravio, que surgiu como um fantasma, sentiu-se satisfeito, pois seu contendor desistiu de tentar se defender, e fugiu, levando consigo a arma que se mostrou inútil contra aquela fera terrível de olhar penetrante como o de uma águia que localizava sua presa.

O assaltante, amedrontado, fugiu aos gritos pelo mesmo local de onde saíra, sem deixar vestígios. Repentinamente, um silêncio se fez presente. Não havia mais sinal dos bandidos. Guilherme somente conseguia ouvir as batidas de seu coração, que disparou ante esta ação inesperada de um animal que surgiu para salvá-lo, talvez da morte certa.

Após quase um minuto de silêncio total, Guilherme recobrou o seu equilíbrio e deparou com algo quase incrível e que seus olhos custavam a acreditar.

– Boris!? – pergunta Guilherme a si mesmo. Boris? É você, amigão? – chamou em voz alta. Vem aqui, quero abraçá-lo.

Mas Boris permaneceu parado, olhando fixo nos olhos do doutor, e apenas abanou a cauda enquanto um sorriso se desenhava em seus lábios caninos. E como Boris não se aproximou, Guilherme encaminhou-se a ele, perguntando:

– Como você chegou aqui, tão longe de casa? Você consegue enxergar? Como poderia ter se curado?

Guilherme parecia confuso com o que via, mas continuou caminhando em direção ao amigo.

– Devo estar tendo ilusões, pois você não tinha olhos e agora eles estão perfeitos. Deixe-me abraçá-lo...

Antes que pudesse terminar a frase, Boris diafanizou-se e desapareceu diante de seus olhos, como um fantasma. O cético doutor ficou pálido mais com esta surpresa do que esteve durante o assalto. Aquela situação inesperada o abalou, provocando-lhe tonturas, e quase desmaiou. Apoiando-se no para-lamas do seu automóvel, evitou a queda e recompôs-se. Parou um instante para tentar entender o que tinha acontecido, mas nenhuma explicação lógica lhe ocorria, exceto que estava excessivamente exausto e criou toda aquela cena ilusória mentalmente em função também do susto com o estouro dos pneus.

– Foi apenas uma ilusão – pensou Guilherme. Não houve assaltante nem Boris. Foi só minha imaginação. Preciso descansar. Tenho certeza de que, se eu parar um pouco, este mal-estar passará e irei rir desta situação imaginária. Mas como farei para sair daqui? Posso ficar o dia todo sem que passe alguém. Terei mesmo que andar até o alto daquele morro ali na frente e fazer com que o celular funcione.

Mal acabava de ter estes pensamentos, quando ouviu o som de um veículo se aproximando. Era Cláudia, que vinha surgindo na estrada poeirenta, seguida de uma nuvem de terra que se elevava por trás. Ao notar o automóvel naquela posição atravessada na estrada, Cláudia temia por algum acidente. Estacionou seu veículo e veio em sua direção e o abraçou, perguntando:

– Está tudo bem com você? Você se machucou?

Guilherme, ainda atordoado pelo susto e pela sequência de fatos estranhos, tentou responder:

– Acho que quando estouraram os pneus, devo ter batido com a cabeça e tive alucinações, mas já passou. Ainda bem que você veio, pois com os dois pneus furados e com o celular sem sinal, eu não poderia sair daqui. Como você soube que eu precisava de ajuda? – questionou Guilherme.

– Eu não sabia – respondeu Cláudia –, mas algo me dizia para encontrá-lo no caminho da fazenda do sr. Ichimura. Não sei explicar o que me motivou, mas aqui estou, afinal. Tente colocar seu carro em uma posição melhor e deixe-o aí. Depois o buscaremos. Precisamos ir para sua casa. Sua mãe o está procurando.

– Aconteceu algo com a minha mãe? – perguntou o rapaz, preocupado com a saúde da mãe. Ela está bem?

– Calma. Não é sua mãe, é o Boris. Ele não está bem.

– Boris!? Vamos indo, então. Ligarei do caminho para o mecânico para que venha buscar o automóvel e o conserte.

Entraram no automóvel de Cláudia e dirigiram-se para a cidade, indo à casa de Guilherme para verificar o que estava ocorrendo com Boris.

Ao chegarem, encontraram Luciana esperando ao lado da mãe de Guilherme, com sua gata nos braços. Luciana também estava preocupada com o paradeiro do médico e com a saúde de Boris, pois havia ajudado a cuidar do cão quando foi achado, ainda filhote.

Ao entrarem, Guilherme cumprimentou Luciana e foi ao encontro do amigo Boris, que estava ainda inconsciente, em consequência da batida na cabeça.

Imediatamente, pegou a valise onde estavam seus instrumentos médicos, começou a examiná-lo e aplicou medicamentos, tentando reanimá-lo. Sem saber o que houve, perguntou à sua mãe o que aconteceu durante sua ausência. Ela explicou que ele se tornou agressivo e correu de encontro à parede.

— Quanto tempo faz que isso aconteceu? – perguntou o filho.

— Faz, mais ou menos, quarenta minutos. Ele estava bem e, de repente, transformou-se. Parecia um louco. Lutava com um inimigo imaginário. Arrepiava-se e rosnava. Nem parecia o nosso pacato Boris. Ele estava estranho, mas eu fiquei mais assustada quando ele saiu correndo e bateu com a cabeça no muro do quintal. Pobre cão cego! – lamentou a mãe, já com lágrimas nos olhos, penalizada pelo estado de saúde do cão.

Guilherme ouviu o relato de sua mãe e engoliu em seco, pois pensamentos estranhos estavam lhe ocorrendo, e começou a suar muito. Parecia estar nervoso e ansioso com alguma coisa que não queria revelar.

O pequeno cão cego, rapidamente, voltou à consciência, reconheceu seu dono e deu-lhe uma lambida nas mãos. Guilherme, mais tranquilo, pegou seu amigo, com muito cuidado, carregou para dentro de casa e o acomodou em cima do sofá da sala entre duas grandes almofadas macias. Estando medicado e mais consciente, Guilherme o deixou por uns instantes, enquanto aproveitou a presença de Luciana para examinar sua gatinha, que também não estava passando bem. Receitou um antibiótico e um anti-inflamatório e recomendou-lhe que evitasse deixá-la receber correntes de vento.

— Ela está com faringite, mas logo ficará bem. Não se preocupe.

Luciana, curiosa, quis saber de Guilherme a respeito do seu sumiço durante a manhã. E ele respondeu:

— Uma coisa estranha me aconteceu e, agora, sabendo o ocorrido com o Boris, sinto-me confuso. Não sei explicar com palavras o que houve. Não sei dizer se foi real ou imaginário, mas, de qualquer modo, ocorreu algo muito intrigante e até mesmo eu, que sou conhecido por minha racionalidade, senti tremer as bases de meus conceitos e as minhas convicções. Estou a ponto de admitir que algo sobrenatural aconteceu comigo, hoje, a caminho da cidade – disse o doutor, como se estivesse revendo, mentalmente, todas aquelas cenas de agressão e do surgimento de seu salvador.

Luciana estava muito curiosa para saber o que aconteceu e, não se contendo de ansiedade, falou, intempestivamente:

– Pare de enrolar e diga logo o que houve! Estamos curiosas.

– Pois bem! Aconteceu que no mesmo instante em que Boris estava tendo algum tipo de alucinação aqui em casa, eu também estava tendo na estrada, após bater com a cabeça quando os pneus da caminhonete estouraram – explicou Guilherme, no seu modo de entender.

A mãe de Guilherme ouviu tudo atentamente e, preocupada, perguntou:

– Será que foi o bolo que lhe fez mal? Será que causa alucinações? Você deu um pedaço para o Boris, que eu vi.

– Calma, mãe. Não foi o seu bolo, que aliás estava uma delícia. Foi algo que não sei explicar, apesar de que deve haver uma lógica para tudo isso. Minha razão não encontra uma explicação, mas, com certeza, deve haver uma.

Então dona Elza, ingênua, dá um suspiro de alívio.

Luciana olhou para Cláudia, fez um sinal com a cabeça e deu uma piscadela para sua amiga, que entendeu o que ela estava tentando dizer: que deveria ser Cláudia a dar as explicações para o fato.

Cláudia, entendendo o sinal, começa a falar olhando para Guilherme. Ela sabia que o ceticismo do noivo dificultaria um pouco o entendimento do que estava prestes a dizer, mas, mesmo assim, falou:

– O que aconteceu, provavelmente, foi o seguinte: Boris e você são muito ligados. Isso não há como negar. O sentimento entre vocês é mútuo e recíproco, por isso quando bronqueou com ele, Boris passou a ficar mais ligado ainda mentalmente a você, à espera de seu retorno para poder desculpar-se, a seu modo. Assim, muito ligados mentalmente, ele o seguia em pensamento e, como estava absorto em seu estado de depressão temporária, manteve-se neste estado, sentindo como se estivesse com você naquele momento do acidente – explicou Cláudia.

No entanto, Guilherme estava relutante em mencionar o que realmente aconteceu, para não passar por maluco, e disse:

– Há algo que não quis falar para que não me julgassem mal. No mesmo instante em que Boris estava aparentemente atacando um inimigo imaginário, eu estava, talvez, não tenho certeza, sendo assaltado na estrada e...

A mãe de Guilherme ficou pálida com o que ouvia. Ela sempre teve medo que algo assim acontecesse nas estradas desertas da cidade. Guilherme a acalmou e continuou:

– No momento em que eu achava que não havia mais o que fazer, exceto tentar me defender, Boris surgiu do nada em minha presença e lutou com os bandidos, livrando--me de uma agressão ou coisa pior. De início, achei que fosse alucinação, mas a sequência de ações que minha mãe narrou sobre o que ocorreu com Boris coincide com a mesma que aconteceu comigo – explicou Guilherme, confuso.

Ao término da explicação, quem não estava passando bem era Guilherme, que sentiu um mal-estar ao lembrar-se do perigo que passou.

– Preciso sentar-me. Estou um pouco atordoado – falou, enquanto procurava sentar-se no sofá ao lado de Boris para relaxar um pouco sua tensão.

– Será que o que vocês dizem sobre a consciência dos animais pode ser verdade?

Cláudia, percebendo que Guilherme estava confuso, tentou explicar melhor o que houve para que ele percebesse que o que ocorreu não era algo tão inexplicável como imaginava.

– Guilherme, como eu disse, Boris estava ligado a você mentalmente, por isso foi capaz de captar o perigo, mesmo antes de você, que estava preocupado com suas consultas. Ele foi capaz de perceber o perigo e se antecipar, instintivamente, até mesmo antes do estouro dos pneus e ao surgimento dos malfeitores. O desejo de protegê-lo era tão grande que ele conseguiu materializar-se por meio de algum mecanismo que não posso explicar ainda, mas pesquisarei a respeito. Desta forma, foi capaz de afugentar os ladrões que, provavelmente, imaginaram que estavam diante de um cão fantasma, já que Boris não estava ali, fisicamente. Eu fico imaginando o susto que os bandidos levaram quando viram um fantasma – falou Cláudia, rindo de sua última observação.

— Incrível! Meu cão é um paranormal. É um animal com poderes sobrenaturais.

— Não – corrigiu Luciana, que prestava atenção às explicações e às palavras de Guilherme –, o que ocorreu com Boris não é algo sobrenatural mas, sim, natural, e Boris é um cão totalmente normal. Isso que você presenciou poderia ocorrer com qualquer um, porque não foge às leis da Natureza. É certo que não acontece todos os dias, mas é totalmente normal. Deus faz tudo perfeito e não teria uma falha sequer em Sua criação, por isso, nada do que ocorre pode ser considerado sobrenatural. Pode estar acima de nossa capacidade de explicar ou de entender, pois não sabemos de tudo ainda, mas, com certeza, não é sobrenatural.

Enquanto conversavam, o celular de Guilherme tocou. Era João avisando que havia uma emergência na clínica. Despedindo-se de Luciana, partiram, Guilherme e Cláudia, para o consultório veterinário.

Após atender à consulta de urgência que o aguardava e também as outras pendentes, o médico retornou ao lar, ainda abalado pela experiência por que havia passado.

Exausto, sentou-se diante da televisão para relaxar um pouco daquela tensão que tornava seus músculos rígidos. Tentou esquecer, assistindo a algo divertido. Enquanto isso, Boris se aproximou, devagar, e tocou com o focinho a sua mão esquerda, que pendia para fora do sofá. Ele estava se desculpando por sujar suas roupas, pela manhã.

Guilherme, sentindo o toque amável de seu amigo, pegou-o carinhosamente e o abraçou. Aquela experiência, fora da rotina, provocava reações e mudanças íntimas no médico. Ele estava deixando de ser aquela pessoa dura que sempre foi, ao menos externamente, e tentava deixar transparecer os sentimentos reprimidos. Era carinhoso, mas não conseguia demonstrar. Era compassivo, mas não queria que soubessem.

Boris sorriu para seu dono, que aceitou seu pedido de desculpas. Sentindo que estava tudo bem entre eles, então passou a lamber-lhe o rosto, enquanto abanava a cauda. Aconchegando-se ao lado do amigo, recostou sua cabeça e, abraçado por ele, ambos adormeceram, após um dia difícil para os dois.

Dona Elza não quis acordá-los até terminar o jantar, por isso desligou a televisão e os deixou dormindo na penumbra daquela sala de decoração simples, mas de bom gosto. A cabeça de Guilherme pendeu para o lado. Estava já em sono profundo e começou a se desligar do corpo físico para dirigir-se à colônia astral "Rancho Alegre", em espírito liberto, temporariamente, do fardo físico.

Tão rápido quanto o pensamento, surgiram em sua frente os grandes portões da colônia. Era como se tivesse sido levado para ali em uma velocidade inimaginável. Quando menos esperava, apareceu ao seu lado o sr. Gustavo.

– Bem-vindo novamente ao nosso humilde lar, jovem doutor! – disse o velho amigo, com voz paternal.

– Olá! – cumprimentou Guilherme, alegre por reencontrá-lo.

– Você está mais calmo do susto que passou hoje? – perguntou Gustavo.

– Estou melhor, obrigado – respondeu. Mas como sabia? Vocês podem saber o que acontece comigo, daqui? – perguntou, curioso.

— Sim, é claro. Você foi aceito em nossa colônia como futuro colaborador, então uma equipe maior o está acompanhando para ensinar-lhe algo mais do que o que você já estava aprendendo conosco até aqui.

— Uma equipe maior? Como assim? Eu nem sabia que havia alguma equipe que me acompanhava.

— Sim, uma equipe maior o acompanhará. Desde que ingressou na faculdade de medicina veterinária, você se tornou um dos nossos colaboradores, por isso foi-lhe designado um mentor. Em contrapartida, nós somos seus colaboradores também. Nossa equipe, que o acompanhará agora, é composta por três pessoas que o auxiliarão em seu dia a dia na clínica. A partir de agora, você, não somente terá a presença da equipe durante a vigília, mas também durante a noite, quando seu corpo repousa. Agora, participará de aulas mais aplicadas aqui na colônia, e não só no consultório, como foi até hoje.

— Mas não me lembro das lições de meu mentor. Será que o que eu aprendi foi perdido?

— Não se preocupe. Tudo está guardado em algum dos seus níveis de consciência, e todas as informações que já recebeu serão afloradas quando chegar o momento certo. Os professores que o acompanharão de agora em diante serão a sra. Vívian, a mais experiente; a sra. Ana e a sra. Neuza. Até aqui elas se limitavam a auxiliá-lo eventualmente em consultas e cirurgias, a pedido de seu mentor, mas, agora, serão suas orientadoras, juntamente com outros que deverão ministrar-lhe aulas práticas e teóricas.

— Eu conheço todas as técnicas cirúrgicas e também os métodos semiológicos. Considero-me um bom médico.

Acho que não tinham muito o que fazer – falou Guilherme, com um certo tom de arrogância.

– Vejo que você ainda precisa amadurecer um pouco antes das aulas. Mas vou dizer o que elas faziam. Muitas vezes, quando o quadro clínico é confuso e exige maiores observações para se chegar a um diagnóstico e prognóstico, nós analisamos do nosso ponto de vista, ou já os temos de antemão. Nós o inspirávamos a usar este ou aquele procedimento, a fim de que você encontre por si mesmo a solução. Outras vezes, mesmo tendo resultados laboratoriais em mãos, se você não chega a uma conclusão, neste caso nós lhe passamos mentalmente o nosso parecer e chega à conclusão. Nosso auxílio chega em forma de pensamentos, que você acaba acreditando que sejam somente seus e que conseguiu tudo sozinho. Como precisa resolver os problemas por si, raramente lançamos mão deste último método, pois este tipo de intervenção somente ocorre em momentos de maior necessidade. Em boa parte do tempo, é por sua conta. Nas cirurgias, o auxílio é em relação às anestesias e ao controle de hemorragias. Agimos sobre o sistema nervoso do paciente, a fim de que, com reduzidas quantidades de anestésico, o animal se torne sedado. Se ele for mais sensível, fazemos com que o efeito dos anestésicos seja atenuado para diminuir os riscos, inclusive com os excessos. Agindo sobre o sistema de coagulação sanguínea, ajudamos a minimizar as perdas de sangue, por meio de descargas eletromagnéticas que cauterizam vasos abertos e aceleram o processo de coagulação por uma maior atração entre as plaquetas, que se aglutinam mais facilmente. Parte destas energias eletromagnéticas são emprestadas do seu corpo físico sem que você saiba, canalizadas por suas mãos. Você se lembra da Doroti, aquela cadelinha de dona Luzia, que esteve internada para retirada de um câncer no útero? Pois bem. Você se lembra de como se recuperou, rapidamente, após a cirurgia, apesar da perda sanguínea? Nós, com auxílio do ectoplasma que você possui, criamos um tamponamento das feridas que não queriam cicatrizar e acomodamos o epíploon, aquela estrutura que se assemelha a uma rede de pescar, que recobre as vísceras sobre o ferimento, fazendo com que ele agisse como se fosse um tipo de compressa hemostática natural. A hemorragia cessou rapidamente, graças a nós daqui e a você de lá, com sua vontade de salvar a vida da pequena Doroti – concluiu Gustavo.

– Então, nunca estamos sozinhos? Sempre há alguém ao nosso lado para que os animais que atendemos se recuperem bem? – perguntou Guilherme, com um misto de curiosidade e orgulho ferido.

– Sim – respondeu Gustavo. Mas nem todos os animais que vocês atendem devem sobreviver, pois cada qual tem seu roteiro de aprendizado, e, ao término de algum estágio, é necessário iniciar outro. E para atravessar para a fase seguinte, é necessário passar pela experiência da desencarnação. As situações onde haja sofrimento fazem parte de seu aprendizado ou de seus donos. Nisto não podemos interferir – falou Gustavo, com olhar paternal.

– Já que estamos neste assunto, eu gostaria de saber por que o Boris ficou cego e o abandonaram para morrer na beira da estrada – perguntou o médico.

– Boris é o Bob reencarnado. Bob era aquele malamute

do Alasca que estava sob seus cuidados quando você ainda era apenas uma criança.

– Sim, lembro-me bem de Bob, com seus grandes olhos azuis e longos pelos cinzas e brancos. Era um filhote eterno, sempre brincalhão. Eu adorava o Bob. Quem não gostava muito das suas peripécias era a minha mãe, pois ele estava sempre destruindo alguma coisa e principalmente as roupas que ela deixava no varal. Mas as lembranças que tenho dele não são boas, pois sempre quando me recordo da imagem dele, sem vida, ainda me choco um pouco. Eu nunca soube o que realmente aconteceu e sempre que tocava no assunto, minha mãe procurava falar de outra coisa, desviando-se da questão central. Jamais quis insistir, pois acreditava que tudo tivesse causado algum trauma, por ter sido ela e meu pai a encontrá-lo primeiro – falou Guilherme.

– Por enquanto, deixemos este assunto para depois. Agora, eu gostaria de dizer quanto nossa equipe trabalhou para evitar que algo mais grave acontecesse com você, hoje, pelas mãos de assassinos, com a ajuda de nosso amigo Bob – comentou Gustavo. Como dissemos, nossas três companheiras estão sempre acompanhando-o, e quando você se encaminhava para a propriedade do sr. Ichimura, uma delas captou ondas de pensamentos que chamaram sua atenção. Eram dois homens armados que planejavam assaltar pessoas que transitassem por aquela estrada deserta. Imediatamente, a sra. Ana, da equipe médica que o acompanha, contatou a equipe de segurança para que enviasse auxílio, a fim de evitar que os senhores mal-intencionados levassem a termo seu plano. De acordo com a equipe de segurança, não passaria outro veículo por ali, exceto o seu, durante seu retorno à cidade. Ficaram de plantão, observando os dois homens que eram acompanhados por entidades carregadas de energias muito pesadas. Eram espíritos trevosos, que os inspiraram a fazer o mal, com o qual se divertiam. Nossa equipe materializou-se aos malfeitores desencarnados que, acreditando estar diante de fantasmas, fugiram, assustados, deixando os malfeitores encarnados à sua própria sorte. Estando desacompanhados, tornaram-se inseguros e cogitaram abandonar o projeto; mas, um deles, muito atrasado evolutivamente no sentido do aprendizado espiritual, insistiu no intento. Mesmo amedrontados, persistiram. A adrenalina percorria-lhes o corpo, pois o temor era muito grande. A vítima poderia estar armada, também. Estavam temerosos, mas prosseguiram, colocando uma tábua com pregos longos escondida sob a poeira da estrada e as folhas, dificultando ser vista por algum motorista, mesmo que fosse muito observador. Quando você passou com seu veículo sobre a tábua de pregos, os pneus estouraram e você se viu obrigado a parar, bruscamente. Enquanto estava se recompondo, vieram, sorrateiros, por trás, para surpreendê-lo. Antes que chegasse e fosse subjugado, nossa equipe aplicou-lhes uma certa quantidade de energias que sobrecarregaram seus sistemas nervoso e circulatório, causando fortes dores de cabeça e cólicas intestinais que os incomodavam muito. Acreditaram que foi por causa de umas coxinhas que comeram na cidade. Precisávamos da ajuda de alguém que os assustasse, não temesse o perigo e que estivesse disposto a enfrentá-los. Boris era a primeira escolha. Ele, que estava em sua casa, pôde acompanhar tudo que ocorria, por meio de uma tela mental que criamos. Para Bob, aliás, Boris, a ação ocorreu em tempo real, pois ele estava presente, ainda que somente em espírito. Os dois homens tinham energias densas abundantes, suficientes para produzir a materialização de Boris, mas ele não aceitou dormir, apesar de toda energia calmante que lhe aplicamos, por estar preocupado com sua segurança. No entanto, exaltado, acidentou-se de encontro ao muro. Ele nada sofreu, pois nossa equipe aplicou-lhe analgésicos. Inconsciente, desdobrou-se até onde você estava e recebeu ectoplasma emprestado dos malfeitores. Materializado, Bob conseguiu afugentá-los e salvar o dia. Enquanto isso, nossa equipe médica enviou uma mensagem ao mentor espiritual de Cláudia, que, entendendo do que se tratava, a inspirou a sair à sua procura, a fim de auxiliá-lo em seu retorno em segurança – concluiu Gustavo.

– Puxa! Vocês estão atentos a tudo, hein? – comentou Guilherme.

– Não é bem assim. Nós trabalhamos em atividades relacionadas aos animais. As outras equipes com funções gerais são de colônias que trabalham paralelamente à nossa, visando ao ser humano. Neste caso, você. Por isso, foi pedida à outra colônia uma equipe de segurança, que se incumbiu de afugentar os agentes das trevas e provocar mal-estar nas pessoas que tentaram assaltá-lo.

O MALAMUTE

Enquanto Gustavo falava, surgiu, cabisbaixo, alguém, que se aproximou timidamente dos dois. Era um senhor de cabelos grisalhos, alto e com o rosto vincado pela idade avançada. Parecia ter cerca de 80 anos. Ao aproximar-se dos interlocutores, permaneceu ainda cabisbaixo, enquanto dirigia a palavra a Gustavo:

– Sr. Gustavo, perdoe-me a interrupção – desculpou-se, humildemente.

– Pois não, sr. Benati – respondeu Gustavo.

Guilherme arregalou os olhos. Mal podia acreditar no que via. Era seu pai, falecido há alguns anos. Parecia bem mais velho do que era quando o viu pela última vez.

– Será que continuamos a envelhecer após a morte? Será que envelhecemos mais rápido por aqui? – perguntou-se Guilherme.

– Eu poderia conversar com Guilherme, mesmo que por alguns segundos? – pediu o senhor de aparência envelhecida.

– Muito bem! Fiquem à vontade. Eu os deixarei a sós e, posteriormente, voltaremos à nossa conversa – disse

Gustavo, decidido, e desapareceu diante de Guilherme, em uma fração de segundo.

Aquele senhor de aparência humilde, com roupas simples, atitudes tímidas e de voz muito baixa, deu um grande suspiro, como que para adquirir mais força, ergueu a cabeça de forma lenta e insegura, expondo o rosto, que Guilherme reconheceu como o de seu pai, mas não teve coragem de encará-lo. Guilherme deu um salto e abraçou-o, ternamente, sem dizer uma palavra. Lágrimas rolaram dos olhos de ambos e assim permaneceram por algum tempo, como se imaginassem não poderem se abraçar novamente. Então, Guilherme disse:

– Que saudade, pai! Finalmente o encontro. Mas por que esta aparência tão deprimida e envelhecida? Por que fica desviando o olhar e não olha para mim? Não sente saudade, também? – perguntou Guilherme, triste pela atitude distante do pai.

– Não sou digno de olhá-lo nos olhos, filho! Estou aqui para pedir-lhe que me perdoe pelo que fizemos – explicou o sr. Benati.

– Mas perdoar por quê? O que o senhor poderia ter feito para que necessite de perdão? Você só me deu alegria e me criou com o maior carinho – falou o filho ao pai.

– Não se iluda com isso, filho. Sou um criminoso e estou nesta colônia para me redimir pelo trabalho. Estou aqui por minha vontade de me recuperar da culpa que me corrói por dentro.

– Que crime poderia ter cometido? Você sempre foi uma pessoa notável e ótimo pai. Não diga tal inverdade.

– Sou o responsável pela morte dolorosa de Bob. Com remorso, até hoje me puno pelo mal que cometi a você e ao pobre cão inocente. A consciência pesada foi a causa do surgimento do mal que me consumiu os pulmões, destruindo-me a saúde e minha energia vital com meu corpo físico. Sofro muito com as lembranças, por isso tenho esta aparência envelhecida. Preciso que me perdoe senão ficarei eternamente me martirizando. Perdoe-me, filho. Perdoe-me! – implorou Benati ao filho.

– Não acredito que vocês tenham tomado parte na morte de Bob, pois sei que você e mamãe também o amavam. Não é assim? – perguntou ao pai, que respondeu com a voz embargada e com os olhos inundados de lágrimas.

– Não, não foi assim. Apenas o tolerávamos por sua causa. Seus uivos agudos incomodavam, seus latidos incessantes tiravam o sossego, suas travessuras tiravam-me o equilíbrio, eu não suportava mais a presença daquele animal em casa. Resolvi envenená-lo, e quando fosse de manhã, o encontraríamos já morto e diria a você que ele morreu de algum mal súbito. Infelizmente, Bob era muito resistente e a dose de veneno que dei não o matou, apenas o intoxicou e o atordoou. Pela ação do veneno, uma dor o maltratava, por isso começou a gemer e a ganir. Aqueles gemidos altos poderiam acordá-lo ou chamar a atenção de alguém da vizinhança, por isso dei outra dose mais forte. Ele era muito resistente e não morreu. Eu não sabia, mas os trabalhadores desta colônia faziam o possível para que não morresse e, para tanto, ministravam-lhe medicamentos energéticos capazes de neutralizar as toxinas que lhe dei. A quantidade era suficiente para um animal com quatro vezes o seu peso, mas ele continuava vivo, apesar de estar semiconsciente. Irritado, peguei um objeto pesado que encontrei perto e arremessei contra sua cabeça, acreditando que seria mais rápido assim, mas ele ainda respirava.

Benati para por um instante a fim de enxugar as lágrimas de arrependimento que rolavam por sua face, para continuar em seguida.

– Tornei a golpear-lhe o crânio, com mais violência. Por fim, decidi embebê-lo em gasolina e atear fogo sobre ele. Dizia isso, enquanto sua voz quase sumia entre soluços e engasgos. A imagem que mais me impressionou e ainda tenho comigo e me consome o espírito foi vê-lo ganindo alto de dor, enquanto era consumido pelas chamas. Seus olhos foram sendo cozidos nas órbitas, até explodirem, espalhando um líquido quente que me atingiu o rosto. Ainda sinto o calor das chamas sobre meu rosto. Tentei enterrá-lo para que não vissem nada, mas não tive tempo, pois já amanhecia. Sua mãe, quando acordou, me viu ao lado do corpo de Bob, pois não houve tempo para escondê-lo. Ela se impressionou tanto com o que viu que nunca mais falou comigo até eu sucumbir pela enfermidade que me tomou.

Dizendo isso, ajoelhou-se, colocou as mãos no rosto e chorou alto, implorando perdão. Permaneceu nesta posição algum tempo, quando, repentinamente, ouviu-se longe um latido. Era um cão de grande porte, com longos pelos cinza, que se aproximava, correndo e saltando alegre.

Era Bob. Ele não tinha marcas ou cicatrizes. Bob vinha trazendo uma bola, que era seu brinquedo favorito. Corria atrás da bola, jogava-a para cima, pegava-a novamente e corria. Estava fazendo gracinhas para chamar a atenção. Ele tinha muito ciúme daquela bola e não deixava ninguém tocá-la. Mas, aproximando-se dos dois, Bob aquietou-se e deixou cair a pequena bola próxima às mãos do sr. Benati e novamente soltou outro latido, que demonstrava alegria.

Como Benati não se mostrava animado em brincar com ele, começou a correr e a pular ao redor do pai de Guilherme. Por fim, encorajado pelo filho, que lhe tocou no ombro, olhou para Bob, que o chamava para brincar com a bola. Benati, diante daquele cão de olhos azuis, não conseguia dizer uma só palavra. Ficou imóvel. Não podia acreditar no que via: Bob o chamou novamente e saltou sobre aquele senhor de penosa aparência, lambendo-lhe o rosto, a cabeça, as mãos e, novamente, ofereceu-lhe o brinquedo. O sr. Benati, por fim, pegou a bola e abraçou Bob com grande carinho, o que o animal retribuiu com um uivo rouco de alegria. Guilherme disse, então:

– Pai, o senhor não me deve nada. Não há o que perdoar. Não se preocupe. Bob, no entanto, o perdoou.

Então, os três se abraçaram, demoradamente, enquanto Bob dava uivos de alegria por estarem juntos novamente.

Kayamã

Passado algum tempo, surge novamente o sr. Gustavo diante do pai e do filho. O sr. Benati levanta-se e abraça Gustavo, em agradecimento pela oportunidade de desabafar. Podia-se notar rejuvenescimento em sua face. Suas rugas iniciaram um retrocesso e um brilho criou-se ao redor...

– Sinto muito atrapalhar a reunião de família – desculpou-se Gustavo, mas o sr. Benati é esperado no pronto-socorro, com urgência.

Despedindo-se de todos com abraços, Benati afasta-se em passos acelerados em direção ao rancho, acompanhado por Bob, que brincava e saltava sobre ele, que retribuía acariciando aqueles longos pelos brilhantes.

– Há um pronto-socorro dentro do rancho? – quis saber Guilherme.

– Sim – respondeu Gustavo. Há vários setores ali dentro e, dentre eles, o hospitalar. O sr. Benati é valoroso trabalhador do setor de queimados. É um dos mais atuantes. Nunca se deixa abater pelo cansaço e trabalha incessantemente. Ele é uma ótima pessoa, mas... – Gustavo fez uma pausa.

— Mas o que, sr. Gustavo? – perguntou Guilherme.

— Sua consciência não o deixava em paz, pela culpa. Por isso, constantemente, era encaminhado ao posto de enfermagem para tratamento. Com isso, sua aparência envelheceu muito. Com a conversa que tiveram, ele deve ter conseguido colocar para fora tudo o que lhe fazia mal. E com o perdão de Bob, acredito que tudo se encaminhará ao normal, de agora em diante.

Terminado o que tinha a dizer sobre o pai, Gustavo convidou Guilherme a conhecer a colônia. Caminhando em direção ao portal, novamente o transpuseram sem dificuldade. O jovem ficou maravilhado com a beleza daquele ambiente arborizado e tranquilo. Era uma cidade onde havia casas, ruas e prédios. Muitas pessoas estavam caminhando de um lado para outro, entrando e saindo dos diversos locais. Outras estavam acompanhadas de animais de estimação, passeando por ali, despreocupadas e outras ainda passavam com animais de todos os tipos, andando naturalmente. Havia também muitos animais que andavam desacompanhados por todos os lugares.

Os edifícios eram muito grandes e modernos. As casas modestas davam um aspecto mais rural à paisagem. Guilherme ficou admirado com a quantidade deles. Gustavo, como se lhe adivinhasse os pensamentos, explicou:

— Cada prédio é um setor especializado. São vários setores, que você irá conhecer um a um. Hoje vou lhe mostrar parte do nosso rancho, pois não há como mostrar tudo de uma só vez, por causa da grande extensão de nossas fronteiras. Se pudéssemos compará-lo a alguma extensão conhecida, poderíamos dizer que equivale ao tamanho do Estado de Minas Gerais – revelou Gustavo a Guilherme, que se espantou com a informação. No entanto – continuou –, como sabemos, o tempo e o espaço são conceitos relativos. Por isso, não podemos, na realidade, fazer esta comparação, pois aqui o tempo difere do tempo conhecido na Terra. Aqui, nos movemos com a rapidez do pensamento, isto é, com uma velocidade maior do que a da luz. Isto significa que se formos solicitados do outro lado da colônia, a centenas de quilômetros da entrada onde estamos agora, poderemos chegar lá em uma fração de segundo. Deste modo, nosso rancho torna-se pequeno. Assim como esta, há muitas outras facilidades que não existem na Terra, as quais tornam o nosso rancho um espaço de pequena extensão. Não posso deslocar-me desta forma em sua companhia porque você ainda não está acostumado a se mover ou a se transportar deste modo. Se tentássemos, poderiam ocorrer acidentes, tais como nos separarmos e você acabar indo para algum lugar indesejado por lhe faltar um adestramento disciplinar mental. Outro empecilho são os seus cordões prateados que fazem com que se mova, muito mais lentamente do que nós, que não os temos. Neste caso, é preferível usarmos as esteiras, que podem nos transportar rapidamente a qualquer lugar do rancho, confortavelmente e sem acidentes – explicou Gustavo.

Andaram um pequeno trecho até chegarem à entrada de um grande prédio.

– Vamos entrando? – convidou Gustavo. Aqui é a nossa recepção. É o prédio central – falou o anfitrião, chamando-o com um sinal de cabeça.

— Puxa, que enorme construção! – exclamou Guilherme, espantando-se com o que via.

Gustavo apenas sorriu e apresentou-lhe as dependências. Para facilitar a localização e conhecer as dimensões da colônia, Gustavo acionou um dispositivo, que fez surgir um mapa em três dimensões.

— Aqui temos um mapa que nos localiza onde quer que estejamos dentro do perímetro do rancho. Cada trabalhador cadastrado possui uma espécie de "crachá", que transmite um sinal eletromagnético que é captado por um comando central. Nesta central, são processadas todas as informações relativas aos pacientes e trabalhadores do "Rancho". Sabendo a localização de cada trabalhador, fica mais fácil contatá-los, inclusive por pensamento, quando necessário – explicou ao convidado. Estamos aqui – falou, apontando com o dedo indicador uma tela que flutuava no centro da sala. Daqui iremos até o setor de animais silvestres, pois é o mais próximo de nós. É um local muito interessante.

— Vamos? – perguntou animadamente a Guilherme, que estava ansioso por conhecer tudo o que pudesse.

Saindo da sala, muito limpa e perfumada, mas com decoração simples e quadros de animais nas paredes brancas, caminharam até o lado de fora do prédio, onde havia uma espécie de estacionamento, e se encontravam vários veículos, compostos basicamente por apenas dois assentos em uma cabina pequena, suficiente para acomodar apenas duas pessoas. Aproximando-se de um dos veículos, ela se abriu, automaticamente, expondo seu interior, que foi rapidamente ocupado por eles.

— Acomode-se e vamos lá — convidou Gustavo.

Então, Gustavo pediu a Guilherme que fechasse os olhos por alguns instantes para, quase imediatamente, pedir que os abrisse.

— Pronto, chegamos! — disse Gustavo a Guilherme, que não entendeu o que houve.

— Já?! Já chegamos? — perguntou o jovem médico confuso.

— Sim. Aqui é o Setor de Salvamento e Resgate de Animais Selvagens — explicou Gustavo.

— Mas como pode ser? Não levou nem um segundo para chegarmos aqui. Que legal! Da próxima vez eu posso ir de olhos abertos? — brincou Guilherme, que estava encarando tudo como diversão.

— Acho melhor que não permaneça com os olhos abertos enquanto não adquirir o costume de se deslocar com a velocidade do pensamento — respondeu o orientador ao novo aprendiz. O deslocamento deste aparelho se faz em uma velocidade muito alta e, com certeza, você sentirá algum tipo de mal-estar. Talvez tenha enjoo e suje o veículo com seus fluidos gástricos. Se isso acontecer, será desagradável.

— Tudo bem. Eu só estava brincando. Prometo que me comportarei.

Descendo do veículo, encontraram um portal e um cercado que isolava aquela ala do exterior. Entraram ao modo de quem entra no rancho, com uma espécie de desmaterialização temporária do portal que permitiu a entrada de ambos. Ao adentrarem o perímetro deste setor, depararam-se, não com prédios, mas com muitas cabanas de palha no estilo indígena. Guilherme perguntou a seu monitor:

– Estas ocas fazem parte da decoração deste setor?

– Não, Guilherme – respondeu seu companheiro, rindo da ignorância do amigo. Estas ocas são o setor de animais selvagens, onde trabalham e também moram os colaboradores que atuam aqui.

– Mas parecem ocas de índios.

– Os colaboradores deste setor são índios, em sua maioria. Somente alguns não são. Na entrada principal, há os índios da América do Sul, que são responsáveis pelos animais desta parte do continente. Pertencem às mais variadas tribos que convivem aqui em paz, sem inimizades. Auxiliam-se mutuamente, em um propósito comum, que é o equilíbrio ecológico da região. Mais adiante – apontou –, encontram-se indígenas norte-americanos, que são responsáveis pelos animais do norte do continente e do continente central desde o Panamá. Se notar, mais à frente, verá habitações feitas de peles de animais. São os mongóis. Ali são os indianos, os chineses. E, logo depois, estão os africanos e os australianos. Aquelas habitações feitas de um material que lembra gelo são dos esquimós. Eles são os responsáveis por animais das regiões árticas e antárticas. Estas últimas são compostas por riquíssima fauna, que vive sob as águas geladas destas regiões.

Guilherme observou que as dimensões do setor eram reduzidas.

Como poderiam controlar toda a fauna silvestre do planeta a partir deste pequeno setor com construções rústicas? – pensou Guilherme.

Gustavo respondeu, mesmo antes que ele perguntasse a respeito:

— Não se impressione com as proporções reduzidas deste setor. Ele é maior do que parece.

— É! Engana mesmo, pois não entendo como pode ser maior — brincou Guilherme.

— Então, siga-me e lhe mostrarei o real tamanho dele.

Caminharam em direção a uma das ocas feitas de palhas secas. Ao se aproximarem, encontraram um senhor que saiu de um desses alojamentos. Ele tinha metade da cabeça raspada e um graveto espetado no lábio inferior. Sua pele era escura e o rosto era pintado, formando figuras como se tivessem sido tatuadas. Suas vestimentas rústicas cobriam apenas uma pequena parte do corpo. Era Kayamá, indígena que viveu nas florestas da Amazônia quando encarnado e agora era um dos colaboradores da colônia.

— Sr. Kayamá — cumprimentou Gustavo, com um aperto de mãos.

— Sr. Gustavo — cumprimentou o indígena, com um forte abraço após o aperto de mão.

— Gostaria de lhe apresentar o sr. Guilherme. Ele o acompanhará nos trabalhos, por algum tempo, como estagiário. Espero que ele consiga aprender com o senhor ao menos o suficiente para passar à próxima etapa. Sabemos que não é fácil acompanhá-lo, pois reconhecemos que sua sabedoria é extensa; mas, como Guilherme é muito esforçado, talvez consiga aproveitar algo — falou Gustavo a Kayamá.

— Bondade sua, sr. Gustavo, pois o que sei não é nada comparado ao conhecimento dos outros trabalhadores de nossa colônia. Por favor, não me superestime.

Guilherme chamou o sr. Gustavo em particular e perguntou, baixinho:

— Vou mesmo fazer estágio aqui na oca dele? Pensei que teríamos mais ação. E me parece que este tal "Camarão" é um pouco chucro. Ele é um índio, reprovou Guilherme, olhando, disfarçadamente, por cima do ombro do amigo para o indígena, que apenas sorriu ao seu olhar.

Gustavo, notando a prepotência do novo estagiário, disse:

— O nome é Kayamã e, por favor, Guilherme, seja mais humilde. Seja mais paciente, se quiser aproveitar o estágio – retrucou Gustavo ao prepotente e preconceituoso médico.

— Então, completou Gustavo em voz alta, deixarei vocês e retornarei mais tarde. Boa sorte, Guilherme.

E desapareceu, sem deixar vestígios de sua presença.

Guilherme olhou para Kayamã e, sem saber o que dizer, deu um sorriso sem graça e perguntou, meio sem assunto:

— O senhor é quem cuida dos animais daqui?

O índio, muito confiante, mas humilde, respondeu, sem dar importância à arrogância do novo aluno:

— Eu apenas colaboro com meu humilde trabalho da maneira que está ao meu alcance. O senhor gostaria de acompanhar a rotina de nossa oca em prol dos animais das florestas tropicais?

— Sem dúvida! Em cada oca uma surpresa – satirizou Guilherme, que demorava em deixar sua prepotência de lado.

Mas Kayamã conhecia a personalidade do novo aluno. Sabia que deveria esperar por sua mudança de comportamento, que não demoraria a ocorrer, e, sorrindo, o chamou para entrar.

— Daqui acompanhamos nossos irmãos da floresta. Desde o menor ao maior animal, isto é, desde uma formiga até uma anta. Todos merecem a nossa atenção, pois o equilíbrio energético do planeta passa pelo equilíbrio ecológico onde estes seres estão envolvidos diretamente. Nós podemos acompanhá-los pelas fichas obtidas neste aparelho que está à sua frente.

Então, mostrou uma tela semelhante à de uma televisão, mas muito fina, como se fosse feita de um material mais delicado que papel, que continha informações e imagens sobre os animais monitorados.

– Os controles são acionados mentalmente e as informações são enviadas instantaneamente ao nosso cérebro, ficando incorporadas ao nosso pensamento.

Mas Guilherme não conseguia entender como, a partir de uma instalação minúscula como era aquela oca, poderia controlar as fichas e o comportamento de cada animal da floresta sem se atrapalhar, pois são milhares de animais no total. Aquilo lhe parecia improvável.

– Muito interessante! Mas como é que vocês controlam tantos animais ao mesmo tempo? Insetos, por exemplo, são milhares deles – perguntou Guilherme, incrédulo da capacidade do novo conhecido e orientador.

– Os insetos, assim como outros pequenos animais, tais como os peixes, aves de pequeno porte e répteis, possuem um sistema instalado em seu DNA que monitora cada grupo, como se cada grupo fosse um indivíduo. Então, quando monitoramos os insetos, por exemplo, seria como se estivéssemos monitorando não o indivíduo em si, mas o grupo a que pertencem. Cada grupo seria como um só organismo. São observados, nestes casos, somente quatro organismos. Dentro de cada grupo há informações sobre os gêneros, espécies, subespécies, mas que têm importância. Há outro setor do "Rancho", como o de Ecologia Espiritual, por exemplo, ou de Evolução. Aqui neste setor nos preocupamos com o equilíbrio ecológico e com a evolução também, mas nossa preocupação central é em relação a salvamentos e resgates.

Kayamã, notando a confusão mental que acabara de criar em Guilherme, fez uma pausa em sua explanação para a seguir reiniciar, de forma mais lenta, para que o novo aluno conseguisse acompanhar o raciocínio, pois o visitante ouvia e coçava a cabeça, pensativo, tentando entender os novos conceitos que estava recebendo.

– Ao se reproduzir – continuou Kayamã –, cada inseto recebe dentro do seu código genético uma molécula de enxofre ligada ao DNA, que trabalha como um agregador entre indivíduos, espécies, gêneros e outros grupos classificatórios de insetos. O mesmo ocorre com os outros pequenos, como peixes, a maioria das aves e répteis – respondeu Kayamã, polidamente, como se não fosse um homem das florestas.

Guilherme estava boquiaberto, surpreso com a maneira de falar e com o conhecimento daquele que julgou incapaz.

– A cada informação adquirida – continuou o professor – ou a cada aprendizado, transmitem, automaticamente, aos outros indivíduos da mesma espécie, por exemplo, de modo que todos possam entender como reagir à mesma situação pela qual passou o indivíduo. Assim, se uma ave, por exemplo, aprende a quebrar uma semente usando um novo método, a informação é incorporada ao seu código genético. Desse modo, outras aves das gerações seguintes, e algumas vezes da mesma geração, passarão a usar o mesmo método, natural e automaticamente, mesmo não tendo contato direto com o indivíduo que o descobriu. Isto ocorre com todos os pequenos que ainda estejam inseridos no mesmo "corpo coletivo" – concluiu o sr. Kayamã.

– Corpo coletivo?! O que é isso? – perguntou Guilherme, intrigado.

– Corpo coletivo significa, como já expliquei, que existe o indivíduo, mas comportam-se de forma idêntica em coletividade, como se fossem um só corpo formado por vários indivíduos da mesma espécie ou gênero ou outro grupo de classificação.

Guilherme parecia não entender bem o conceito, por isso Kayamã tentou dar exemplos.

– Temos o reino "animalia", que engloba todos os animais. Este é um corpo coletivo. Os gêneros formam outros corpos coletivos; as espécies, outros corpos coletivos; as subespécies formam outros; e, assim por diante. São vários corpos menores dentro de um maior – explicou o professor.

– Os seres humanos estão nesta classificação de corpo coletivo? – perguntou o aluno.

– Em parte, sim, mas eles formam um grupo à parte, que não nos cabe estudar para não criar confusão mental, pois é um estudo mais complexo – respondeu.

Enquanto Kayamã dava as últimas explicações, notou que Guilherme dispersara-se, observando os detalhes do interior da oca, que era uma moradia rústica com chão de terra batida. No interior havia uma rede para descanso em um canto, alguns artefatos indígenas em outro, um tambor feito com pele, um arco e flechas feito de palmeira e alguns colares com dentes de animais. A oca era toda de palha de palmeiras. Kayamá, notando a distração e a dúvida de Guilherme, disse:

– Tudo aqui não é real, isto é, nada do que você vê é o que parece ser. Sei que deve estar se perguntando o porquê de artefatos feitos com peles e dentes de animais, mas não são reais. Estes artefatos são criações mentais minhas, inclusive esta oca. Criei o ambiente apenas para lembrar o ambiente indígena em todos os detalhes, para que eu pudesse me sentir em casa.

– Então, todas as outras habitações também são criações mentais – concluiu Guilherme.

– Isto mesmo – respondeu – Nós apenas criamos as formas que desejamos. É muito simples fazer isso por aqui. Tudo o que desejamos se materializa com a força do pensamento – explicou o índio.

Kayamá notou a curiosidade de Guilherme em saber como se criavam objetos, mentalmente.

– Tente você criar algo, sugeriu Kayamá. Imagine algo que queira agora, mentalize sua materialização e observe o que ocorre.

Então, Guilherme fechou os olhos e deixou as mãos espalmadas para a frente e para cima como se estivesse segurando algo. Aos poucos um objeto foi criando forma sobre a palma de uma das mãos. Um lanche com hambúrguer. O índio olhou o que se formou, mas nada disse. Apenas ficou em silêncio.

– Hum, que fome! – exclamou o jovem doutor, adepto das refeições rápidas.

Olhando para Kayamã, Guilherme notou um sinal de reprovação. Guilherme desculpou-se e escondeu o lanche que demonstrava seu desejo de consumir carne. Kayamã deixara de comer carne há muitas encarnações e somente se alimentava de vegetais. Percebendo a reprovação de seu orientador, imediatamente a criação mental de Guilherme se desfez.

– Pois bem, sr. Guilherme: vamos continuar nossas observações a respeito dos nossos irmãos da floresta?

– Estou ansioso por isso – disse Guilherme a Kayamã.

– Como eu dizia, continuou o índio no código genético, ou seja, na sequência do DNA de cada espécie, é introduzida, automaticamente, durante sua formação, esta molécula que os une para formar um "corpo coletivo". Como estamos falando de grandes corpos, significa que os indivíduos são seres que se encontram em uma escala evolutiva bem primária. Nestas fases iniciais, a dor e o sofrimento têm valor relativamente pequeno, pois existem mecanismos que os protegem neste sentido. Por isso, há no seu DNA uma porção que os resguarda da dor desnecessária. A porção desta molécula é ativada nos momentos críticos de perigo ou em caso de morte iminente. Por enquanto, na fase em que se encontram, serve apenas como uma espécie de alarme para indicar perigo, mas ainda tem pequeno valor como aprendizado. O aprendizado pela dor somente passa a ter peso a partir de camadas populacionais mais adiantadas, nas quais o "corpo coletivo" é menor e mais numeroso.

À medida que os indivíduos passam a ter raciocínio mais individualizado, o tamanho deste corpo diminui na mesma escala. Esta forma de aprendizado ganha peso máximo somente nas faixas da Humanidade. Em faixas anteriores, ainda são protegidos contra a dor, que não poderia transmitir muitas lições ainda.

Fazendo uma pequena pausa, tomou fôlego e prosseguiu:

– Durante as situações em que a dor extrema é inevitável, esta porção do DNA é ativada. Com isso, estimula nos fluidos corporais o lançamento de substâncias anestésicas que agem sobre determinados pontos do corpo físico, intermediários ao espiritual, fazendo com que se desliguem automaticamente um do outro. Se não atingir o limiar crítico, o animal recobra a "consciência", mas, se ultrapassá-lo, abandona o corpo físico, definitivamente, que morre. Isso significa que na ativação deste mecanismo eleva-se o limiar da dor. Em caso de óbito inevitável, o animal torna-se inconsciente antes que note o que desencadeou sua morte, lançando seu corpo espiritual automaticamente na dimensão extrafísica sem traumas.

Antes que Kayamá pudesse continuar com sua explanação interessante, Guilherme empalideceu, seu corpo estremeceu e ele arregalou os olhos como se estivesse entrando em algum tipo de transe. Kayamá pensou consigo mesmo, tentando alcançar o pensamento de Guilherme:

– Depois continuaremos. Até logo!

E o aprendiz desapareceu rápido de dentro da oca. Era sua mãe chacoalhando-o, freneticamente, e o Boris para que acordassem e fossem jantar.

O PRESENTE

— Acordem, vamos. Hora de jantar! – chamava dona Elza, insistentemente. Mas que pessoal difícil de acordar! Vamos, acordem! – insistiu. Temos uma comidinha especial para o Boris, que está fraquinho, e outra para o Gugu (era assim que sua mãe o chamava, quando o tratava como criança), que também passou por maus bocados hoje.

Finalmente, ambos acordaram. Guilherme, com olhar distante e voz rouca, chama Boris que, rapidamente, salta do sofá e corre na frente até a cozinha, em busca do seu "manjar" merecido, após tudo pelo qual passou pela manhã. Enquanto se serviam, Guilherme perguntou à mãe:

– Mãe, você se lembra do Bob? O malamute cinza que eu tinha quando criança e que uns arruaceiros mataram.

– Sim... sim... lembro... é ... é claro – respondeu dona Elza, gaguejando, nervosa, e desviando o olhar para longe do olhar do filho, como se estivesse tentando esconder algo. Mas por que está perguntando agora, assim, sem mais nem menos?

— Nada não, mãe! É que eu tive um sonho com o papai. Neste sonho, aparecia o Bob, que brincava com a sua bolinha e lambia as mãos do papai. De repente, o rosto do papai se transformava em um rosto de monstro e em seguida aparece o Bob morto, como vimos naquele dia.

Enquanto Guilherme falava, franzia a testa e contraía uma das sobrancelhas, como se estivesse desconfiando de algo.

— Parece um sonho fantasioso demais – continuou ele – mas senti-me muito mal em vê-lo nesse sonho, aliás, pesadelo.

Nesse instante, dona Elza iniciou um choro sonoro, levantou-se e correu para o quintal nos fundos da casa. Guilherme a seguiu e, ao alcançá-la, abraçou-a, dizendo:

— Desculpe-me, mãe. Não queria remexer em velhas lembranças dolorosas.

— Não é isso, filho. Preciso contar-lhe o que houve. Não suporto mais viver com isso, sei que estou envelhecendo e não vou querer levar esta culpa comigo para o túmulo. Já perdemos o seu pai e não pude me desculpar com ele. Preciso me livrar de mais esta culpa, senão chegarei mais rápido ao lado de seu pai, onde ele estiver.

— Nossa, mãe! Não fique assim tão transtornada. Relaxe e me conte o que houve. Não se preocupe, não sou mais uma criança. Só quero saber para acabar com esta curiosidade, pois nunca acreditei que tivessem sido os arruaceiros que ninguém viu a fazerem aquilo com o Bob. Mas também nunca imaginei quem poderia ter feito isso. Conte-me, então o que houve.

Dona Elza iniciou seu relato, entre um soluço e outro:

— Eu pedi a seu pai que envenenasse o pobre cão.

Guilherme ficou pálido com o que sua mãe revelara. Ele não poderia supor que ela fosse capaz de uma crueldade com alguém. Tentou disfarçar e deixou que ela continuasse.

— Seu pai relutou, pois achava preferível dá-lo a alguém a matá-lo. Ele achava que seria muita crueldade, mas eu insisti, pois sabia que, se alguém o adotasse, você o tomaria de volta. Após muito insistir e ameaçar que eu iria embora de casa se não o fizesse, acabou cedendo e somente aceitou por causa da chantagem. Eu queria que tivesse uma morte rápida e indolor, mas não sei o que deu em seu pai de querer espancá-lo. Deve ter sido horrível para Bob morrer lentamente daquela forma. Achei que foi muita crueldade. Depois de ver Bob com o crânio deformado, nunca mais quis olhar ou falar com seu pai. Por isso entrou em depressão e desenvolveu o câncer de pulmão, que o consumiu rapidamente. Eu matei os dois: Bob e seu pai – concluiu.

E fez um pedido sentido:

— Perdoe-me, filho. Sei que não sou boa mãe, mas eu era ainda muito jovem na época e não pensava nas consequências de meus atos. Por favor, filho, me perdoe – pediu Elza, abraçando o filho, que estava com lágrimas nos olhos, assim como a mãe.

Guilherme respondeu:

— Mãe, estas coisas estão no passado. Só tive curiosidade. Estou sentido em saber que Bob sofreu tanto e que vocês também sofram pela culpa que os atormentou por anos seguidos. Mas, se alguém precisa perdoar alguém, não sou eu, pois não me sinto atingido. Eu era uma criança e pouco me lembro. Não há o que desculpar. Mas espero que você não se puna por estas coisas que já estão no passado. Esqueça. Não tocaremos mais no assunto.

Elza disse, então:

– Tomara que seu pai me perdoe pelo que fiz a ele, destruindo-o daquela maneira.

– Com certeza, papai a perdoou. Ele sempre foi uma ótima pessoa.

Neste instante, a campainha toca. Era Cláudia, que trazia um pequeno filhote de malamute de mais ou menos 30 dias de vida. Parecia um brinquedo, que cabia na palma das mãos da pequena sansei, noiva de Guilherme.

– Oi, Cláudia, entre! – deu um beijo na face da noiva, que retribuiu com outro.

– Quem é esta bolinha de pelos cinza que você está carregando?

O pequeno, ainda de movimentos lentos em virtude da pouca idade, procurava o polegar de Cláudia para sugá-lo como a uma chupeta, produzindo sonoros estalos. Cláudia, então, explicou:

– Este é Bob!

Dona Elza torna-se pálida ao ouvir o nome de Bob e pede que a ajudem a se sentar um pouco. Cláudia faz uma pequena pausa, enquanto a mãe de Guilherme se recuperava do mal-estar passageiro, e continua após notar que ela já estava melhor.

– Há cerca de dez minutos, o deixaram em minha porta com um bilhete pedindo que entregasse a Guilherme e à sua mãe. Ele foi o único que sobreviveu de um acidente que vitimou a mãe, o pai e toda a ninhada. Segundo ele, o acidente matou a todos, exceto este pequeno mordedor de polegares.

Cláudia ria, enquanto o observava mordiscando e lambendo as patinhas, como se estivesse com um brinquedo.

— Não é uma belezinha? Veja que lindos olhos azuis — completou Cláudia, que o abraçou com carinho e o entregou a Guilherme, que aconchegou o filhote em seus braços como se carregasse uma pequena criança, aproximou-se de dona Elza e o entregou a ela.

Cláudia contou que no bilhete havia um pedido de desculpas e então trouxe o presente o mais rápido que pôde.

Guilherme abraçou sua mãe e disse:

— Fique tranquila, de agora em diante, mãe. Papai a perdoou — falou Guilherme, demonstrando que estava aceitando a ideia da vida após a morte.

Dona Elza deixou cair uma lágrima sobre a cabeça do pequeno cão que não parava de lamber-lhe a palma da mão. Cláudia, percebendo que era um assunto de família, não queria atrapalhar, despediu-se e saiu, deixando-os a sós.

Esqueceram-se até do jantar que já estava frio. Boris surgiu na sala, abanando a cauda, curioso para conhecer o novo companheiro. O cão parecia entender que ganhara um amigo e demonstrava isso, pois, feliz, deu um latido de boas-vindas ao pequeno, que se assustou com aquele súbito som. Aproximou-se devagar e começou a lambê-lo, em sinal de que aprovou a sua presença.

Boris se afastou por alguns instantes e retornou com a bola que pertenceu a Bob, o falecido, deixando-a cair sobre o colo de dona Elza, que, emocionada, o abraça e o beija. Passaram horas brincando com o novo membro da família, que mais preferia dormir.

Era cerca de meia-noite e Guilherme, já sonolento, colocou Bob em sua cama ao lado de Boris e adormeceram juntos. Novamente, como vem fazendo nas últimas noites, Guilherme se desdobra ao "Rancho", indo diretamente à oca de Kayamã.

O INCÊNDIO

— Boa noite, sr. Guilherme. Vejo que está se interessando pelo assunto que estávamos desenvolvendo.

– Oi, senhor...

Guilherme esqueceu o nome de seu novo professor.

– Kayamã – completou seu mestre em assuntos de animais selvagens.

João Rubens, que também aguardava a chegada de Guilherme quis saber:

– Como está sendo seu estágio?

– Tranquilo, por enquanto. Sem novidades.

– Então, prepare-se para o trabalho, pois hoje a aula será bem movimentada.

João Rubens olha para o orientador indígena e pergunta:

– Nosso amigo está em condições de receber aulas práticas, sr. Kayamã?

– Creio que sim, mas a resposta a esta pergunta cabe a ele dá-la.

Guilherme, aproveitando a proximidade do amigo, perguntou-lhe, baixinho:

— Esse aí é mesmo índio? Parece um inglês falando. Ele é tão cerimonioso para falar. Eu pensei que os índios fossem mais toscos – observou Guilherme.

— O sr. Kayamã – falou João Rubens, em voz alta – é um dos mais antigos colaboradores de nossa instituição. Ele escolheu viver como índio por vontade própria. Por sentir-se bem com esta aparência e por estar sempre em contato com a floresta, com os animais e, por estar desiludido com a condição do homem da cidade, prefere a Natureza como companhia. Ele foi, em encarnações passadas, um brilhante cientista, engenheiro, arquiteto, pintor, escultor, músico, escritor... Foi ganhador de vários prêmios de elevada importância, tal como o prêmio Nobel de Física, e outro de Literatura, em diferentes ocasiões. Foi introdutor de várias teorias científicas que modificaram os rumos da Ciência na Terra – concluiu João Rubens, olhando para Kayamã, que permanecia em silêncio.

Guilherme ficou mudo. Mal podia acreditar que seu professor fosse uma personalidade tão graduada e importante assim. Desde então, passou a respeitá-lo mais. João Rubens, percebendo que estendeu demais sua permanência ali preferiu deixá-los a sós para continuarem com as aulas.

— Não quero atrapalhá-los em suas tarefas, pois sei que há uma emergência em andamento. Por favor, continuem. Posteriormente, nos veremos.

Despediu-se e sumiu.

Guilherme olhou para Kayamã, intrigado, e quis saber:

— Emergência?!

— Sim. Uma equipe nossa já está no local, tomando

providências e tentando controlar a situação, mas eu o levarei lá para que auxilie e aprenda.

Dizendo isso, caminhou até próximo à tela do monitor e, com um movimento rápido das mãos, abriu outra tela maior, na qual se podia ver uma floresta em chamas, com vários animais em fuga e outros mortos carbonizados.

– Aproxime-se, sr. Guilherme – pediu o índio. Veja qual é a situação. Esta é parte da Floresta Atlântica. Como estamos em época de seca, a vegetação torna-se propensa a queimar, facilmente. Basta uma fagulha para que se torne uma bomba incendiária. Nossos colaboradores da floresta se incumbem de controlar pequenos focos de incêndio, enquanto outros tentam apagar o foco central do fogo, que se iniciou a partir de uma ponta de cigarro acesa, jogada, displicentemente, sobre o capim seco. Rapidamente espalhou-se por extensa área, inclusive uma área habitada por pessoas. Nosso trabalho inicial consiste em ir ao local do foco primário do incêndio e extingui-lo; o segundo passo seria agir sobre o fogo diretamente, evitando que se espalhe ainda mais. Se o controle imediato não for possível, nossa equipe de resgate entra em ação para tentar salvar das chamas o maior número que puder de habitantes animais ou humanos – explicou o índio, com olhar sério, diante daquela situação de risco.

Kayamá terminou a explicação, convidando o novo aluno a seguir com ele até o local da emergência:

– O senhor me acompanha?

Guilherme, sem experiência, pergunta:

– A "esteira" nos levará até lá?

— Não, não é preciso, pois estamos praticamente lá – e pediu ao aluno que o seguisse.

— Siga-me. Vamos trabalhar.

Dando apenas um passo, atravessou aquilo que Guilherme julgava ser uma tela feita de um líquido ou gel que ondulava ao som das vozes dos interlocutores.

— Venha. Não tema – chamou Kayamã, que já estava do outro lado da tela.

Atravessando sua mão de volta através da tela, pegou Guilherme pela mão e o puxou também para o outro lado.

— Chegamos à floresta – explicou o índio. Isso que o senhor julgava ser uma tela é, na verdade, um portal interdimensional, que pode nos levar a qualquer parte do Universo, apenas atravessando-o.

Olhando para trás, Guilherme, já pisando em solo fofo de húmus da floresta quente e abafada, podia ainda ver nitidamente o interior da oca de Kayamã através do portal.

— Já ouvi algo a respeito de portais interdimensionais, mas achei que fosse ficção.

— Pois não são. Eles existem em todo o Universo e são de grande utilidade aqui em nossa dimensão. Na sua, somente agora estão descobrindo a existência deles, mas não sabem ainda qual sua utilidade prática. É somente uma questão de tempo para seu uso se tornar tão comum quanto o telefone. Há portais minúsculos por onde passa apenas uma partícula subatômica; e outros gigantescos, como são os buracos negros do espaço. Mas vamos ao que importa agora: ao trabalho. Posteriormente, poderemos entrar em detalhes sobre portais interdimensionais.

Afastaram-se do portal e encontraram outros indígenas que estavam trabalhando em algum projeto de combate ao fogo. Kayamá parou entre eles e um passou-lhe algumas informações sobre o andamento dos resgates.

– Sr. Kayamá – falou outro indígena –, estamos a ponto de perder o controle da situação. O fogo está se alastrando rapidamente e precisaremos mesmo de ajuda externa para extingui-lo, pois se espalhou por uma área muito vasta.

– Não se preocupe. Já tomamos as providências. Pedimos reforços à colônia "Jonisi", para que nos envie uma equipe auxiliar. Provavelmente, já estão trabalhando no sentido de provocar o adensamento das partículas de água da atmosfera para que se derramem sobre o fogo como chuva e controlem as chamas. Enquanto isso não ocorre, passe-me o relatório dos salvamentos realizados até o momento – pediu Kayamá, dirigindo-se a outro indígena, que era o encarregado deste assunto.

– Foram evacuados da área de risco milhares de animais e levados ao outro lado da floresta, onde o fogo ainda não chegou. Mas centenas não conseguiram atravessar os portais, foram atingidos pelo fogo e não sobreviveram. Contudo, estão sendo tratados no hospital, se recuperando, sendo encaminhados à reencarnação e deverão estar de volta assim que a situação estiver novamente sob controle. Foram abertos muitos portais que ainda estão ativos – relatou o amigo.

– Muito bem. Agradeço suas informações. Agora, iremos ao encontro dos seres da floresta para obter deles os relatórios e saber como vão indo as negociações. Até logo!

Despediram-se e caminharam pela floresta por alguns minutos. Mais adiante encontraram uns seres que eram desconhecidos de Guilherme. Ele nem imaginava que existissem formas de vida semelhantes. Eram parte humano, parte animal. Uns tinham feições de felino, outros de canino, outros ainda de aves, roedores, mas o corpo da maioria deles era de humano. Eram seres híbridos ou espíritos da floresta. A estatura deles era muito variada, indo desde cinco ou dez centímetros até próximo de um metro de altura. Em sua maioria, os corpos eram cobertos por pelos, mas deixavam ver a pele, cujos tons variavam entre muito clara até os muito pigmentados. Alguns tinham a pele parecida com a de répteis, coberta por escamas coloridas. Falavam rapidamente, em uma linguagem estranha a Guilherme. Eram bastante agitados, movendo-se com extrema agilidade, subindo e descendo de árvores e rochas. Seus movimentos lembravam os de esquilos. Ao se aproximarem, apontando para eles discretamente com o indicador, Kayamá explicou a Guilherme quem eram.

– Aqueles são os espíritos da Natureza. São conhecidos na Terra como faunos. Eles não são exatamente animais, mas, sim, seres intermediários entre uma espécie animal e outra e nos auxiliam como porta-vozes dos animais, pois nos trazem informações diretamente deles. São para os animais como zeladores. Eles os protegem contra os caçadores, por exemplo, criando ilusões de ótica, que os desorientam, enquanto os animais se safam. Tratam dos animais doentes, usando energias obtidas dos vegetais abundantes na floresta por meio de uma parceria que fazem com os seres elementais relacionados às plantas. Seus rostos se assemelham aos da espécie de que fizeram parte no seu estágio evolutivo anterior. As espécies com as quais se parecem são as que mais auxiliam, por terem com elas mais afinidade. Veja aquele grupo, por exemplo: parecem-se com jaguatiricas. Isto significa que na última encarnação estavam estagiando como jaguatiricas. Por isso, há afinidade com eles, a quem ajudam com mais frequência. Mas isso não significa que não ajudem outras espécies também. Cada grupo orienta as raças e espécies afins, neste caso em que há um incêndio, indicando rotas de fuga para que não corram em direção a algum lugar sem saída, apontando os locais seguros e a localização exata dos portais – explicou Kayamã.

Aproximaram-se dos grupos de faunos e se cumprimentaram mentalmente. Conversaram rapidamente e Kayamã conseguiu as informações de que precisava. Após isso, afastaram-se dali, indo em direção ao foco inicial do incêndio. Guilherme, percebendo que se aproximavam das chamas, ficou preocupado com sua segurança, apesar de estarem ali em espírito, somente.

– Sr. Kayamã, é seguro irmos nesta direção? O calor está aumentando.

– Está bem, eu sigo sozinho até eles e você me aguarda aqui.

– Eles quem? – perguntou Guilherme, curioso.

– Os elementais do fogo de retaguarda, que são submissos àqueles que iniciaram o incêndio – respondeu o índio.

– Você vai conversar com o fogo?! – perguntou o incrédulo aluno. Ah! Essa eu preciso ver.

E seguiu o mestre até uma distância, parando pouco antes de alcançarem as chamas. O índio aproximou-se mais e começou a falar em um idioma totalmente estranho. A seguir, uma pequena chama se separou do foco principal e se aproximou de Kayamã. Ele, em sinal de respeito, curvou-se, em reverência, diante dela. Após alguns minutos, o índio curvou-se novamente e se afastou dali, voltando em direção a Guilherme, que o aguardava. Kayamã pegou a mão do aprendiz e pediu que fechasse os olhos. E, quando os abriu, estavam em outro ponto da floresta, onde ficava o foco principal do incêndio, que estava na dianteira, destruindo tudo. Puseram-se à frente das chamas, a certa distância. Kayamã orientou Guilherme a fazer um sinal de reverência ao modo dos budistas, curvando-se para a frente com as mãos postas, juntamente com ele. Ao fazerem o gesto, um grande foco de fogo se destacou e saltou diante deles sem queimar a vegetação onde estava, apesar do calor. Mentalmente, o índio dialogou com aquele ser, que era pura energia. Após alguns minutos, o ser em forma de uma grande chama afastou-se e retornou ao conjunto de onde saíra e novamente confundiu-se. Kayamã deu-se por satisfeito com o diálogo que teve e se afastou, acompanhado por Guilherme.

– O senhor conversou com o fogo, mesmo? – perguntou o aluno, curioso por saber a resposta.

– Sim, pois, caso contrário, continuariam a queimar tudo o que encontrassem pela frente, até acharem que cumpriram a tarefa de destruição solicitada por um ser humano.

– O fogo foi solicitado a queimar. Não foi um acidente, então?

– Na verdade, foi um acidente. Uma pessoa, inadvertidamente lançou um cigarro aceso sobre o capim seco, que se incendiou. Mas o incêndio somente ocorreu porque a fagulha lançada nestas condições é entendida pelos elementais como um pedido, que é prontamente atendido, surgindo o incêndio. Como estão fazendo isso por concessão, somente outro ser humano, ou aquele que fez a solicitação, pode pedir por sua extinção. A dificuldade de controlar as chamas reside no fato de que, uma vez iniciada a sua missão, somente conseguem desativar todo o processo por dois modos: por falta de substrato comburente ou por exaustão das chamas. Ambos os casos podem demorar a se completar; por isso, pedimos ao líder que cesse seu trabalho. Ele aceitou e já ordenou a extinção do incêndio. No entanto, mesmo tendo iniciado a desativação, o processo leva alguns dias para ser completado. Seu líder, neste caso, nos autorizou a intervenção por intermédio de outros elementais. As águas das chuvas nos auxiliarão, a fim de fazer diminuir rapidamente a energia dos elementais do fogo, as Salamandras, que estão no comando. Então, agora iremos aos trabalhadores da colônia "Jonisi" para saber como estão indo os entendimentos com os elementais da água e do ar.

Guilherme interrompe a fala de Kayamã.

– Espere um pouco. Você está indo muito rápido. Preciso de mais explicações.

– Depois. Agora não há tempo – falou o indígena, apressado. Segure novamente minha mão, feche os olhos e vamos a eles.

Guilherme, curioso, manteve-se de olhos abertos durante o salto quântico de deslocamento. Ele queria saber qual era a sensação de acompanhar o salto na velocidade do pensamento. Parecia estar atravessando um túnel escuro em que luzes intermitentes passavam muito rapidamente ao seu lado, deixando-o zonzo. Atordoado com toda aquela velocidade passou mal, apesar da viagem ter durado alguns milésimos de segundo. Mesmo durante um tempo quase infinitesimal, o tempo parecia desacelerar. A impressão que se tinha era de que a velocidade era menor, criando uma ilusão de estar demorando mais para completar o salto. Mesmo assim, era uma velocidade estonteante. Quando alcançaram o objetivo, Guilherme empalideceu e eliminou jatos de fluidos gástricos. Constrangido pelo vexame, deu um sorriso sem graça e desculpou-se. Chegaram ao topo de uma colina, onde estavam outros índios, de uma tribo diferente daquela encontrada anteriormente, que dialogavam com algumas entidades, cujos corpos eram tão sutis e vaporosos que pareciam quase invisíveis, mesmo para aquela dimensão. Aquelas entidades eram as lideranças dos seres elementais do ar, que planejavam os meios de apagar o fogo. Eram os silfos. Eles são seres capazes de movimentar o ar, formando o vento. Mal chegaram e as entidades se afastaram, produzindo um zumbido alto e uma corrente de vento que durou alguns segundos.

– Como estão as conversações com os silfos, com as ondinas e com as sereias? – perguntou Kayamá a um dos trabalhadores indígenas, após se cumprimentarem.

– Tudo acertado, senhor. Iniciarão imediatamente as manobras de deslocamento das partículas pesadas do ar e dos vapores de água. Em breve, teremos chuva e as chamas se extinguirão.

Kayamá agradeceu a colaboração e se despediu de seus amigos, convidando o aprendiz a acompanhá-lo.

Guilherme, já recuperado do enjoo, agarrou-se firmemente às mãos do amigo. Temeroso por mais um incidente gástrico embaraçoso, apertou fortemente os olhos.

– Calma, sr. Guilherme. Não é mais preciso este cuidado. Abra os olhos e dê um passo à frente.

Ao abrir os olhos, deparou-se com o portal que deixava ver do outro lado o interior da oca de Kayamã. E, apressado em sair da floresta, deu um salto em direção ao portal e aterrissou de barriga no chão de terra batida da habitação singela.

Kayamã sorriu discretamente e falou, após atravessar o portal.

– Sinto que as dúvidas pululam em sua mente. O que deseja perguntar?

Guilherme, afobado, fez muitas perguntas seguidas, atropelando as palavras.

– Por favor, sr. Guilherme, uma pergunta de cada vez. Não tenha tanta pressa, temos muito tempo ainda.

– Então, vamos começar do início. Os portais, como surgem?

Seu orientador para por um instante e responde.

– Os portais são a forma mais econômica, prática e fácil de viajar no tempo e no espaço. Eles se abrem e se fecham continuamente no Universo e podem ser controlados pelo pensamento. Estes portais já são uma realidade na Terra, pois os cientistas tiveram contato com o fenômeno em observações laboratoriais, nas quais puderam observar elétrons se teletransportando através de minúsculos portais a locais distantes dentro da mesma molécula. Os portais são soluções de continuidade criadas entre dois tempos ou dois espaços diferentes, independentemente da distância que exista entre eles.

O aluno, satisfeito, queria chegar aos seres da Natureza e aos elementais, sobre os quais estava mais curioso.

– Os faunos. Quem são eles?

– São seres intermediários na evolução animal. Estão em estágios entre uma e outra espécie animal. Por exemplo, um felino selvagem antes de passar para o estágio de felino doméstico, deve passar pelo estágio de fauno, a fim de aprender algo sobre a nova espécie ou gênero em que irá ingressar. Aprendem sobre cooperação e, principalmente, sobre convívio pacífico em outro grupo novo, auxiliando quando necessário. Como seu objetivo principal é se tornar um ser humano, futuramente, apresentam algumas características que lembram símios ou humanoides.

– E os elementais? Confesso que não entendi o que ocorreu na floresta com relação a eles.

– Como o senhor sabe, tanto nós, que vivemos aqui na dimensão espiritual, quanto vocês, que vivem na física, somos constituídos por uma combinação de vários elementos químicos. Quando estamos encarnados, possuímos em nossos corpos uma grande concentração de elementos como carbono, oxigênio, hidrogênio, além de uma infinidade de outros elementos químicos em menores concentrações. Quando desencarnamos, nossos corpos também possuem as mesmas constituições bioquímicas e possuímos a maioria dos elementos químicos que possuíamos quando encarnados, porém, em menores concentrações. As nossas moléculas, neste caso, encontram-se em menor número, sendo bem menos concentradas, dando-nos a aparência vaporosa aos sentidos dos encarnados que têm dificuldades em nos captar visualmente. Estando aqui, nesta dimensão, ocorre o mesmo com os elementais, pois nem todos os do lado de cá podem visualizá-los, porque são sutis a nós por serem constituídos por apenas um ou dois tipos de elementos químicos – disse Kayamã, que fez uma pausa para tomar fôlego antes de continuar.

Guilherme permanecia em silêncio, atento às explicações do orientador.

– Eu pensei que elementais fossem seres relacionados aos quatro elementos da Natureza, da Antiguidade, ou seja, a água, a terra, o fogo e o ar.

– Não é um conceito errado, mas, com o conhecimento da existência dos elementos químicos, nada mudou, pois o ar é basicamente oxigênio, a água basicamente hidrogênio, a terra basicamente enxofre e o fogo basicamente carbono. Então, são quatro elementos também.

– Está bem. Entendi. Mas fale-me sobre os elementais do fogo.

– As chamadas salamandras são seres tão reais quanto eu ou você. Vivem em grupos, formando hierarquias. Eles têm os seus líderes e subalternos, que trabalham em conjunto. Seus corpos são simples e, constituídos, basicamente, por átomos de carbono. Conseguem concentrar ou dispersar estes elementos que captam da Natureza, nutrindo-se e energizando-se deles. Quando concentram quantidades muito grandes destes elementos, aumentam muito suas energias, formando nuvens de carbono que se movem cada vez mais rapidamente, esbarrando-se uns com os outros, criando uma energia conhecida como fogo.

O fogo que vemos não é o corpo de uma salamandra, mas a sua manifestação. Em alguns casos, sua energia aumenta em proporções muito elevadas, tornando-se difícil diminuí-la rapidamente para voltar ao estado de repouso dos átomos de carbono. Por isso, algumas vezes é necessário a ajuda de outros grupos de seres elementais para desacelerarem o ritmo de atritos entre estes átomos quando se quer extinguir um incêndio, por exemplo.

– Ah! Entendo agora. Por isso pediram o auxílio dos ventos e das águas. Certo?

– Está correto, sr. Guilherme – respondeu o índio, com olhar sereno e voz branda. E observe – disse, apontando o indicador para o portal, já está chovendo na floresta, como previsto, e o fogo está sendo controlado.

O jovem olha para o portal, que ainda permanecia aberto, e vê a floresta recebendo as generosas águas refrescantes vindas do alto.

– Ufa! Que legal! – exclamou o estudante, aliviado. Mas como era aquilo de "conversar com o vento?".

– A nossa colônia irmã "Jonisi" abriga irmãos índios habituados a manipular e se relacionar com diversas energias da Natureza. Dentre elas estão as energias do vento e das águas. Eles normalmente vão aos locais mais altos das florestas, onde é mais fácil contatá-los e comunicar-se com eles, pois, como os silfos, são elementais cujos corpos são constituídos basicamente por oxigênio, são encontrados mais facilmente em ambientes abertos, como as colinas. Eles, os silfos, têm a capacidade de manipular as partículas, moléculas e átomos suspensos na atmosfera, transportando-os para onde quiserem. Sabendo que possuem esta habilidade, nossos irmãos da outra colônia pediram a eles o auxílio para combater o fogo. Somente concordaram quando se certificaram de que os elementais das águas também estavam de acordo em oferecer sua ajuda.

– Por quê? Eles não se dão bem?

– Não é isso. Acontece que, como os silfos deverão mobilizar o elemento água em vapor, as águas são de domínio das ondinas e, se não houver consenso, pode significar uma invasão de domínios. Eles são rígidos quanto a isso. Se as ondinas não concordarem, então eles não as mobilizam de jeito algum e, por consequência, não haverá chuvas. No entanto, houve acordo.

– Existe ética até mesmo entre os elementais – observou Guilherme.

– Isso mesmo. E, como eu dizia, os silfos, utilizando sua capacidade de manipular partículas da atmosfera, concentraram em um mesmo local uma grande massa de partículas suspensas no ar, que fizeram muita pressão em uma pequena área. Com isso, provocaram um deslocamento de ar que estava por baixo desta coluna de partículas, fazendo-o circular sobre as chamas, aquecendo-o. Esta massa de ar aquecida deslocou-se em direção aos rios e fez aquecer a água que se evaporou e elevou a atmosfera sob forma gasosa, formando as nuvens de chuva. Ao atingirem altitudes elevadas, perdem calor, se condensam e se precipitam na forma líquida, como esta chuva que estamos presenciando agora. Os silfos concordaram em utilizar as águas dos rios, pois sabiam que as ondinas igualmente concordariam em acompanhá-los. As ondinas também são elementais e seus corpos são formados por oxigênio e hidrogênio, ou seja, água. Por água, somente. A água rouba energia do carbono das nuvens de fogo quando entram em contato, absorvendo-a e dispersando-a em seguida. Com a diminuição da energia dos átomos de carbono do fogo, fazem diminuir a velocidade dos elétrons, extinguindo a chama. Por isso, as ondinas acompanharam os silfos em um trabalho conjunto.

Kayamá termina a explicação, prometendo levá-lo em outras oportunidades a conhecer melhor o trabalho dos elementais da floresta. Finda a explicação, surge Gustavo.

– Olá, senhores! Como foi o trabalho de hoje?

Guilherme, muito entusiasmado, foi logo falando, de forma apressada.

– Foi muito legal! Nós atravessamos um portal interdimensional, conversamos com elfos, com o fogo, com o ar, fomos de um lugar para outro, tão rapidamente, que vomitei, encontramos muitos índios, passamos um calorão no meio do fogo e...

Falou tão depressa, que perdeu o fôlego.

– Calma, doutor. Temos muito tempo para conversar sobre o assunto. Não se afobe – falou Gustavo.

– Se me permite, sr. Kayamá, gostaria de acompanhar o sr. Guilherme a outros locais, enquanto ele me conta como foi o seu aprendizado na floresta.

– Claro. Já terminamos nossa tarefa de hoje. Fiquem à vontade.

Gustavo agradeceu e se retirou em companhia de Guilherme, que foi contando, animadamente, sua aventura. Caminharam para o veículo, que Gustavo chama de "esteira", para irem ao próximo estágio.

No Hospital

— Chegamos – falou Gustavo ao convidado, que estava de olhos fechados, temeroso de passar por outro mal-estar de viagem.

– Onde estamos? – perguntou o médico.

– Aqui é o setor de "resgate e tratamento". Vamos entrando, para que você conheça o hospital.

Encaminharam-se ao grande prédio daquele setor. Era branco, com enormes portas que pareciam de vidro e com grandes janelas envidraçadas por toda a fachada, que deixavam ver as pessoas que transitavam por seu interior. Ao se aproximarem da entrada, a porta abriu-se, automaticamente, e entraram, indo diretamente para a recepção, onde encontraram um senhor de cabelos brancos, rosto rubro, demonstrando muita energia, pele lisa e brilhante, que refletia sua aura igualmente radiante. Era o sr. Benati. Estava rejuvenescido, após seu reajuste com o filho, com a esposa e, principalmente, com Bob.

– Oi, pai. Tudo bem? – cumprimentou Guilherme, abraçando o pai, que os recebia com sorrisos e, desta vez, com a cabeça erguida.

— Estou ótimo, filho. Sinto-me como se eu fosse outra pessoa. Parece que renasci. E eu agradeço a você por me...

Guilherme fez um sinal, balançando a cabeça, pedindo ao pai que esquecesse o assunto do Bob, pois era passado e, para que aquelas lembranças não voltassem e nem pudessem causar algum tipo de transtorno novamente. Benati sorriu, entendeu o que o filho queria dizer e percebeu quanto o seu garoto estava amadurecendo.

Gustavo aproveitou a oportunidade e o pequeno silêncio que se fez para dizer que os deixaria, pedindo a Benati que assumisse, como guia, a partir daquele momento, o filho, conduzindo-o à visita ao hospital. Despediu-se, prometendo retornar, posteriormente.

— Venha, filho — falou Benati, convidando-o a conhecer o prédio.

— Aqui onde estamos é a sala de recepção, e a decoração foi criada por nossos estagiários. Cada um que passa por aqui acrescenta algo como lembrança ao nosso patrimônio. Veja aqueles quadros, os vasos, o piso, a decoração do teto, das portas. Percebeu como tudo aqui é decorado com motivos animais? Você gostaria de deixar também uma lembrança?

Guilherme então mentalizou um quadro com o retrato de Boris, o seu cão especial, que seu pai pendurou na parede ao lado dos outros quadros.

— Este quadro ficou muito bem aqui. Agora vamos continuar com o nosso roteiro de visitas.

Abrindo uma porta próxima, entraram em um corredor tão grande que nem dava para ver onde acabava. Tinha centenas de portas. Aproximam-se da primeira delas;

então, o sr. Benati começou a dar a sua orientação ao filho, que naquele momento também passou a ser seu aluno.

— Aqui, Gui, é a ala de queimados. É onde trabalho. E como você já teve a oportunidade de saber, chegaram muitos pacientes hoje, vitimados por um incêndio ocorrido na mata da região serrana de São Paulo. Então, não se impressione com a quantidade de pacientes. Nem sempre são tantos assim.

Entraram na sala e depararam-se com uma espécie de bancada com vários níveis. Em cada nível, havia muitas celas, ou câmaras de recuperação. Elas eram forradas de um material macio, que era praticamente líquido, e continha somente um animal em cada uma. Era uma visão futurista. Lembravam cenas de filmes de ficção científica. As câmaras cilíndricas tinham o tamanho exato para conter o animal que se mantinha deitado no fundo. Ali, o paciente era acomodado de modo que se amoldava perfeitamente em uma espécie de colchonete vaporoso que adquiria o formato do animal em baixo relevo e praticamente o recobria. Sobre eles, além da substância vaporosa, um líquido os recobria e se mantinha em movimento no interior da cela, em forma de tubo transparente. As celas eram dispostas por tamanho e os animais eram mantidos em estado de suspensão, isto é, estavam inconscientes, sob ação magnética exercida por um dispositivo instalado nelas. Os animais mantinham-se ali, imóveis, como se estivessem sedados. O que chamou a atenção de Guilherme foi o fato de nenhum dos animais resgatados do incêndio apresentar sinais de queimadura pelo corpo.

— Pai, por que não há lesões extensas nestes animais resgatados do fogo?

— É muito simples, filho. Em cada célula desta que você vê, há um dispositivo que, além de induzir o sono, tem outras funções terapêuticas. Veja como em cada uma das cabinas há uma iluminação em que se dá uma mudança constante de frequência de cores. Essas luzes têm várias finalidades. Uma delas é fazer uma espécie de "escaneamento" em cada paciente, informando, de tempos em tempos, seu estado de saúde e de recuperação, transmitindo os dados a uma rede central de informações, que analisa e, automaticamente, personaliza o tratamento de cada animal. Outra finalidade importante é a produção de uma frequência de ondas mentais que faz com que sejam apagadas da memória deles as cenas de sofrimento, sem retirar, no entanto, as sensações, que servirão de alerta em um caso de o animal enfrentar outro incêndio, que é o seu aprendizado. Com isso tudo, as lesões desaparecem em questão de segundos a minutos, e à medida que os animais se desprendem das lembranças do ocorrido.

Guilherme, então, se lembra de uma informação que recebeu anteriormente a respeito de um mecanismo de defesa que impede que o animal sofra desnecessariamente, retirando-o de seu corpo físico no momento da morte, e perguntou ao pai:

— Pai, o sr. Kayamá falou-me de um mecanismo que evita o sofrimento dos animais no momento em que deixam o corpo por ocasião de sua morte. Por intermédio deste mecanismo, os animais são retirados rapidamente do corpo físico antes que tenham tempo de sentir no corpo espiritual o surgimento das lesões. Estou certo?

— Em parte, filho — respondeu Benati, também entendido no assunto. Veja como a maioria dos animais com lesões são os maiores. Veja como os menores praticamente nada têm a ser tratado, além da inversão de memória. O mecanismo a que você se refere arremessa-os tão rapidamente em nossa dimensão que não há contato com o que causou a destruição do corpo espiritual, desligando totalmente um do outro. Além disso, quando se lançam em nossa dimensão, já estão inconscientes. Deste modo, nada sofrem. Este mecanismo é muito efetivo quando se trata de animais pertencentes a um "corpo coletivo" de grandes proporções, como ocorre, por exemplo, com os insetos, com peixes, algumas aves, pequenos roedores, répteis e outros cuja individualidade não é bem caracterizada. Quando se trata de animais de "corpos coletivos", de menores proporções, significa que possuem um nível maior de consciência. Com isso, a dor e o sofrimento têm um peso maior em seu aprendizado evolutivo. Assim, nestes casos, os mecanismos de desligamento são um tanto mais lentos, demorando-se em separarem-se do corpo físico, podendo ser atingidos também em seus corpos espirituais. Enquanto os pequenos se libertam em um estalar de dedos, os maiores e com mais consciência de si podem demorar alguns segundos ou minutos antes que isso ocorra.

— Ah! Certo. Entendi. Mas e os insetos? Por que não há insetos por aqui?

— Os insetos, por serem muito numerosos, ficam em uma ala em separado, onde são tratados em conjunto para serem levados rapidamente ao retorno ao mundo físico. Os insetos chegam e retornam tão rapidamente que quase não permanecem por aqui. Eles chegam e partem quase imediatamente.

Guilherme observou uma estrutura flexível no interior das celas e perguntou, curioso:

— Para que servem aqueles "tubinhos" que estão em todas as celas? — e apontou para aquela estrutura longa, fina e transparente que ligava o animal ao topo da cela.

— São líquidos nutritivos. Eles necessitam ser alimentados, pois, mesmo inconscientes, seus instintos solicitam nutrição ao corpo, não importando se estão ou não encarnados.

Guilherme repara que não havia somente animais selvagens na ala, mas os domésticos também e perguntou o porquê a seu pai.

— Aqui nesta sala não ficam somente animais selvagens. Há também os domésticos, que desencarnaram em função de queimaduras. Por isso, a disposição das celas obedece a um critério que leva em consideração também a espécie e a origem dos animais. Os domésticos, em sua maioria, localizam-se em uma área específica no fim do corredor. Eles recebem um tratamento diferenciado, quase individual. Digo "quase", pois ainda não são totalmente individualizados. Ainda pertencem a um pequeno "corpo coletivo", apesar de já possuírem uma certa consciência e uma relativa individualidade marcantes. Por causa destas características, podemos notar nos cães, por exemplo, certas características de personalidade que distinguem uma raça da outra, no tocante ao comportamento. Há cães que se comportam de forma característica dentro de uma mesma raça, que diferem de outra. Por exemplo, há raças que são preponderantemente agressivas, enquanto outras são extremamente dóceis. E estamos nos referindo às raças e não aos indivíduos. Neste caso, o "corpo coletivo" é representado pela raça.

– O Boris é um cão sem raça definida, apesar de lembrar um pouco um *cocker*. Ele é especial, pois é muito inteligente e esperto. Como se caracteriza o seu "corpo coletivo?".

– Ele pertence ao dos animais domésticos, também, mas o Boris é muito inteligente e esperto, porque está se individualizando. Estas características individuais pertencem a ele e não ao "corpo coletivo".

– Quando este "corpo coletivo" deixa de existir?

– O conceito de "corpo coletivo" existe até mesmo entre os humanos, em pequena escala, mas ainda está presente.

– Poderíamos ir aos animais domésticos? Estou curioso.

– Sim, vamos. É logo ali – falou, apontando para o fim do corredor.

– Caminharam ao longo daquele corredor repleto de celas tubulares, ocupadas por animais de todas as espécies e tamanhos, até chegarem onde estavam os animais domésticos. Andaram e observaram vários deles e os compararam com os selvagens.

– Notou como as lesões são mais extensas no corpo espiritual? – perguntou o pai. Por terem maior consciência de si mesmos e do ambiente a que pertencem, transferem os reflexos do trauma, da dor e do sofrimento ao corpo espiritual. O modo como são tratados os pacientes animais domésticos quase se assemelha ao tratamento dos seres humanos em colônias de recuperação especializadas. Recebem, como eu já disse, praticamente atenções individualizadas, pois sua recuperação é mais lenta do que a dos não domésticos.

– Como assim?

– Os domésticos já possuem uma inteligência e percepção mais aguçadas, além de terem sentimentos e emoções bastante desenvolvidos, se comparados com os não domésticos. Enquanto os domésticos são assim, os selvagens possuem apenas esboços disto. Por isso, estes causam maiores impressões no corpo espiritual. Assim, a inversão de memória também se processa com mais dificuldades por interferência do trauma emocional sofrido.

– Como é isso de inversão de memória?

– Como ocorre em seres humanos, as lesões no corpo espiritual se formaram mais em consequência do trauma emocional do que do físico, pois – repito – estes são animais que estão adquirindo sentimentos e emoções semelhantes aos das pessoas. Desta forma, no caso dos queimados, a dor e a angústia criadas durante o processo que desencadeou a destruição do corpo físico geram um estado emocional que fica estampado em sua mente. Esses sentimentos e emoções fortes provocam as lesões no corpo espiritual, pois se mantêm reverberantes na memória, dificultando a recuperação. Então, por meio de um aparelho instalado no teto de cada cela cilíndrica, cada molécula que circula na região cerebral, relacionada à memória dos animais, é despolarizada parcialmente. Com a despolarização, os elétrons que circulam em um determinado sentido passam a circular em sentido oposto. Esta inversão dos *spins* da memória é apagada temporariamente. A seguir, é novamente repolarizada com imagens positivas e agradáveis de momentos felizes. Com isso, as lesões desaparecem por completo e não retornam. No entanto, nem toda a memória é apagada, pois, se assim fosse, teria perdido seu aprendizado. Somente são apagados os momentos mais dramáticos que desencadeiam as lesões. Esta técnica é amplamente utilizada nas colônias de humanos. Se interessar, podemos posteriormente voltar a esse assunto.

Benati fez uma pausa para dar passagem a um visitante encarnado que andava pelo corredor onde estavam. Então, aproveitou para comentar sobre o assunto.

— Enquanto se recuperam, os domésticos recebem visitas dos amigos humanos. É permitido que transmitam energias de amizade aos pacientes, e isso favorece sua rápida recuperação. Os amigos são, em geral, encarnados, mas há muitos desencarnados.

Apontando para um senhor ali perto, Benati mostra como ajudam.

— Observe aquele senhor. Veja: quando a visita quer dar sua energia, toca em uma estrutura metálica porosa localizada no exterior da célula. Essa estrutura absorve a energia que se destina à recuperação do amigo. No entanto, a qualidade desta energia é variável e, algumas vezes, pode até prejudicar o paciente. Por isso, ela é captada, classificada, filtrada e somente depois é endereçada ao enfermo, que assim não corre riscos de se intoxicar com energias que não lhes seriam adequadas.

Guilherme observa que existem algumas luzes do lado de fora do cilindro, que acendem e apagam. Curioso, pergunta:

— O que indicam aquelas luzes?

— Note que quando elas se acendem, a temperatura se eleva no interior da célula. Veja o termômetro na lateral. As luzes e o aquecimento são resultado das preces encaminhadas aos animais ou de orações feitas a São Francisco de Assis.

— São Francisco?! Eu não entendi qual a relação entre as luzes e São Francisco de Assis.

— Este Santo é considerado protetor dos animais. Não que São Francisco de Assis pessoalmente esteja tratando o animal, a pedido de seu dono, mas a energia da prece se converte em energia terapêutica. Quando alguém faz uma oração a São Francisco de Assis, a energia mental é endereçada ao Universo e se soma a outras energias idênticas. A seguir, ela é distribuída igualmente a cada animal do Universo, independentemente de quaisquer condições ou estado evolutivo, pois a maioria das pessoas, quando se lembra desse santo católico, o relaciona, quase que automaticamente, aos animais, por isso acabam enviando estas energias, inconscientemente, a eles também.

Guilherme olhava admirado para seu pai, pois não supunha que tivesse tantos conhecimentos assim. Ao término de sua explanação, Guilherme dá um grande sorriso. Benati achou que foi bem em suas explicações, por isso perguntou:

— Satisfeito, filho?

— Sim, claro. Foi ótima a sua explicação. Eu não fazia ideia de que o senhor entendia tanto assim destes assuntos.

Benati ainda trazia resquícios de culpas que adquiriu durante suas vidas anteriores, por isso, quando foi elogiado, lembrou-se dos tempos em que esteve nas trevas de sua ignorância.

— Pois é, filho. Foi a necessidade que me trouxe para cá depois de amargar meses em locais trevosos de minha culpa, que me transformaram em indigente espiritual. Fiquei um farrapo humano até ser resgatado do pântano de energias densas, criado por mim mesmo. Fui tirado e levado ao hospital, a um educandário onde recuperei a razão, e, após me recuperar, pedi para ser mandado para cá, a fim de redimir minhas faltas contra os animais. Você se lembra? Eu gostava de atirar em pássaros por diversão. Isso também pesou em minha recuperação. Agora estou terminando o curso de enfermagem com especialização em queimados. Logo estarei dando aulas e orientando estagiários. Você está sendo minha primeira experiência como orientador.

— Puxa vida! Eu posso afirmar com todas as letras que foi uma ótima aula. Estou agradavelmente surpreso e não somente por sua aparência, que está muito boa, mas também pelo seu desempenho. Achei que o senhor já era veterano em aulas. Meus parabéns...

Antes que Guilherme terminasse a frase, surgem Gustavo e João Rubens.

— Tudo bem, senhores? — cumprimentaram, quase em coro.

— Como foi a visita à ala de queimados? — perguntou Gustavo, com a mão direita sobre o ombro do veterinário.

— Foi perfeita! Meu pai entende mesmo do assunto, hein?

— Concordo com você, Guilherme, por isso, a partir de agora, ele se torna, oficialmente, um dos professores desta ala.

— O sr. Benati foi aprovado, com louvor — falou João Rubens.

Os três o abraçaram, parabenizando-o, e se despediram. Gustavo, chamando Guilherme, foi à ala seguinte.

— Esta é a ala de moléstias infecciosas. Para entrarmos, precisamos antes passar por uma descontaminação. Em seguida, receberemos um equipamento de proteção contra os eventuais agentes infecciosos com os quais entraremos em contato no interior da ala. Sem essa proteção, poderiam ocorrer problemas sérios de saúde a você, que ainda é um encarnado, pois, se algum germe se instalar em seu corpo espiritual, causará enfermidade também ao seu corpo físico. O equipamento protegerá inclusive o seu cordão prateado. Nesta ala, quem o acompanhará será a dra. Ana — falou Gustavo.

Enquanto falavam, uma luz verde sobre a porta se tornou intermitente e um vapor se desprendeu ao seu redor. O vapor era resquício da substância descontaminante utilizada na antessala. Quando a porta se abriu, surgiu a dra. Ana, usando um uniforme branco.

Ela aparentava os seus quarenta e poucos anos, cabelos castanhos-claros e lisos, nariz alongado e rosto suave. Cumprimentou cordialmente os três e os convidou a entrar. Antes que Guilherme pudesse concordar, novamente foi surpreendido por aquele fenômeno que o afasta de seus compromissos.

O RESGATE

Desta vez, não estava sendo acordado por sua mãe, como ocorre frequentemente, mas sendo chamado em outra localidade, ainda no plano espiritual, por sua noiva, Cláudia. Como se fosse uma mera ilusão, Guilherme desmaterializou-se de dentro do hospital e surgiu ao lado de sua noiva.

Cláudia trabalhava durante o dia em um hospital como nutricionista, mas à noite, durante seu período de sono físico, ela se desdobra em tarefas de auxílio. Guilherme, algumas vezes, a acompanhou em tarefas espirituais de auxílio; mas, desta vez, Cláudia precisava ajudar em um resgate de pessoas que estavam envolvidas em um acidente. Um avião caiu e havia muitos que acabavam de desencarnar e necessitavam de orientação. Cláudia e Guilherme, durante a noite, em seu sono físico, se dispuseram a ajudar as equipes espirituais do Hospital Espiritual "Amor e Caridade". Por isso, ambos foram solicitados.

No hospital astral, são atendidas pessoas enfermas não somente desencarnadas, mas também encarnadas desdobradas. Neste caso, ocorreu um acidente aéreo de grandes proporções, próximo a uma região do Oriente, onde tem havido muitos confrontos bélicos. O avião de passageiros entrou em um espaço aéreo proibido a voos domésticos. Foi confundido com um avião inimigo, sendo derrubado. Cláudia já fazia parte da equipe de resgate e tinha mais experiência, mas Guilherme era novato e acabava de ingressar na equipe. Ela o chamou até sua tenda improvisada na área de trabalho e mostrou-lhe as fichas dos passageiros, que ainda se encontravam entre os destroços. Guilherme leu-as e foram ao trabalho. Era um avião de grande porte e morreram duzentas pessoas.

– À medida em que formos retirando as pessoas, as encaminharemos à tenda da Cida – e apontou em direção a uma das tendas.

– Cida?! Minha tia Cida?

– Ela mesma. Ela também auxilia nossa equipe. Ela é assistente social de dia e de noite – brincou Cláudia sobre a tia do noivo.

– Tudo bem, eu os enviarei até ela e deixarei que assumam dali em diante.

Buscando entre os escombros, descobriam as pessoas que estavam com feridas extensas, queimaduras profundas e fraturas expostas. Ao redor de noventa pessoas já tinham sido resgatadas e restavam cento e dez a serem recuperadas. A equipe de resgate era composta por doze pessoas, incluindo Guilherme, Cláudia e Cida.

A maioria dos resgatados não tinha ideia do que acontecera e nem ao menos sabia que tinha desencarnado. Guilherme, à medida que as encontrava, ajudava-as a se deitar nas macas e as levava à tenda de Cida para serem medicadas, orientadas e encaminhadas ao hospital para dar continuidade aos tratamentos.

Guilherme e Cláudia já tinham resgatado cerca de dezesseis pessoas, quando surgiu João Rubens com dois cães.

– Alô! Eu trouxe ajuda. Eles são nossos melhores farejadores. São ótimos neste trabalho de encontrar pessoas sob os escombros.

João Rubens pediu a eles que buscassem as pessoas. Então, os cães começaram a mostrar onde elas se encontravam. Muitos estavam em estado de choque, sem emitir qualquer som e sem esboçar reações. Pareciam estar em uma espécie de transe. Obedeciam às orientações, mecanicamente. Com a ajuda dos cães, o trabalho transcorreu rapidamente e em pouco tempo todos tinham sido encaminhados às tendas de atendimento.

Em cada tenda havia equipamentos energéticos de primeiros socorros e tratamentos de emergência. Os mais conscientes eram orientados ali mesmo, antes de serem levados ao hospital, eram informados de que ocorrera um acidente com seu avião, mas que todos estavam sendo tratados. Muitos faziam o "sinal da cruz", dando graças a Deus por conseguirem sobreviver a tamanho desastre. Eles eram tratados como se estivessem ainda encarnados, recebendo medicação oral e injetável.

Tratamento para aliviar a dor, curativos e bandagens para proteger as feridas e até pequenas cirurgias eram feitas. Em um certo momento, surgiu a equipe de transporte que os levaria ao Hospital Astral "Amor e Caridade". Vieram cerca de três pessoas para cada acidentado. Entre os auxiliares, havia parentes e amigos desencarnados e encarnados desdobrados, interessados em ajudar.

Diversas ambulâncias plasmadas eram usadas para transportar os enfermos. Na verdade, o transporte era feito através de portais de forma triangular ou piramidal, que se abriam diretamente na ala de emergência do hospital, mas os assistidos acreditavam ser transportados da forma convencional. Após todos terem sido levados, João Rubens retornou ao Rancho com seus cães, enquanto Cláudia, Guilherme, Cida e os demais seguiram rumo ao hospital para continuar o trabalho que começaram.

Ao chegarem lá, dirigiram-se à ala cirúrgica, para receber tratamento de higienização e trajes apropriados. Entraram em uma sala, onde receberam um jato de uma substância adocicada e perfumada como rosas. Suas roupas foram substituídas por túnicas brancas e receberam luvas finíssimas e transparentes, que não dava para notar que estavam sendo usadas. Na sala de cirurgia, muito ampla, havia cerca de mil pessoas entre médicos, auxiliares e pacientes. Dentre os assistidos, havia também muitos envolvidos nos conflitos armados daquela região do Oriente. Cláudia e Guilherme e mais dezenas de pessoas aguardavam em um canto da sala à espera de serem chamados para auxiliar. Guilherme, sentado ao lado de Cláudia, perguntou, sussurrando:

– Se há tantos médicos e auxiliares somente nesta sala, então quantos trabalham neste hospital?

– São milhares – responde Cláudia – e são incontáveis as salas como esta. Este hospital é maior do que muitas cidades que conhecemos.

– O que vamos fazer agora?

– Espere até alguém solicitar nossa ajuda, então você só precisa fazer o que pedirem. Não se preocupe, pois eles sabem que somos novatos porque usamos este crachá com marcador luminoso, que muda de cor de acordo com a experiência que adquirimos. A sua cor é alaranjada, mostrando que você é inexperiente. A minha é lilás, porque tenho alguma experiência. Veja aquele ali – apontou para uma pessoa que auxiliava: – a cor de seu crachá é branca. Deve ser veterano – disse Cláudia, também sussurrando.

Enquanto conversavam, alguém fez um sinal a Guilherme solicitando sua ajuda.

– O que eu faço? – perguntou Guilherme, inseguro.

– Vá até a mesa e não se afobe – recomendou a noiva.

Guilherme encaminhou-se, titubeante, à mesa na qual era chamado.

– Seja bem-vindo aos trabalhos! Meu nome é Fábio e esta é Jéssica. Nós precisamos que você mentalize a consolidação desta fratura, enquanto aplicamos esta substância sobre os ferimentos. Entendeu? – perguntou Fábio.

O jovem doutor dos animais, agora um simples auxiliar, fez que sim com a cabeça e começou a imaginar a fratura cicatrizando, enquanto o assistido recebia um banho de substância floculada de cor rósea, semelhante a minúsculas pétalas que se desfaziam ao tocarem a pele do paciente. À medida que se desintegravam, os ferimentos iam se desfazendo e a fratura melhorando.

– Muito bom! O senhor trabalha muito bem. Foi útil a sua intervenção. Obrigado pela ajuda – agradeceu Fábio.

Enquanto isso, outra mesa solicitou ambos, Cláudia e Guilherme. Dirigiram-se ao local e os médicos pediram que acionassem o *scanner*, enquanto terminavam de suturar a pele do paciente. Guilherme, curioso, prestava atenção na forma de suturar, que consistia em passar um pequeno aparelho sobre a ferida que se fechava facilmente. O *scanner* era um aparelho portátil que, quando acionado, transferia diretamente à mente de quem o acionava os resultados da leitura energética feita. Em posse dos resultados, deveriam transmiti-los aos médicos, conforme fosse pedido. Ambos iniciaram a leitura e, tendo os resultados, informaram aos médicos as condições gerais do paciente. Neste caso, o assistido ainda apresentava uma perda de energia no interior do abdome e no alto da cabeça que deveria ser estancada.

– Por favor, estanquem esta perda, rapidamente – solicitou o médico.

Guilherme estremeceu de insegurança. Cláudia, mais experiente, pegou as mãos de Guilherme e as colocou sobre os pontos indicados pelo aparelho onde estavam ocorrendo as evasões descontroladas de energia e pediu que imaginasse que o local do fluxo estava sendo cauterizado. Imediatamente, o *scanner* acusou a normalização circulatória.

O médico, notando a recuperação do paciente, agradeceu e os dispensou. Outra mesa os solicitou. A paciente estava tendo crises epileptiformes, apresentando contrações espasmódicas intensas, quase incontroláveis. Pediram que aplicassem energias relaxantes sobre o córtex motor do cérebro, a fim de aliviar as contrações. Ambos já sabiam o que fazer e apoiaram as mãos, levemente, sobre a testa do paciente. Conseguiram um relaxamento suficiente para que o médico procedesse ao ato cirúrgico no cérebro espiritual da assistida. Com uma técnica específica, conseguiu retirar alguma coisa com forma globosa.

— É um parasita ovoide — explicou o cirurgião.

Colocando-o em um recipiente que se fechava hermeticamente, o enviaram a uma ala e o energizariam para que retomasse a forma humana perdida antes de ser usado como objeto de tortura por espíritos perversos que queriam prejudicar a paciente. Quando encarnada, ela sofria muito com dores de cabeça e fortes convulsões intermitentes.

Terminaram seu trabalho naquela mesa e foram para outras, e assim passaram toda a noite ajudando em várias cirurgias, até quase amanhecer. No início da manhã, teriam auxiliado em cerca de duzentas cirurgias. Ao terminarem todo o trabalho, Guilherme notou que o seu crachá estava mudando de cor. Estava se tornando mais avermelhado e com leve tom azulado, enquanto que o de Cláudia estava francamente branco.

— Parabéns — disse Cláudia sorrindo! Você já não é mais novato. Mais uma noitada desta e já se torna um auxiliar experiente, capaz de ajudar qualquer médico em todo tipo de intervenção cirúrgica.

— Parabéns a você também, pois seu crachá agora é branco. Você é veterana.

— Estamos quase para terminar nosso trabalho, mas temos alguns minutos ainda. Então vamos ajudar na limpeza da sala e levar os pacientes aos seus quartos. O que você acha? — perguntou Cláudia, entusiasmada.

— Tudo bem. Vamos lá — concordou Guilherme, igualmente entusiasmado por poder ajudar.

Restavam poucos pacientes para serem levados aos quartos e Guilherme perguntou:

– Onde são os quartos e como chego lá?

– Basta tocar nesta placa ao lado da maca e ler o número do quarto indicado que, automaticamente, será transportado para lá. Quando chegar, diga "sala de cirurgia" e você será trazido de volta.

Guilherme aprendeu rápido e em pouco tempo já tinham levado todos aos seus quartos. De volta à sala de cirurgia, iriam iniciar a limpeza. A sala estava repleta de restos de tecidos fluídicos espalhados por toda parte.

– Como limparemos tudo isso?

– Não se preocupe. Essa sala é pequena. Nós a limparemos em um piscar de olhos.

– Pequena?! – exclamou Guilherme, surpreso.

Sem dizer mais nada, Cláudia dirigiu-se a uma espécie de painel próximo a eles, onde várias placas luminosas piscavam. Guilherme pensou: "Deve ser um destes painéis de controle que acionam automaticamente algum dispositivo que limpará tudo isso em um instante".

Cláudia aproximou-se do painel, tocou uma das placas e uma escotilha se abriu na parede ao lado deles, onde se podia ver vassouras, esfregões e água.

– Você está brincando?! Vamos ter que limpar à maneira tradicional? – perguntou Guilherme, assustado com a ideia de esfregar todo aquele chão.

– Sim, vamos sim. Essa vassoura é a sua e esta é a minha. Aqui está o balde e ali um retalho de tecido para passar nas mesas.

Guilherme não podia acreditar no que se metera e começou a torcer para sua mãe acordá-lo para ir para a clínica. Ao tomarem as vassouras, mergulhando-as no recipiente com líquido, que na realidade não era água, iniciaram a limpeza do chão da sala cirúrgica. Guilherme, então, surpreendeu-se, pois, ao tocar no chão com as vassouras, a sujeira começou a se desintegrar ao redor do ponto de contato com o piso, formando um halo que aumentava rapidamente até atingir em poucos segundos toda aquela área.

Não foi preciso dar uma esfregada sequer no chão. Usando os retalhos de tecidos embebidos no mesmo líquido, ao tocarem nas mesas, elas se autolimpavam. A seguir, Cláudia aproximou-se do painel, e tocou em outra placa e uma nuvem espalhou-se como vento por todos os cantos da sala, deixando pequenos cristais espalhados por todos os lugares. Outro toque, em outra placa, e um foco de luz se abriu próximo à entrada da sala, e, ao ser ativado, emitiu uma forte onda luminosa, como a do Sol, que, refletindo nos cristais, produzia um lindo efeito luminoso traduzido em inúmeras faixas coloridas, com todos os matizes de cores imagináveis. Quando as luzes se apagaram, Cláudia disse:

– Pronto, terminamos! A sala está limpa e esterilizada.

– Você me enganou, hein? – exclamou Guilherme.

– É só uma brincadeira que nós fazemos com os novatos. Também me pregaram essa peça, mas não achei que teria tanto trabalho a fazer quanto você achou, e eu estava tão entusiasmada que a brincadeira acabou perdendo um pouco a graça, mas mesmo assim rimos muito quando me surpreendi com a rápida limpeza.

Ao saírem da sala, tiveram que passar novamente pela antessala para receber de volta as vestimentas anteriores e uma nova aspersão do vapor esterilizante.

Tia Nana

Deixando o prédio, Cláudia sugeriu:
– Vamos visitar uns parentes meus em outra colônia?
– Vamos – concordou Guilherme.
E, pedindo que Guilherme segurasse sua mão, desapareceram e foram até uma colônia localizada no astral da região do Tibete. Ao chegarem próximos ao local, sem fronteiras que a delimitassem, depararam-se com grandes pirâmides cercadas por um belo bosque, repleto de árvores de gigantescas copas e lindos arbustos floridos, com espécies vegetais inexistentes em nosso mundo. A aproximação foi tão rápida e a parada tão repentina que assustou Guilherme, o novato.
Pararam a cerca de um metro da pirâmide maior e, com o susto, Guilherme afastou-se, reflexamente, uns trinta metros até se recompor e se aproximar novamente. Estando a esta distância, observou que algumas luzes começaram a sair do solo ao modo de um chafariz luminoso. Os raios luminosos se assemelhavam a fachos retilíneos de *laser*. As luzes em finos feixes coloridos com todos os matizes de cores possíveis moviam-se, produ-

zindo um efeito altamente artístico e muito agradável à visão. Aquelas luzes pareciam irreais, sem paralelo para descrevê-las.

A pirâmide mais iluminada apresentava o seu topo como uma plataforma com quatro vértices. Guilherme aproximou-se de Cláudia e perguntou-lhe se sabia o motivo das luzes.

– Estão nos dando as boas-vindas – explicou Cláudia. Todas as pessoas são recebidas assim, pois, aqui nesta cidade astral, temos representados os cinco continentes terrestres. Seria uma espécie de colônia de união dos diferentes povos da Terra. Os meus tios estão no setor asiático, pois são descendentes de japoneses. Vivem em espaços representativos, não por algum motivo de segregação, mas somente para continuarem a ter seus costumes culturais sem se constranger diante de pessoas de culturas distintas. Você gostaria de conhecer rapidamente a colônia antes de irmos aos meus parentes? – perguntou Cláudia.

– Sim, seria interessante – respondeu o rapaz.

Então, flutuaram suavemente sobre a cidade e foram em direção a um local ajardinado com belos canteiros que formavam corredores que convergiam na praça central, onde havia um chafariz prateado.

Jorrava dali um líquido muito transparente, leve e sutil ao toque. A partir da praça central, havia cinco corredores ajardinados. Cada corredor conduzia ao setor representativo de um continente.

– Vamos parar aqui por alguns instantes! – pediu Guilherme. Estou curioso em saber o que é aquele prédio ali adiante.

Após descerem próximos à fonte, caminharam até o edifício que se assemelhava às antigas e grandiosas construções romanas e gregas, com suas enormes colunas e pilares. Possuía uma escadaria de mármore branco lustroso, que refletia as luzes que iluminavam a fachada. Na entrada, como ornamento, podiam ser vistas duas estátuas de leões, sentados como sentinelas de cada um dos lados, sobre pilares de gigantescas proporções. Nas paredes, detalhes ricamente esculpidos representavam alguns dos costumes gregos e romanos de épocas antigas.

Eram centenas de degraus até o topo, onde estava a entrada principal, mas, no meio caminho, a escadaria se dividia em duas direções: à esquerda e à direita.

Cláudia e Guilherme escolheram ir pela escadaria do lado esquerdo, até o topo, onde encontraram uma enorme e pesada porta com grossas tábuas polidas e presas com grandes dobradiças.

– Será que está trancada? – Guilherme perguntou a si mesmo.

Ao tocarem a porta, perceberam que era apenas uma ilusão, pois suas mãos a atravessavam. Sem resistência alguma, entraram sem dificuldade. Dentro havia um enorme salão. Era uma biblioteca. Suas estantes continham milhares de volumes de diversos autores conhecidos e muitos outros, de quem nunca soubemos da existência, visto que são de outras dimensões.

Não havia espaços ociosos entre os volumes. As estantes estavam repletas de livros e as mesas, de leitores silenciosos. Nas paredes podiam ser vistos belos quadros de pintores famosos, retratando antigos heróis mitológicos, com uma riqueza de detalhes impressionante. No centro do salão, havia a estátua de uma coruja, que parecia vigiar os estudantes com seus grandes olhos.

Terminada a visita a tão belo prédio, buscaram a saída, que poderia ser a outra porta. Seguiram para lá e a atravessaram, também sem resistência alguma à transposição. Descendo as escadarias, voltaram ao jardim que formava corredores e se dirigiram ao chafariz central, para seguirem por outro corredor que os conduziria ao setor que representava o continente australiano, a Oceania.

Neste lugar, encontraram pessoas com características físicas facilmente definidas. Eram aborígenes australianos. O ambiente da região foi recriado com perfeição, pois era notável a semelhança que havia entre as regiões desérticas e áridas daquela parte da Terra e a daquele lugar. Podiam sentir como se estivessem no Planeta Terra. A temperatura, a areia, a vegetação nada deixavam a dever à verdadeira Austrália.

Ficaram alguns minutos contemplando aquela paisagem e notaram a presença de cangurus e outros marsupiais de diversas espécies, além de outros animais típicos daquela região.

Cláudia comentou:

– Provavelmente, os moradores daqui têm permissão para reter estes animais, nesta dimensão, e também é provável que os próprios animais estejam aqui por consentirem.

– Isto mesmo. Concordou alguém que se aproximou sem ser notado.

– Oi, vovô! Nós íamos visitá-los.

Abraçaram-se alegres por se reverem após muitos anos, pois vovô Omori faleceu quando Cláudia era apenas uma criança.

— Nós estávamos fazendo turismo pela colônia antes de irmos para lá, mas terminamos — explicou Cláudia ao avô.

— Mas diga-me, vovô. O senhor concordou quando eu disse que estes animais estavam aqui por espontânea vontade?

— Sim, concordo plenamente — respondeu ele. Estes animais sentem-se bem aqui neste ambiente recriado de seu *habitat*, que simula perfeitamente a Austrália e a Nova Zelândia. Antes de serem mandados às colônias especializadas para reencarnação, ficam por aqui pelo tempo que quiserem, ou que for permitido, pois há uma rotatividade, isto é, uns chegam, outros reencarnam. Por isso, sempre há animais recém-chegados por aqui. Eu sei destas informações porque sou voluntário em uma pequena colônia que fica no astral asiático, que se ocupa com trabalhos de salvamento e reencarnação de animais. Aqui em nossa colônia existem animais que preferem permanecer porque querem estar em companhia de seus antigos donos, que também vieram para cá. Lá em casa, temos alguns, que conviviam conosco na Terra, e outros conhecemos aqui. Alguns deles precisam reencarnar, porém está sendo difícil para nós, que nos apegamos muito, deixá-los ir, mesmo sabendo que não podemos atrasar nem interferir nestes assuntos de evolução. Mas, se for necessário, não os impediremos de partir. Além disso, há as plantas, como as samambaias, as violetas e outras que sua tia adora cultivar.

Após terminarem a visita ao setor australiano da colônia, partiram com o avô de Cláudia em direção à casa deles, onde também moravam outros parentes.

Ao chegarem, foram recebidos por alguns cães, dentre eles, Kika, uma mestiça de pastor alemão, a preferida de tia Nana, e alguns gatos. Gatos eram a paixão dela, por isso sempre teve a companhia de um deles. Os cães corriam, pulavam e latiam ao redor de todos, enquanto os gatos roçavam-lhes as pernas, em sinal de boas-vindas. O alarido dos cães era intenso, mas se aquietaram, a pedido de tia Nana, que se aproximou. Cláudia surpreendeu-se com a ótima aparência de sua tia, pois soube que estava hospitalizada por ocasião de seu retorno ao Plano Espiritual, em decorrência de uma enfermidade. Os médicos diziam que ela demoraria um pouco a se recuperar, mas ela estava muito bem. Tinha a aparência mais jovem e alegre, e ao seu redor uma aura brilhante demonstrava saúde.

– Ah! Mas a senhora está uma beleza. Parabéns, tia! – cumprimentou Cláudia.

– Muito obrigada. Você também está uma belezinha.

– Que bom que a Kika está aqui também, não é, tia?

– É mesmo, Cláudia. Estes animais e as minhas plantas são a nossa alegria. Além deles, há os hóspedes, que são os pássaros que vêm nos visitar e compartilhar das refeições que sirvo a eles. Eles nos divertem muito após cada dia de trabalho.

– Que bom que a tia já está trabalhando – comemorou Cláudia, feliz por ver a tia tão saudável.

– Sim, estou colaborando na biblioteca. Sou novata, mas estou aprendendo rapidamente a rotina e, com certeza, em breve estarei a par de tudo.

— Qualquer dia destes irei visitá-la no trabalho.
— Será uma grande alegria receber sua visita.
— Na biblioteca eu trabalho quatro horas por dia, e o restante do tempo aproveito para cuidar de minhas plantas e dos bichos que temos aqui.
— A tia está mesmo disposta, hein? — falou Cláudia.
— O meu problema é que ainda não me acostumei a plasmar a comida dos animais e peço ao papai para fazer isso. Ele tem mais prática. Vocês querem chá com bolo? Acabei de fazer.
— Sim, claro. Estávamos trabalhando há horas e seria bom "recarregar as baterias" com alguns pedaços de um de seus deliciosos bolos.
— Mas é um bolo plasmado. Você sabe, não é?
— Não importa. O que importa é que tenha sua "receita" — brincou Cláudia.

Após alguns momentos de conversa amena sobre coisas do cotidiano, Cláudia presenciou o fenômeno que puxa o corpo espiritual de volta ao corpo físico, em Guilherme, que pouco conversou.

O corpo de Guilherme tornou-se tenso, as pupilas se dilataram, seu coração acelerou e a respiração tornou-se ofegante. A tensão foi seguida de um ligeiro tremor e Guilherme desapareceu da companhia de sua noiva e de seus tios para retornar ao corpo físico. Já era manhã e alguns raios de sol entravam pela janela do seu quarto. Os pássaros cantavam alegres nas árvores de seu quintal e Boris, seu cão, adivinhando que seu amigo acordara, começou a arranhar a porta pedindo para entrar.

Guilherme acordou tranquilo e começou a se arrumar para ir ao trabalho, na clínica, sem se lembrar de nada do que ocorrera durante a noite passada.

FORMOSA

Ao chegar à clínica, encontrou João Rubens, seu auxiliar, à espera do patrão. Estava limpando e varrendo o local de trabalho, que procurava manter sempre dentro de uma limpeza impecável.

– Bom dia, João Rubens! – cumprimentou Guilherme, sorridente, que a seguir o abraçou de maneira não habitual.

– Bom dia, patrão! – respondeu o humilde auxiliar, com aquele seu jeito simples de ser e de se dirigir às pessoas.

– O patrão parece mais alegre hoje e também mais disposto – observou João Rubens.

– Não sei por que, mas sinto-me muito feliz hoje e mais ainda de encontrá-lo aqui. Quando acordei, logo me lembrei de você e tive muita vontade de abraçá-lo assim que cheguei aqui. É como se eu estivesse muito grato a você por algo que fez e não sei o que é. Sinto-me como se tivesse encontrado meu irmão mais velho. Agora que estou aqui na sua presença, sinto-me mais disposto ainda. Que estranho, não? Vejo-o todos os dias, mas parece que hoje algo está diferente. Não sei dizer o que é, mas é bom – falou ao companheiro de trabalho, que nem mais considera como um funcionário, mas, sim, irmão.

– Pois eu também, patrão, acordei diferente hoje. Mais feliz como se algo importante tivesse acontecido e eu tivesse participado. Lembro-me de ter sonhado com animais e o senhor também estava neste sonho. O patrão gostaria de ouvir como foi o meu sonho? – perguntou João Rubens.

– Claro que sim. Ainda é cedo e não temos nenhuma consulta marcada. Pode contar como foi – concordou Guilherme.

– Bem, doutor, lembro que estava em casa cuidando de meus animais. O senhor sabe que tenho vários, não é?

– Sim, eu sei.

– Tenho cães, gatos, pássaros, tartarugas e coelhos. E os trato como se fossem gente, pois os considero como se fossem minha família. Quando estou triste, converso com eles que parecem me entender de alguma maneira, pois quando faço isso, não se ouve um latido, um miado, um pio. Todos ficam atentos às minhas palavras. Certa época, dois dos meus cães, o Gordo e a Pintada, estavam brigando com muita frequência sempre que eu retornava para casa, por ciúme. A Pintada chegou a morder o focinho do Gordo, fazendo-o sangrar. Então, chamei os dois e conversei sério com ambos e pedi que se comportassem melhor e não mais brigassem só para chamar a minha atenção, pois eu disse que gostava dos dois da mesma forma, sem distinção. A partir desse dia, nunca mais brigaram – falou João Rubens, entusiasmado por falar de seus amigos.

– João Rubens – chamou Guilherme –, e o sonho?

— Ah! O sonho... Eu estava cuidando de meus amigos, alimentando-os e acariciando-os, quando surgiu um senhor já falecido, que o patrão deve se lembrar. Era o pai do sr. Mataveira, o sr. Gustavo. Eu acho estranho a presença dele no sonho, pois tivemos pouco contato e não tínhamos uma relação direta. Somente soube de seu falecimento por meio do senhor, patrão. No entanto, ele estava em meu sonho dizendo que era hora de partir. E quando dei por mim, estávamos em uma grande fazenda, cheia de animais, inclusive a Paloma, que perdemos recentemente. Neste sonho, o sr. Gustavo pedia-me orientações sobre como dirigir e administrar aquela grande fazenda. Parecia que eu entendia do assunto mais do que ele, que já era fazendeiro; e que eu já sabia o que fazer. Comecei a organizar e a delegar tarefas. Foi então que dei uma instrução para chamar o senhor, patrão, para ajudar. Era como se eu tivesse esse poder de escolher quem quisesse e que achasse mais apto a desempenhar os serviços. Não passou muito tempo e lá estava o senhor, andando pela fazenda em companhia de seu falecido pai e do sr. Gustavo. De repente, um incêndio se forma ao redor da fazenda e aumenta sem controle. Para resolver o problema, chamamos um índio, no lugar dos bombeiros. Mas este índio era capaz de controlar o vento e a chuva para apagar o fogo, e foi o que aconteceu. Ele fez chover e salvou a fazenda da destruição total. Entretanto, muitos animais se feriram. Alguns estavam desacordados, mas vivos. Pude ver que ainda respiravam. Muitas pessoas foram chamadas para auxiliar no resgate e no tratamento dos animais feridos. Todos ajudaram a levá-los ao hospital em que o senhor também estava ajudando a tratá-los. Fiquei muito feliz em ver o senhor e seu pai trabalhando juntos, lado a lado, para salvar a vida daqueles animais doentes. Como eram muitos os pacientes, chamei mais médicos para que pudessem ajudar, vindos de outras cidades. Eles vieram, e todos os animais sobreviveram. Nenhum deles morreu, graças a Deus e aos que ajudaram neste trabalho. Voltei para casa e vi na televisão que havia ocorrido um acidente de avião. Peguei meus cães e corri ao local da queda, que parece que foi perto da minha casa. Os cães são bons farejadores e poderiam ajudar a encontrar algum sobrevivente. Trabalhamos muito e fiquei feliz em saber que todos sobreviveram. Foi muito bom saber que nós três e meus cães tínhamos feito um bom trabalho...

Então, Guilherme interrompeu o relato de João Rubens.

– Nós três? Quem estava lá também? – perguntou o doutor.

– Eu, o senhor e a doutora. Cláudia também ajudou a retirar as pessoas e a fazer os curativos. Quando todos estavam a salvo dentro das ambulâncias, nós três nos abraçamos de alegria pelo dever cumprido. Aí eu acordei.

– Puxa, João Rubens, que noite movimentada, hein? E eu, em compensação, nem sonho. Durmo como uma pedra. Se sonho, raramente me lembro de alguma parte do que sonho. Só me lembro de algo quando cochilo. Hoje, por exemplo, nem sonhei. Mas acordei com uma disposição e com uma vontade de trabalhar que você nem imagina. Acho que esta é a vantagem de não sonhar durante a noite – falou Guilherme, que continuou a conversar com João Rubens a respeito de sonhos e sono.

Enquanto conversavam, João Rubens dispersou-se por um instante notando que havia uma pessoa passando em frente à clínica, tentando puxar uma égua que se recusava a andar. Era um animal que trazia no dorso uma carga pesada, atrelada a uma carroça. O dono do animal começou a resmungar e esbravejar, falando palavras de baixo calão ao animal, que parecia esgotado.

Podia-se notar as grossas gotas de suor que rolavam pelo rosto e costados do animal, molhando seu corpo e empapando seus pelos. O suor que escorria misturava-se com o sangue que vertia por debaixo das amarras apertadas. As cordas ásperas cortavam sua pele e deixavam expostas feridas, cujo odor atraía moscas que sobrevoavam o animal.

Ela estava muito fraca e suas pernas, trêmulas. Seus dentes rangiam e a expressão era de dor extrema. Pateava insistentemente o chão, como que para espantar a dor que a acometia e parecia piorar a cada puxada que aquele homem dava nas cordas. Quanto mais ele a forçava a andar, mais sangue escorria e caía no solo, que já se tingia fortemente de vermelho. Seus gritos que pareciam de um alucinado já não a assustavam mais, pois estava prestes a perder a consciência. No entanto, ainda reuniu forças para tentar dar ao menos um passo. Com o esforço, seus olhos se arregalaram e saltavam das órbitas, suas narinas se dilatavam, como que tentando extrair o máximo de oxigênio do ar e conseguir alguma força para caminhar e evitar que seu dono se enfurecesse ainda mais e se tornasse violento. Então, com esforço extremo, quis dar um passo, mas fraquejou. Suas pernas não suportaram, dobraram-se fazendo com que caísse com as dianteiras flexionadas, ferindo ainda mais os joelhos.

– Animal estúpido! – gritou o dono do animal, que tinha no olhar uma expressão de louco.

Terminou a frase, desferindo um poderoso murro entre os olhos da égua, que quase não resistiu e se desequilibrou, atordoada pelo golpe. Nervoso com o pobre animal, o dono forçou ainda mais as cordas sobre suas feridas, expondo-as e deixando ver a extensão dos ferimentos.

Guilherme e João Rubens, ao presenciar aquela cena, não se contiveram. Correram em direção à égua e tentaram colocá-la em pé, pois estava quase por tombar, e, se caísse, toda carga viria por cima dela, piorando a situação. Ambos, ignorando a presença do dono da égua, tentavam pô-la em uma posição melhor, mas ela ainda estava zonza por causa da agressão sofrida. O homem, que parecia estar fora de si, soltou um sonoro grito advertindo-os a se afastarem dali, e que fossem cuidar de suas próprias vidas, ameaçando-os.

– Tirem suas mãos de meu animal, se não quiserem apanhar também – gritou, com voz grave.

Aquele homem de grande estatura era bem maior do que Guilherme e parecia ser mais forte, também, mas, a ameaça não intimidou o doutor, que então falou:

– Desculpe-me, senhor, mas não vê que esta égua não pode trabalhar? Está ferida, sangrando e muito fraca, por causa da infecção e da febre. Ela precisa descansar e ser tratada. Temos de aliviar a sua carga e cuidar de suas feridas.

Antes que Guilherme terminasse o que tinha a dizer, o homem se aproximou dele, com olhar de poucos amigos, e já estava com os punhos cerrados, preparados para atingi-lo, como fez com o animal. Guilherme esquivou-se do golpe e ainda tentou argumentar, mas o brutamontes lançou-se sobre ele e tentou agredi-lo, novamente. João Rubens, que somente observava, tentou interferir e evitar que acertasse o patrão, mas foi lançado longe, com um só golpe daquele homem desconhecido. Caiu, bateu com a cabeça na calçada e um fio de sangue escorreu por sua face, manchando seu rosto.

O médico não conseguia mais conter-se e, antes que seu agressor pudesse notar, Guilherme instintivamente armou seu punho direito e desferiu-lhe um forte soco, que o derrubou.

O homem, atordoado, permaneceu nesta posição por alguns minutos, sem entender o acontecido. Guilherme socorreu João Rubens e, aproveitando-se de ausência temporária do dono, que permanecia sentado no chão, conseguiu desatrelar a égua e colocá-la em pé.

Uma pequena multidão formou-se em volta daquela confusão e, vendo que o animal estava solto, alguns vieram lhe trazer água, pois estava sedento.

Guilherme desatou as rédeas e levou o animal a um local sombreado, ao lado de sua clínica, onde começou a fazer curativos no dorso. As feridas profundas deixavam ver o tecido subcutâneo lesado e até alguns músculos cortados pelas cordas apertadas ao redor do tórax e abdome. Seu dono, quando recobrou a consciência, viu sua carga solta e seu animal sendo levado pelo médico. De longe, gritou:

– Fique você, então, com este animal imprestável. Fique com esta égua estúpida e preguiçosa, que nem consegue fazer as mínimas tarefas sem pedir descanso. Mas saiba que eu acertarei as contas com você mais tarde – e afastou-se, esbravejando e fazendo gestos sem sentido.

O pobre animal era pele e osso. A ferida aberta no dorso estava repleta de larvas de moscas, que se instalaram e lhe devoravam a carne, atraídas pelo cheiro de sangue. Ela era jovem, mas tinha aparência de uma égua muito mais velha, por causa do trabalho forçado ao qual estava sendo submetida. O veterinário não entendia como ainda conseguia suportar aquela carga, estando tão fraca e subnutrida. Guilherme, consternado, alimentou-a e tratou das feridas, retirando-lhe as larvas e aplicando-lhe antissépticos e antibióticos. A seguir, levou-a para os fundos da clínica, onde poderia descansar, longe de seu antigo dono.

Já dentro da clínica, João Rubens ainda estava impressionado com a agressividade do desconhecido, pois não estava acostumado com pessoas que agiam deste modo. Mas admirou-se ainda mais com a expressão no rosto de seu patrão ao defendê-lo. Ele parecia transfigurado, como uma fera. Nunca João Rubens tinha visto seu semblante assim. Então, o auxiliar e amigo disse:

– Agradeço, patrão, por sua intervenção. Aquele homem poderia ter causado alguns estragos, pois ele era bem maior que nós. No entanto, me perdoe, mas acho que deveríamos ter controlado nossos instintos e evitado o desenrolar das agressões. Poderíamos ter nos afastado, para evitar o desfecho violento. O senhor é muito forte. Nunca poderia imaginar que seu soco fosse tão poderoso. Poderia tê-lo matado – concluiu.

– É, descontrolei-me, mesmo! Nem percebi a força que empreguei. Foi tudo tão rápido, que nem tive tempo de pensar. Quando o vi sangrando, virei bicho e fui para cima dele. Preciso controlar melhor meu lado animal. Não é porque sou veterinário que tenho que me comportar como um animal selvagem – concluiu Guilherme.

– Mas, por outro lado, patrão, pois tudo sempre tem um lado positivo, o senhor demonstrou algo que mantinha escondido.

– O que, João?

– O senhor demonstrou sua compaixão pelo animal que estava sofrendo e provavelmente morreria, se não fosse sua intervenção. Em outra época, diria que, se o animal era dele, o problema também era dele. Talvez nem tentasse fazer o que fez e desse as costas ao sofrimento do pobre animal. O senhor está mesmo diferente. Está mudando se transformando para melhor.

– Talvez estes dias agitados pelos quais tenho passado estejam me servindo para alguma coisa, afinal! – disse Guilherme.

Foram para o interior da clínica. Enquanto a multidão curiosa se dispersava, Guilherme entrou em contato com Mataveira e lhe perguntou se aceitaria o animal em sua fazenda, pois não poderiam tê-lo na clínica. Mataveira não teve dúvidas em aceitar a égua e mandou buscá-la, imediatamente.

Ela foi colocada com os outros equinos da fazenda, onde receberia os cuidados necessários para se recuperar e nunca faria trabalhos forçados, daquele dia em diante.

Passado algum tempo, a égua já estava se recuperando; nem parecia o mesmo animal. Em poucos dias adaptou-se ao novo lar e aos outros animais da fazenda. Ela era muito dócil.

Suzy

Naquele mesmo dia em que ocorreu o incidente envolvendo o carroceiro e sua égua, entrou na clínica de Guilherme um rapaz e uma senhora de cerca de 70 anos de idade, que trazia nos braços uma cadela da raça *pequinês*.

Tinha idade avançada, pois era notável a canície que tomava todos os pelos do rosto e a catarata que tornava seus olhos opacos. O rapaz parou no batente da entrada e, antes de cumprimentar o médico, fez logo uma pergunta seca e sem rodeios:

— O senhor faz eutanásia?

— Sim. Quando a situação pede e me obriga. Mas este recurso é a última opção. Somente usamos este procedimento quando já se esgotaram todas as alternativas terapêuticas e o animal está sofrendo. João Rubens observou seu patrão e pensou consigo mesmo:

— Puxa, o patrão mudou muito. Se fosse há um mês, não diria o que disse agora; simplesmente os convidaria a entrar para combinarem o valor do serviço.

João Rubens estava feliz por notar estas mudanças positivas em seu patrão. Discreto, quieto em um canto da sala, ele continuava a ouvir a argumentação de Guilherme contra a eutanásia de conveniência, solicitada por aquele jovem que acompanhava sua mãe e a cachorrinha. O rapaz logo notou a indisposição do veterinário em proceder a eutanásia. Então disse, de forma áspera:

– Mas eu quero que você mate esse cão. Ele está muito velho e só dá trabalho para minha mãe, que também é de idade. Esta cachorra já não enxerga direito, faz suas necessidades em qualquer lugar e o senhor deve concordar comigo que animal velho tem que morrer, mesmo porque não presta para mais nada.

Guilherme apenas observava. Ele estava se contendo para não ser grosseiro com o rapaz, permanecendo em silêncio enquanto olhava para aquela senhora que segurava a cachorra nos braços e que acompanhava o moço. Por fim, saindo de seu mutismo, Guilherme perguntou ao rapaz:

– Esta é sua mãe?

– Sim, é minha mãe. Por que pergunta?

– Você acha que ela também o está incomodando, porque é velha? – perguntou o médico, enquanto mantinha um olhar inquiridor fixo nos olhos do rapaz.

Ele demorou a responder e o fez de forma insegura:

– Bem... bem... é... é... Isto não vem ao caso.

Então, Guilherme foi categórico:

– Não, senhor. Aqui não fazemos eutanásia. Procure outro lugar que faça.

– Mas é o seu trabalho. Você simplesmente faz o serviço, eu pago e pronto – disse o rapaz, em voz alta e áspera.

Guilherme, que ainda estava um tanto transtornado pelo episódio envolvendo a égua, sentiu novamente a sua face se aquecer, pois estava ficando zangado com a presença daquele rapaz impertinente e prepotente. Por fim, pediu-lhe que se retirasse de sua clínica, pois sentiu-se insultado. A senhora, que permaneceu em silêncio até então, perguntou ao filho, ingenuamente:

— Filho, o moço não quer atender a Suzy? — A senhora era surda e nada ouviu do diálogo de ambos.

Mas, antes de sair, o rapaz disse, em tom de desafio:

— Se você não faz, outro fará. E, puxando a mãe pelo braço, de forma brusca, retirou-se. Antes de sair, sua mãe novamente perguntou, sem que ninguém respondesse:

— Por que o moço não quer consultar a Suzy?

Alguns minutos depois daquela discussão, o rapaz retornou e, passando em frente à clínica, acionou a buzina de seu veículo e acenou ao doutor, como se estivesse dizendo: "Alguém fez o que você não quis fazer. Eu me livrei daquele incômodo e você deixou de ganhar um dinheiro fácil".

Guilherme olhou para o rapaz, que sorria com expressão sarcástica, e estampou em seu rosto a tristeza. Algo inusitado ocorreu ao doutor: uma lágrima correu por sua face.

João Rubens entendeu que a mudança estava mesmo acontecendo no seu amigo e achou melhor deixá-lo sozinho. Afastou-se, silenciosamente, dali para não incomodá-lo. Mais tarde, souberam que o rapaz procurou uma loja de produtos para animais, cujo dono tem a reputação de agir ilicitamente, atendendo animais, medicando-os, vacinando-os e até mesmo fazendo intervenções cirúrgicas. Era um leigo se passando por veterinário. Por alguma quantia em dinheiro, executou o pequeno animal com uma injeção de inseticida. O pobre animal morreu sofrendo, sob a ação do veneno que lhe paralisou os músculos respiratórios, impedindo-o de respirar, enquanto estava completamente lúcido. Após algum tempo, João Rubens retornou e encontrou seu patrão ainda triste. Sentou-se próximo, sem dizer uma palavra. O silêncio permaneceu por algum tempo ainda, até que Guilherme interrompeu aquela quietude:

– João Rubens, certa vez você me falou a respeito do sofrimento entre os animais. Eu tenho pensado sobre isso e não consigo entender por que a Natureza permite que os animais sofram e, principalmente, sofram em função de ações exercidas por nós, seres humanos. Para mim, é quase inconcebível que isso ocorra. Não dá para entender por que um peixe é mutilado durante a captura por pescadores que praticam a pesca predatória. Os golfinhos são mortos ao caírem nas redes de pescadores. Você já viu como se prepara uma lagosta? Elas são jogadas em água fervente, vivas. Os touros, durante os shows públicos de touradas, são torturados por toureiros que divertem as pessoas, fazendo-os sangrar até a morte. Quantos animais são abandonados à própria sorte, desde filhotes, nas ruas, onde muitos morrem ou são maltratados por pessoas insensíveis. Muitos animais silvestres são capturados e vendidos como objetos nas beiras das estradas, para viver em cativeiro, longe de seu *habitat* natural. Os animais de circo são obrigados a trabalhar sob pena de receberem choques ou fisgadas com instrumentos contundentes, caso não obedeçam e não sejam dóceis. São milhares de exemplos que eu poderia citar, mas não gosto nem de pensar. Você deve estar achando que eu mudei muito rápido de opinião a respeito disso tudo, mas acho que sempre acreditei nestas coisas e nunca dei a devida atenção. O que você me diz disso, João Rubens?

— Bem, patrão, de acordo com o que eu sei, nós, os seres humanos, chegamos a esta condição atual após passar por várias etapas evolutivas, pelas quais passam os animais hoje. Como espíritos, reencarnamos inúmeras vezes em diversas fases, que incluíram aquelas em que os animais se encontram agora. O que temos, hoje, como bagagem de conhecimento espiritual, deve-se em boa parte ao aproveitamento que tivemos quando estivemos "vestidos" como animais. Naquelas fases, em que ainda não éramos humanos, estivemos desde entre os pequenos animais até os grandes, como baleias, golfinhos, cavalos etc. Todas as situações pelas quais passamos nos servem até hoje, pois fizeram parte de nosso aprendizado. Nossas aulas, basicamente, se resumiam em aprendermos a nos defender e a preservar a espécie, mas tivemos algumas noções preliminares, que nos ajudam hoje a discernir o certo do errado, o bem do mal. O que aprendemos quando éramos animais nos ajudou a encontrar o caminho que nos levará a um objetivo maior na espiritualidade, posteriormente. Por isso, já naquela época, estávamos dando os primeiros passos que ainda deixam reflexos nesta atual existência. Para comprovar nossa passagem por estas fases, basta observar o desenvolvimento de um embrião humano. O embrião que se desenvolve no útero de uma mulher passa por fases de amadurecimento que representam um tipo de recapitulação das etapas em que já estivemos antes de sermos humanos. No ventre de nossas mães, quando somos embriões, há momentos em que temos membranas interdigitais, como as aves aquáticas. Temos brânquias, como peixes, por um certo período e respiramos mergulhados em um líquido, como se fôssemos animais aquáticos. Nosso aprendizado começou imediatamente quando fomos criados por uma Inteligência Maior, que o senhor chama de Natureza e eu chamo de Deus. Não importa o nome que se dê a quem criou tudo o que existe no Universo; o que importa é que existe um Criador, que nos colocou nesta vida para aprender e crescer espiritualmente. Para nós, humanos, o sofrimento e a dor têm grande peso no sentido de aprendizado. Para eles também há um peso, mas é menor. Se hoje temos consciência do mundo ao redor e das relações sociais é porque aprendemos ao longo das existências anteriores, inclusive como animais. Quando ainda éramos humanos primitivos e estávamos aprendendo a ser gente, matávamos por comida e por território. É certo que hoje há pessoas que ainda agem assim, mas são minoria. Para a maioria não é concebível a ideia de tirar a vida de outro por questões materiais. Aprendemos isso com a experiência de diversas vidas. Em breve, todas as pessoas entenderão que também os animais não devem sofrer por nossas ações impensadas e chegará o momento em que eles conviverão pacificamente conosco, sem se sentirem ameaçados por nós. Se existem pessoas como aquele senhor que queria fazer eutanásia em seu animal sadio, é porque o sofrimento ainda faz parte de seu aprendizado. Estas situações penosas são, para eles, os animais, como "aulas práticas" sobre a dor e o sofrimento.

Guilherme ouvia a exposição de João, surpreso com os seus argumentos, mas permaneceu em silêncio enquanto o auxiliar continuava:

— O senhor deve saber que somos seres eternos. Fomos criados em algum momento, vivemos em fases muito primitivas de vida, passando por estágios mais adiantados até chegar a esta atual condição, e prosseguiremos nosso aprendizado e a nossa vida, eternamente. Uma vida é um piscar de olhos perante a eternidade, e os sofrimentos surgem em condições passageiras que se intercalam com momentos de alegria. E tanto uma condição quanto outra tem o mesmo valor como aprendizado. No entanto, vivemos em um mundo relativamente atrasado evolutivamente, onde o sofrimento é mais frequente. Veja o caso desta égua que socorremos. Ela sofreu muito, sabe-se lá por quanto tempo, nas mãos daquele homem, mas agora irá para um lugar onde será muito bem tratada. Para ela, o aprendizado ocorreu em presença daquele que a fez sofrer e continuará quando ela estiver na companhia do sr. Mataveira, onde será tratada por pessoas que a respeitarão. Ela aprendeu sobre o sofrimento e agora irá aprender sobre respeito e alegria. No caso daquela pequinês, ela passou por momentos felizes com sua dona, enquanto era jovem e saudável. Ela absorveu o aprendizado da alegria de viver em companhia dos seres humanos que cuidavam dela e a respeitavam como se ela fosse da família. Mas, na velhice, conheceu o desprezo e o abandono, que se traduziram em sofrimento e também servirá de aprendizado. Esse aprendizado por meio das adversidades, pelos momentos de alegria e outras situações que passamos, somente tem valor se considerarmos que vivemos muitas vidas, reencarnamos muitas vezes. Assim, temos oportunidades infinitas de evoluir por vidas sucessivas, desde que ainda éramos seres microscópicos, até chegar no que somos hoje. E não para por aqui, pois evoluiremos a condições ainda superiores. Se desconsiderarmos a reencarnação provavelmente nos revoltaremos, e com razão, contra quem nos criou e supostamente concedeu privilégios a uns e infortúnios a outros, para seu próprio deleite. Deus, no entanto, é justo. Se Ele permite que passemos por situações como essas, é porque é importante para nós e para nossa existência durante a eternidade em que viveremos. O que os animais adquirem como aprendizado nestas fases permanece com eles durante a eternidade, e o que foi aprendido sempre será útil, posteriormente, em vidas futuras. Por mais estranho que possa parecer, a dor é apenas uma condição relacionada ao sistema nervoso. O senhor mesmo, patrão, me disse uma vez que a dor é ilusória. É apenas uma interpretação dada pelo cérebro a partir de um estímulo neurológico. Quando sentimos dor, significa que algo em nosso organismo está em situação anormal de equilíbrio. É um aviso de que algo está errado. Algo estimulou as terminações nervosas, que enviam descargas elétricas ao cérebro, que as interpreta como dor. Quando vamos ao dentista, por exemplo, recebemos uma aplicação de anestésico sobre o nervo facial. Assim, o médico trabalha em nossos dentes sem que sintamos dor ou soframos com sua intervenção. Antigamente, uma simples dor de dente significava intenso sofrimento. Hoje, não há a necessidade de se aprender com este tipo de dor, pois os anestésicos que temos são uma espécie de premiação por nosso aprendizado. Quando sofremos e sentimos todas as consequências do sofrimento, não desejamos passar novamente por ele. Em um primeiro momento, pouco importa para nós se outros estão passando pelos mesmos sofrimentos, mas, quando passamos por eles, muitas vezes, acabamos por não desejar que outros passem pelos mesmos apuros que passamos. É o primeiro passo para nos tornarmos compassivos. Se isso ocorrer, significa que aprendemos a lição – concluiu João Rubens, com seu jeito humilde de falar.

– Puxa vida, João! Você tem certeza de que somente fez o curso primário? – perguntou Guilherme, em tom de brincadeira, mas admirado com a inteligência do amigo. Você é muito inteligente. Mal sabe escrever, mas entende de assuntos complexos e explica com uma clareza impressionante. Conhece até neurofisiologia. Onde você aprendeu estas coisas?

– Eu sou muito interessado nestes assuntos, então, estou sempre pedindo emprestados os livros da doutora Cláudia e de sua amiga Luciana – respondeu João Rubens, encabulado com o elogio do patrão.

– João Rubens, o que você me diz sobre a eutanásia, do ponto de vista espiritual – perguntou o médico, interessado em saber se o que fazia era lícito perante a espiritualidade.

– Bem, doutor, a eutanásia, ou morte branda, é um procedimento terapêutico, apesar de muitos não considerarem assim, pois, visa, principalmente, ao alívio do sofrimento de um animal que está sob a influência de alguma enfermidade incurável. Quando está sofrendo muito e não mais existem terapias eficazes para curá-lo, é lícito que se pratique a eutanásia. A decisão de fazê-la pode partir dos donos, mas é sempre o veterinário o único capaz de avaliar a necessidade ou não de levar a termo tal ato. O médico veterinário é a única pessoa com conhecimento suficiente para tomar esta decisão ou, ao menos, sugeri-la. O dono de um animal, que se encontra em uma situação em que deve decidir se continua a tratar ou fazer a eutanásia, deve sempre pedir antes um conselho a um veterinário. Se ele aconselhar a fazê-lo, então, essa pessoa pode ficar tranquila com sua consciência, pois foi o melhor a ser feito. É uma grande responsabilidade nas mãos de uma só pessoa, que irá decidir entre a vida e a morte. O veterinário visa ao melhor para o animal. Fazer eutanásia, quando nem todas as possibilidades terapêuticas disponíveis foram esgotadas, é uma falta; e proceder quando nada é tentado é outra ainda maior. No entanto, algumas vezes, nada há para ser feito, pois não há terapias adequadas que possam conduzir à cura. Neste caso, talvez, o animal venha a morrer em sofrimento, sendo a eutanásia a opção. A espiritualidade não a condena quando é feita baseada nestes critérios. Quando se procede à antecipação da morte do animal com fins esportivos, por diversão, por crueldade ou perversidade, então, estamos falando de assassinato, e não é essa a condição para uma eutanásia, que é a favor do paciente. Existem drogas que induzem à falência rápida de certos órgãos, como o coração, sem sofrimento ou dor. E deve ser sempre aplicada por um veterinário. Mas, quando, ao contrário, é feita por leigos, que recebem ainda algum pagamento por isso, a culpa lhe pesará cedo ou tarde. Do mesmo modo, quem entregou seu animal a um sofrimento desnecessário, nas mãos destas pessoas sem habilidade e sem conhecimento do que fazem, também sentirá este peso. Este dono que procura um leigo é mais culpável que a pessoa que se passa por veterinário. Aqui, no mundo físico, ele poderia alegar ignorância, mas estando lá na espiritualidade, nada fica escondido – finalizou João Rubens.

– Puxa! O seu conhecimento me impressiona. Acho que em outra vida você foi um professor – brincou Guilherme, sem saber que o que sugeria era real – mas é muita responsabilidade a do veterinário, não é, João Rubens? Eu gostaria de saber mais a respeito destas coisas das quais você tem muitas informações. Estou ficando interessado. Nem sei como não me interessei por isso antes. Mas nunca é tarde demais para aprender.

Enquanto conversavam, entraram na clínica algumas pessoas que queriam vacinar seu cãozinho sem raça definida, mas era notável o sentimento que havia entre o animal e seu dono, que não se importava se ele tinha alguma raça. Dava para notar a alegria de estar com seu dono quando o lambia na face e sacudia a cauda em sinal de felicidade e confiança.

Ambos passaram o dia entre vacinas, consultas e cirurgias, tendo que adiar a conversa para outra oportunidade.

Aprendizado

No fim da tarde, Cláudia apareceu na clínica para jantarem na casa de seus pais. Os dois somente ficavam a sós nos fins de semana e quando não surgia nenhuma emergência. Como Guilherme estava livre de compromissos naquela tarde e início de noite, a moça aproveitou para fazer o convite. Ao chegarem ao apartamento, muito limpo e bem decorado com motivos japoneses, foram recebidos pelo sr. José, o pai de Cláudia, que apesar do nome era descendente de japoneses e dos mais tradicionalistas.

José é um nissei, que gosta de falar pouco, mas é muito observador e inteligente. Foram recebidos também por dona Ayako, mãe de Cláudia.

Ela, ao contrário do marido, é mais extrovertida e caracteriza-se pela comunicabilidade. Gosta muito de conversar, de pintar quadros e de cantar. Coleciona alguns troféus, que ganhou em concursos de interpretação de músicas tradicionais japonesas. As paredes do apartamento estavam repletas de quadros pintados por ela, incluindo alguns que mereceram prêmios em concursos.

A mesa foi posta e vários pratos japoneses foram servidos pela mãe de Cláudia, que se orgulhava em poder oferecer comidas tão exóticas e saborosas.

Guilherme serviu-se de um saboroso *sushi*, prato feito com algas e arroz recheado com legumes, mas evitou servir-se de *sashimi*, que é outra comida típica japonesa, mas feita com peixe cru em filés. Servidos os pratos, entraram em animada conversação a respeito de assuntos do cotidiano de cada um. Entre um assunto e outro, falaram sobre os preferidos de Cláudia, mas que o sr. José não é um dos maiores admiradores, isto é, espiritualidade.

Quando a conversa pendeu para este lado, o pai de Cláudia preferiu outro mais importante para ele, naquele momento, que era seu jantar e que estava muito bom. Ele não faz críticas, mas prefere não participar. Em vez disso, preferiu usar o tempo saboreando seu *tempura*, seu *moti* e goles de *saquê*. Dona Ayako não se incomodava em participar da conversa, mas também não discutia, preferindo mais ouvir do que opinar.

Passaram a conversar sobre reencarnação e, principalmente, a reencarnação entre os animais, já que havia na mesa um veterinário. Este era um dos temas preferidos de Cláudia, que era grande estudiosa e conhecedora. Guilherme perguntou a ela:

– Claudinha, você acha mesmo que os animais reencarnam? Eu sempre acreditei que quando se morre não tem mais volta. Achava fantasiosa a ideia, mas venho me interessando por isso. Você me diz que não somente as pessoas, mas também os animais reencarnam. Como pode ser isso?

Cláudia sorriu de satisfação por notar, pela primeira vez, seu noivo tratando abertamente sobre o que antigamente lhe parecia absurdo. Ela, então, começou a explicar:

– Quando nós desencarnamos, isto é, quando falecemos, o espírito abandona o corpo físico e passamos a fazer parte de outra dimensão, que não é mais a física. Nesta outra dimensão, muitas vezes somos recebidos por parentes e amigos e, dependendo de nossa condição de saúde, somos encaminhados a hospitais no astral para nos recuperarmos. Se estivermos bem, somos levados às colônias, que nada mais são do que cidades como as que conhecemos aqui, com escolas, casas e pessoas comuns. Vivemos lá, como se vivêssemos nesta dimensão. Lá, as pessoas trabalham e estudam; mas, quando chega o momento de retornar à dimensão física, o espírito passa por vários preparativos. Para este fim, somos auxiliados por uma equipe especializada. Com os animais não é diferente. Quando morrem, desligam-se do seu corpo físico e são recebidos na outra dimensão, a espiritual, também por uma equipe de pessoas que se ocupam disso. São recebidos e submetidos a tratamento de saúde, se necessário, e preparados para a volta à nossa dimensão, pela reencarnação. Algumas vezes, podem permanecer por algum tempo em companhia de seus antigos donos que, porventura, se encontrem naquela dimensão. A equipe especializada em animais, de modo geral, quase imediatamente os prepara para a reencarnação e, em poucos dias, já estão nascendo em alguma ninhada por perto de onde viviam antes. O retorno é rápido, porque os animais não têm grandes ajustes com sua consciência. Por possuírem uma individualidade relativamente pequena e muito restrita, não têm o que os hindus chamam de carma. A lei de ação e reação ainda não pesa sobre a análise que determina em que condições será seu retorno. Os erros e acertos cometidos durante a vida somente são importantes para aprenderem a sobreviver. O que aprendem com estes erros e acertos fica gravado em setores de seus corpos espirituais. Quando chegar o momento certo, este arquivo será acessado, ajudando-os a decidir a melhor maneira de agir, conforme o que aprenderam. Se é certo ou se é errado, eles não sabem discernir, mas definem o que é melhor para eles em uma ou outra situação de sobrevivência. Por isso, assim que são recebidos, imediatamente são preparados e reenviados para cá. Geralmente, em locais próximos ou até no mesmo local onde viveram na última reencarnação. Em geral, também retornam na mesma espécie até amadurecerem o suficiente para ingressarem em outra espécie mais adiantada evolutivamente – concluiu Cláudia, que falava aos dois ouvintes atentos e a seu pai, que ouvia, contudo parecia estar mais interessado em equilibrar e devorar alguns pedaços de nabo em conserva entre dois *hashis*.

– O Boris pode ser a reencarnação de outro cão que já tivemos? – perguntou Guilherme.

– Sim. Pode ser que tenha sido algum cão que você já teve ou talvez algum cão que seus pais tiveram.

– Ele poderia ser a reencarnação de Bob, um malamute do Alasca que morreu quando eu era apenas uma criança? – perguntou Guilherme à sua noiva. Ele estava interessado em conhecer a resposta daquela que considerava a pessoa mais inteligente que conhecia.

– É bem provável que seja ele, pois você o encontrou e cuidou dele com carinho e o aceitou, apesar de cego. Mas, mesmo assim, se não for ele, este que é seu atualmente, está aprendendo também com você. Pois eles reencarnam entre os seres humanos a fim de adquirir conhecimentos por meio da convivência conosco. A nossa responsabilidade para com eles é bastante grande, porque a noção mais apurada de certo ou errado que poderão adquirir neste contato, virá por nosso intermédio, que somos seus tutores. Eles aprendem conforme nós os tratamos. Se os tratamos com respeito, eles aprendem sobre o respeito, mas, se os tratamos com indiferença ou com desprezo, é o que irão aprender. Se são agredidos, aprendem a ser agressivos. Se tudo o que pudermos ensinar for desprezo e indiferença, ou agressividade, é provável que reencarne em outro local, outro lar, a fim de aprender outras coisas, tais como o respeito, a alegria e a compreensão. Em seu lugar, deve vir outro que o substituirá por necessitar deste tipo de aprendizado negativo – concluiu Cláudia.

– Eu não acredito nestas coisas de reencarnação e nem de espíritos, mas também não desacredito! – exclamou dona Ayako.

– É isso aí, dona Ayako! – brincou Guilherme. Se reencarnaremos ou não, não vem ao caso, porque o importante agora é este *teppanyaki*, que está especial e que ninguém faz melhor do que a senhora. Deram boas risadas e foram de conversa em conversa até que Guilherme se deu conta do horário. Já passava da meia-noite. Ele, então, despediu-se de todos e foi para sua casa, onde dona Elza o esperava ainda acordada, mas muito sonolenta, em frente à televisão.

– Ô mãe! Acordada ainda! – exclamou Guilherme.

– Eu estava esperando você chegar. Não consigo dormir enquanto não souber que chegou bem em casa. Esta cidade está ficando perigosa.

— Mãe, não se preocupe tanto assim comigo. Não sou mais uma criança. Estou quase para me casar com Cláudia e a senhora continua achando que sou ainda um bebê. É muito bom receber toda esta atenção que a senhora me dá, mas, assim, fico mal-acostumado. Não se preocupe, mãe, vá dormir. Descanse um pouco. Até amanhã.

Retirou-se em silêncio, após banhar-se, deitou-se e dormiu, pesadamente. Imediatamente, viu-se no hospital de "Rancho Alegre", em companhia de Gustavo.

— Bem-vindo, Guilherme — cumprimentou o amigo.

— Olá, sr. Gustavo. Não entendo como foi que vim parar direto aqui no hospital. É a segunda vez que chego aqui sem ter passado pelos portais. Pensei que seria necessário passar pela entrada, por medida de segurança.

— Você já está cadastrado, então, sua entrada é permitida, sem restrições. Por isso, você pode vir diretamente ao hospital ou a outra ala que queira. Se fosse algum intruso, provavelmente receberia uma carga eletromagnética, que o repeliria assim que se aproximasse dos limites do rancho, mesmo que a aproximação se dê com a velocidade do pensamento — esclareceu o anfitrião.

Guilherme interrompeu a explicação que Gustavo dava, pois gostaria de entrar em um assunto importante. Então, perguntou:

— Antes de continuarmos a excursão pelo hospital, eu gostaria de tirar algumas dúvidas com o senhor. Pode ser?

— Sim, claro. Estou à sua disposição. Do que se trata?

— Hoje, um senhor que conduzia sua égua, que carregava uma carga excessivamente pesada, estava passando em frente à minha clínica. Ele foi muito agressivo com o animal e eu acabei por interferir, reagindo de forma também agressiva com ele. Após ter agido desse modo, senti-me perturbado, pois acho que violência atrai violência, mas não pude conter meus instintos – explicou Guilherme ao amigo, que já estava a par do assunto por intermédio dos médicos espirituais que acompanham o jovem doutor.

– Sim, soube do ocorrido – respondeu Gustavo. O nome daquele homem que você conheceu é Carlos. Ele foi um próspero fazendeiro e vivia em uma fazenda em uma cidade não muito longe daquela em que você mora. Era muito rico e possuía muitos bens materiais à custa de seu esforço e trabalho. Sempre foi uma pessoa honesta e trabalhadora. Tudo o que ganhou com seu trabalho foi merecido. Era proprietário de automóveis, aviões, animais e tinha muito dinheiro. No entanto, sua esposa não compartilhava com ele do mesmo caráter. Ela era extremamente gananciosa, mas nunca deixou transparecer isso ao marido, que acreditava que ela havia se casado por amor. Mas o objetivo dela era ficar com a fortuna do marido e depois livrar-se dele. Desde o início, estava tudo planejado entre ela e um companheiro escuso chamado Álvaro. Ele dividia com ela os mesmos ideais de poder e fortuna a qualquer custo. Carlos, entretanto, limitava o acesso dela ao dinheiro, dando-lhe apenas uma mesada que, para ela, não era suficiente. A esposa infiel e Álvaro, certo dia, resolveram pôr em prática os planos para destituir o marido de tudo o que possuía. Contrataram um assassino de aluguel para matá-lo, simulando um acidente. A fortuna seria dividida entre o companheiro e a comparsa. Certa noite, Carlos retornava da cidade, passando por uma estrada deserta que dava acesso à fazenda, dirigindo seu automóvel, despreocupadamente. Em dado momento, viu-se obrigado a diminuir drasticamente a velocidade do veículo, em uma curva acentuada ladeada por um precipício perigoso. Ao final da curva, notou que havia uma obstrução no caminho. Uma árvore caída impedia sua passagem. Carlos desceu e tentou remover, inutilmente, o tronco pesado. O silêncio era acentuado. Somente se ouvia o farfalhar das folhas das árvores pelo vento, mas sentiu que não estava só. Algo dentro dele dizia que estava sendo observado. Repentinamente, surgiram, por entre as árvores da beira da estrada, dois homens mascarados, que o agarraram e o agrediram, golpeando-lhe a cabeça com um objeto que traziam. Puseram-no, inconsciente, de volta em seu veículo e o empurraram no precipício. A queda era muito grande e dificilmente alguém poderia sobreviver. No entanto, Carlos sobreviveu. Fraturou o ombro e bateu com a cabeça em uma rocha ao ser lançado para fora do veículo, ficando desmemoriado. Ao voltar a si, após horas desacordado, andou sem rumo, por dias, afastando-se do lugar onde morava. Durante este tempo, alimentou-se do que encontrava no caminho, vivendo como andarilho indigente pelas ruas. Suas roupas sujas e rasgadas o faziam passar por um morador de rua. Não se lembrava de quem era nem de onde veio, mas seu instinto de sobrevivência não se modificou. Não sabia mais ler nem escrever, mas aprendeu rápido a comercializar sucatas que encontrava. Fazia serviços, como limpar jardins, em troca de comida. Sem conhecer seu passado, tornou-se uma pessoa amargurada, pois não tinha objetivos na vida. Queria morrer, mas não tinha coragem para dar cabo à própria vida. Por isso, é tão agressivo com as pessoas e até com animais. Ele acredita que assim, cedo ou tarde, alguém o acabará matando. Quando você o agrediu, na verdade, ele esperava que o matasse, para acabar com a sua angústia e agonia. Carlos é uma ótima pessoa e é de extrema confiança, além de ser muito trabalhador e esforçado. Ele somente precisa de alguém que o apoie e lhe dê a confiança necessária para voltar a ser o que era antes do atentado que sofreu. Com este apoio, vindo de alguém que o compreenda e confie nele, ele voltará a ser o Carlos de antigamente: autoconfiante, empreendedor e arrojado. Quando perceber que sua autoestima ainda existe, ficará irreconhecível – concluiu Gustavo, que olhava para Guilherme como que perguntando se entendera o recado.

– Então, ele já foi rico e agora vive como mendigo e nem sabe disto, pois perdeu a memória? Ele só está à espera de um objetivo para voltar a ser como era? – perguntou Guilherme, sintetizando a história contada pelo amigo Gustavo.

Guilherme abaixa a cabeça e sente pesar em si a consciência.

– Eu tirei dele o seu meio de sustento e o fiz perder a carga que levava para vender e ter com o que comer. Eu sou uma péssima pessoa, mesmo – recriminou-se Guilherme, com os olhos úmidos.

– Não se culpe, Guilherme. Você, assim como a maioria de nós, ainda está em um estágio evolutivo no qual, muitas vezes, é guiado pelos instintos. Você apenas usou a força como meio de se proteger de um agressor. Este é um ato perfeitamente normal de nossa espécie, assim como para qualquer outra espécie animal que conhecemos. Somente precisamos aprender a controlá-los, porque, fora de controle, nossos instintos podem se tornar algo que nos atrase evolutivamente. Sem dúvida, com mais esta lição tirada do episódio com Carlos, este controle será mais eficaz e fácil para você, a partir de agora.

– Tentarei controlar-me melhor. Espero não ter que chegar a estes extremos novamente – falou Guilherme.

– Com relação à égua, o que você fez foi correto, pois ela estava a um passo de desencarnar por causa da infecção e da dor que sentia. Você sabe que os equinos podem morrer quando submetidos a dor extrema. Carlos passou em frente à sua clínica por nosso intermédio, isto é, por nossa influência. Nós fizemos com que ele passasse por ali para que você cuidasse de Formosa, a égua, antes que morresse. Era teria talvez uma ou duas horas de vida, se não fosse sua ajuda em medicá-la. Não se preocupe, pois fomos nós que os colocamos em seu caminho por saber que poderíamos contar com sua parceria no caso. Apenas procure ser mais controlado em sua impulsividade. Sei que, quando retornar ao físico, saberá o que fazer.

Gustavo fez uma pequena pausa e observou Guilherme, absorto em seus pensamentos. Segurava o queixo, pensativo, enquanto mantinha o olhar no horizonte. Com certeza, estava avaliando alguns conceitos seus e revendo mentalmente aquela cena em que ocorreram as agressões mútuas entre ele e Carlos.

CAFÉ

Gustavo, então, deu dois tapinhas no ombro de Guilherme, que retoma a consciência, e o convidou:
– Vamos continuar nossa visita ao hospital?
– Sim... sim, claro. Desculpe-me – respondeu Guilherme, voltando a si.
– Vamos à ala de enfermidades infecciosas, pois foi lá que paramos no último encontro. A doutora Ana nos espera e nos explicará a respeito das enfermidades que acometem os animais a partir de seus donos.

Ao se aproximarem da ala de moléstias infecciosas, a doutora os aguardava do lado de fora da sala, usando um uniforme impecavelmente branco e limpo. Cumprimentaram-se e ela os convidou a entrar, acionando um dispositivo que destravou a porta de entrada da ala onde são tratados animais vítimas de agentes contaminantes astrais. Os enfermos desta ala podem ser potencialmente perigosos à saúde de quem entrar em contato com eles sem a devida proteção. Ao acionar o dispositivo, ouviu-se um chiado, como se a ala fosse lacrada sob pressão. Ao abrir-se, deixou escapar uma pequena nuvem azulada ao redor dos batentes, visível somente pelo lado de fora.

– Esta é a entrada para a câmara de descontaminação e proteção – falou Ana. Nela passaremos por um processo que eliminará as formas contamináveis que carregamos conosco e nos protegerá contra outras que possam existir dentro da ala. Passamos por esta antessala ao entrarmos e ao sairmos da sala de moléstias infecciosas.

Ao atravessarem a porta, Guilherme sentiu como se estivesse passando sob um turbilhão, que soprava de cima para baixo. E a doutora Ana explicou, então:

– Esta é uma cortina energética, que faz uma limpeza preliminar mais grosseira. Esta limpeza mais superficial busca e elimina quaisquer formas contaminantes de germes que estejam mais expostos.

Após atravessarem o turbilhão, a porta se fechou por trás dos três de maneira hermética e um vapor se desprendeu das paredes, tornando a atmosfera interna mais densa que a do lado de fora. Estando lá dentro, as partículas deste vapor são aspiradas e penetram nos pulmões, chegando à corrente sanguínea, espalhando-se por todo o corpo, promovendo nele uma descontaminação completa. O vapor inalado pelo visitante, ao circular, alcança cada célula do corpo espiritual, eliminando qualquer agente infeccioso existente.

– Guilherme, assustado, perguntou à doutora, lembrando-se de algo:

– E os meus cordões prateados? Será que não foram prejudicados ao fechar a porta?

– Não se preocupe. A porta hermética não danificará os seus cordões. Ao contrário do que você pensa, a descontaminação se estenderá também a eles. Mais aliviado com as explicações, Guilherme relaxou e continuou a ouvir as orientações da especialista.

— Agora, ao diminuírem os vapores, esta luz se acenderá e uma fina película energética nos cobrirá, individualmente. Ela tem um aspecto que lembra um filme plástico muitíssimo fino e transparente. Não se afobem com a sensação passageira de sufocação, que irá ocorrer, pois a película se internará, revestindo-nos e protegendo-nos por fora e por dentro, cobrindo, inclusive, os pulmões e intestinos. O processo não leva mais do que um segundo, mas traz um certo desconforto para quem não está acostumado. Assim que terminar o processo, poderemos entrar na sala já sem nenhum risco para nós nem para os pacientes internados.

Quando o processo de revestimento terminou, uma luz verde se acendeu e a porta interna se abriu. Primeiro entraram a doutora Ana e Gustavo. Guilherme entrou em seguida e se deparou com várias pessoas. Eram jovens, em sua maioria, e estavam à espera da professora. Todos usavam uniformes verdes. O verde identificava os alunos do setor de moléstias infecciosas. Guilherme observou-se e notou que também estava usando semelhante vestimenta, que foi substituída sem que ele percebesse.

A doutora, dirigindo-se ao pequeno grupo de alunos que se encontrava em pé, ao redor de uma mesa, onde estava um paciente canino atento a todos os movimentos ao redor e sacudindo sua cauda, falou:

— Este é o nosso novo aluno, Guilherme. Ele nos acompanhará também, de agora em diante.

Todos cumprimentam o recém-chegado e a doutora Ana retornou à mesa para começar a aula, enquanto Gustavo se manteve a distância, observando.

– Aproxime-se também, Guilherme. Nós vamos começar com uma aula sobre anatomia patológica, antes de visitar as instalações – orientou a doutora Ana enquanto pegava um instrumento cilíndrico com tamanho e forma de uma caneta.

Mas, antes de começar a aula, pergunta ao cão:

– Está pronto, Café? Podemos começar?

Café, um cão sem raça definida, marrom-escuro, abanou a cauda, concordando em auxiliar nesta aula, como já fez também em outras. Ele se deitou voluntariamente sobre a mesa, deixando seu abdome exposto aos estudantes, que o observavam, admirados com a espontaneidade daquele animal extremamente dócil e inteligente. A doutora Ana, utilizando-se daquele instrumento cilíndrico, inicia sua aula, apontando para uma luz branca que saía de sua extremidade para o abdome de Café, que não se movia, enquanto a aula era ministrada. Ele apenas abanava a cauda, feliz por estar colaborando.

– Este cão, senhoras e senhores, é o nosso amigo Café. Ele acabou de retornar a nós, vitimado por uma doença viral mortal para os cães na Terra. Esta enfermidade é a parvovirose, de alta virulência, que acomete cães sensibilizados por energias ambientais debilitantes espalhadas pelo ar. Estes vírus viajam com essas energias, distribuindo-se amplamente pelos receptores caninos. Outra maneira de se transmitirem é pelos vetores, como moscas domésticas, por exemplo, que também absorvem essas energias. É sabido que esse vírus está amplamente difundido por quase todo o planeta, mas, apesar disso, o número de cães acometidos vem diminuindo rapidamente.

Não obstante a grande população canina, somente alguns enfermam, mesmo não estando imunizados com vacinas. Eu pergunto aos senhores: Por que, estando o vírus em abundância no ar, somente alguns enfermam e dos que enfermam, poucos resistem e desencarnam?

Os presentes entreolharam-se, à espera de que alguém respondesse, mas ninguém se atrevia, até que Guilherme levantou a mão e deu uma resposta puramente acadêmica:

— Estes animais adoecem porque seu sistema imunológico está debilitado e sua resistência às doenças está mais baixa.

— Muito bem, Guilherme!

O novato sorriu, contente, por acertar a resposta.

— Sua resposta está correta... — fez uma pausa. Mas, parcialmente. Por isso, vou reformular a pergunta.

— Por que alguns animais se tornam mais suscetíveis às doenças do que outros, isto é, o que faz baixar a resistência de alguns em relação a outros que permanecem resistentes?

Novamente, se entreolharam, à espera de que alguém respondesse. Olharam para Guilherme, que parecia ser o mais extrovertido e disposto a responder. Ele se sentiu encabulado, ruborizando-se, com todos olhando para ele, preferindo não dizer nada, pois estava entendendo que a resposta não deveria ser acadêmica, mas, sim, relacionada às energias espirituais, coisa que não se aprende na faculdade de veterinária. Então, uma moça de seus vinte e poucos anos, de pele muito alva, grandes olhos castanhos, cabelos negros e espessos, levantou a mão e respondeu:

— A resistência do animal cai proporcionalmente à quantidade de energias pesadas e perturbadoras que são absorvidas por ele, por estarem em grande concentração no ambiente.

— Muito bem, Margaret! Isso mesmo. Esta é a resposta que eu esperava ouvir. Somente uma alteração energética é capaz de obstruir a energia vital, que deixa de circular parcial e gradualmente pelo corpo do enfermo. Estando encarnados, nós, os seres humanos, vivemos em constantes trocas de energias uns com os outros por meio de nossas relações sociais. Estas trocas podem ser positivas ou negativas. Uma e outra são absorvidas e se acumulam ao nosso redor em forma de camadas que se sobrepõem umas sobre as outras. Se estas energias forem preponderantemente negativas, podem causar efeitos negativos sobre nossa saúde, algumas vezes. Quando passamos por situações que nos desagradam, podem ocorrer explosões de raiva. Com essas explosões expandimos parte delas que se impregnam no ambiente, podendo atingir pessoas, animais e vegetais próximos ou a distância. Quando nos desequilibramos emocionalmente até em pensamento, também enviamos essas energias ao ambiente. Pessoas menos preparadas ao receberem este tipo de energia podem se intoxicar com elas, fazendo diminuir a atividade dos glóbulos brancos que, apesar de aumentarem em quantidade, se tornam ineficientes em seu trabalho de defender o corpo contra os germes ambientais. Deste modo, os glóbulos brancos tornam-se apáticos, por estarem intoxicados, e trabalham muito lentamente. Com isso também a produção de substâncias de defesa do organismo é feita em pequenas quantidades, dificultando o ataque aos invasores, que encontram o caminho livre para sua ação deletéria. Essa energia densa é uma das preferidas dos seres espirituais que vivem na escuridão; por isso, ao menor sinal de debilidade física ou emocional, se aproximam para sugar as energias vitais contaminadas por estas formas mais densas de energias. O enfermo se torna, então, vítima de dois tipos de parasitas até se esgotarem as forças, e seu organismo entra em colapso. Os germes patogênicos são materializações de germes astrais compostos de energias pesadas. Estão sob o aspecto de vírus, bactérias ou outros agentes infecciosos...

– Professora, os agentes infecciosos não são seres vivos? – perguntou Guilherme.

– Sim, mas sua carga energética negativa os torna tão perigosos como se fossem bombas de extrema potência prestes a explodir, porque agem em conjunto, multiplicando a quantidade desta energia densa. A cada vinte minutos, surge uma nova geração de bactérias, por exemplo, aumentando a carga energética perigosamente. As bactérias não patogênicas são as que antes de se materializarem estavam sintonizadas com energias mais leves e positivas. Por isso, na maioria das vezes, não causam enfermidades, isto é, podem se tornar patogênicas se se contaminarem com aquelas energias das quais falávamos há pouco.

Nesse instante, outro aluno levanta a mão para perguntar.

– Dra. Ana, a senhora está querendo dizer que os animais que vivem em nossa companhia adoecem em função de nossas energias, pensamentos e atitudes?

– Sim, Érico. Você está correto, pois somos responsáveis pela boa ou pela má saúde de nossos companheiros animais. Eles adoecem quando absorvem grande parte destas energias do ambiente. De modo geral, o fazem quase que voluntariamente, em nosso favor.

– Como assim?

– Quando os animais reencarnam em determinado lar, já sabem o que irão enfrentar do ponto de vista energético. Reencarnam sabendo que talvez tenham que absorver quantidades das piores energias que carregamos conosco. Isto significa que a presença deles purifica o ambiente, mas os torna sensíveis e facilmente adoecem, livrando seu dono de perder a saúde de modo heroico. Na maioria das vezes, aceitam adoecer em nosso lugar e, quando seu dono se sensibilizar emocionalmente ao ver seu companheiro sofrendo, muda seu padrão de pensamento, que se torna automaticamente mais leve, dispersando aqueles mais pesados. Com estas mudanças, a saúde do animal pode retornar.

Após as explicações de Ana, os alunos fizeram silêncio. Ficaram preocupados em saber se já não causaram algum mal a seus animais com seus pensamentos.

– Mais alguma dúvida? Se não há mais perguntas, podemos passar ao exame do nosso amigo Café? – quis saber a professora.

Voltando a apontar o objeto com extremidade luminosa para Café, Ana pediu aos alunos que observassem como agem os vírus causadores daquela enfermidade.

– Vejam aqui os intestinos, o fígado, a boca e o estômago de nosso amigo. Percebam a quantidade de vírus nestes locais. Por se tratar de seres materiais mais do que energéticos, precisam entrar no organismo através de aberturas naturais como a boca e as narinas para atingirem outros órgãos.

Enquanto Ana falava se formou uma tela fluídica como se fosse uma grande tela de televisão que mostrava de forma ampliada as estruturas apontadas pelo instrumento semelhante a uma pequena câmara filmadora.

– Vejam a tela enquanto aponto as estruturas envolvidas – pediu Ana aos alunos, que dirigiram o olhar para a projeção que se formou ao lado da mesa onde estavam. Observem este vírus. Notem o halo negro ao seu redor.

Enquanto isso, formava-se na tela uma imagem do vírus que apresentava uma energia escura à sua volta, parecendo ter consistência, de tão densa. Na projeção, o abdome de Café torna-se transparente sob a ação do delicado aparelho empunhado por Ana, deixando à vista seus órgãos dentro da cavidade abdominal.

– Este halo, senhores, tem um diâmetro que varia de uma espécie para outra de germes de acordo com a sua patogenicidade, isto é, conforme a sua capacidade de provocar doenças.

Na tela surgiam gráficos, automaticamente, que mediam o diâmetro do halo e o seu valor numérico.

– Este vírus, por exemplo – continuou Ana –, tem neste halo um raio que equivale ao dobro do tamanho de seu corpúsculo.

Na tela surge uma tabela comparativa entre o valor dos halos e o poder destrutivo do germe.

– Neste caso, este germe possui um poder deletério capaz de aniquilar um animal ou um cão em três dias. A energia individual contida neste halo energético, se for somada com todos os outros corpúsculos virais existentes no enfermo, resultará em uma energia incrivelmente grande e forte e com um potencial destruidor extremo.

A doutora mudou o foco do aparelho e o apontou para o estômago e depois para os intestinos.

– Percebam o intestino delgado, ou o que restou dele...

Neste momento, foi interrompida em sua explanação por uma aluna.

– Pois não, Ingrid – falou a professora, apontando para a moça de cabelos loiros, quase brancos, como é comum entre os descendentes de alemães.

– Por que estando já desencarnado, Café ainda apresenta estas lesões tão graves em seu corpo espiritual? Para mim, parece estar tão bem de saúde.

Ana desligou o aparelho e a tela temporariamente enquanto dá explicações à aluna, que está preocupada com o cãozinho.

– Café é um companheiro nosso de longa data e sempre está disposto a colaborar e nos auxiliar. Desta vez, aproveitando seu retorno recente, ele concordou voluntariamente em nos deixar estudar suas lesões consequentes à enfermidade que o vitimou, antes de ter seu corpo espiritual submetido a tratamento de reparação corporal e desmaterialização dos vírus. Ele recebeu uma carga energética, que funciona como uma espécie de anestésico para não sentir dores e faz com que sejam retiradas de sua memória as últimas sensações antes de desencarnar, dolorosas para ele. Assim, podemos examiná-lo sem que ele sinta qualquer desconforto. Café é um animal muito consciente de si, por isso pedimos sua permissão para retardar este processo para nos fornecer material didático. Ele concordou plenamente e agradeceu pela oportunidade de ser útil.

Após dizer isso, ouviu-se o latido alegre de Café, que abanava sua cauda mais forte, como sinal de que o que a doutora Ana dizia estava correto.

— Professora? — interrompe novamente Ingrid, para fazer outra pergunta interessante.

— Parece que a senhora conversa com os animais e que há um entendimento entre a senhora e eles. Como isso ocorre?

Ana meditou um pouco antes de responder.

— A linguagem do pensamento é universal. Então, podemos conversar com qualquer ser e ele nos responde de forma inteligível. O que nos falta é algum discernimento para que aprendamos a distinguir o que são os nossos e o que não são os nossos pensamentos. Assim, não confundiremos esta comunicação com imaginação ou fantasia. Nós podemos entendê-los e eles podem nos entender por pensamento. É somente uma questão de treinarmos nossas percepções. Se vocês quiserem e Café também concordar, poderemos praticar um pouco esta habilidade.

Café deu outro latido bem sonoro, demonstrando que estava de acordo.

— Você percebeu como eles nos entendem facilmente, enquanto nós temos dificuldades em entendê-los? Neste aspecto eles estão bem mais adiantados que nós, pois entendemos apenas alguns sinais seus como latidos, por exemplo, ou expressões que fazem ou quando abanam a cauda, mas, dificilmente, entendemos o que dizem por pensamentos.

Ana religou o aparelho e a tela fluídica e retomou a aula.

– Então, voltando ao tópico anterior, notem o intestino delgado.

Neste momento, apontou novamente o instrumento, fazendo um reajuste de foco para que a alça intestinal se tornasse realçada em cores que se destacavam na tela.

– Vejam o aspecto microscópico desta mucosa intestinal. Parece que aqui foi jogada uma bomba atômica. As células e microestruturas foram totalmente destruídas e o aspecto do que restou lembra realmente os escombros de uma explosão atômica em uma cidade bombardeada. Por estas lesões extensas, podemos ter ideia do potencial destruidor e da energia contida nestes germes. Notem a nuvem escura que se formou internamente no organismo de Café. É a somatória daqueles halos energéticos observados de cada vírus individualmente, há pouco. Se outro cão sensível e predisposto entrar em contato com essa energia, também se tornará debilitado e com certeza adquirirá a enfermidade ou sofrerá algum mal-estar. O médico veterinário é a pessoa que entrará em contato direto com essa energia durante a consulta e tratamento do animal enfermo no momento de sua consulta, por isso ele deverá estar muito bem centrado em seus objetivos terapêuticos, a fim de tentar a cura do animal, deixando o aspecto financeiro em segundo plano, sob o risco de contaminar-se com estas energias.

Outro aluno levanta a mão e pergunta a Ana:

– O veterinário deveria trabalhar sem pensar em cobrar pelos serviços que prestar? Mas é a sua profissão; ele estudou para isso. Não seria lícito, em minha opinião, não cobrar. A senhora não acha que ele estaria deixando de ser caridoso consigo? – perguntou a aluna Olinda.

– Não entenda mal. Eu não estou querendo dizer que o veterinário não deva receber seus proventos pelos serviços que está prestando. O que quero dizer é que ele deve deixar esta preocupação para outro momento, após a consulta e tratamento, pois os pensamentos materialistas projetados durante a análise e tratamento poderão criar uma espécie de ponte ou uma comunicação energética perigosa entre médico e paciente, que poderia prejudicar a saúde do veterinário – explicou melhor aos alunos, que são em sua maioria veterinários na Terra, e à aluna preocupada com a possibilidade de mudar de profissão.

– Voltando ao vírus, quero que vejam esta energia que se forma aqui – continuou Ana, mostrando com o aparelho manual que projetava a imagem na tela. Notem que ela vem se formando e envolvendo aquela energia escura vista anteriormente. Percebam como está aumentando e ganhando espaço e que, apesar do aspecto sutil e suave, está facilmente vencendo a outra mais pesada.

– Esta nuvem é de origem externa em sua maior parte – explicou Ana. Uma parte dela é originada do próprio animal, que está lutando por sua vida em suplantar a virose que o consome; outra, pode vir de seus donos, que desejam muito que seu companheiro não pereça. Outra, ainda, pode ser do médico, que está atendendo o animal e também tem seu desejo de sucesso sobre a enfermidade; e, finalmente, o restante vem de todas as partes do planeta, a partir das orações e pedidos de milhares de pessoas que se preocupam com todos os animais e pedem por sua saúde. Mesmo as pessoas que não são muito amigas de animais, mas fazem orações a São Francisco de Assis, sem saber, enviam parte da energia destas orações também aos animais enfermos e debilitados que, em muitos casos, se recuperam, mesmo sem ajuda médica.

Observando que a nuvem estava aumentando mais rapidamente do que esperava, Ana disse:

– Neste momento, a maioria de nós está preocupada com Café, que está pacientemente suportando ser examinado por nós. Muitos estão penalizados com o aspecto de suas lesões. Com isso, estamos endereçando a ele, inconscientemente, nossas melhores energias, e ele está se recuperando antes de a aula terminar. Por isso, como o que era mais importante já foi dito, vamos observar a sua recuperação.

Voltou, então, a mostrar na tela as nuvens agindo sobre os órgãos de Café, regenerando-os, tanto no aspecto microscópico quanto no aspecto macroscópico. O aparelho, ao modo de uma câmara filmadora minúscula, mudou o foco para verificar a ação daquela nuvem clara que adquiria um tom esverdeado, à medida que avançava sobre a energia escura, consumindo-a.

A doutora Ana, aproveitando os últimos instantes de aula, brincou com Café, fazendo cócegas em sua barriga, agradecendo-lhe a colaboração. Café, alegre, latiu e virou-se de um salto sobre as quatro patas para, a seguir, brincar de rolar sobre a mesa, enquanto os alunos o acariciavam, em gratidão. Ingrid deu-lhe um grande abraço, dizendo-lhe, mentalmente:

– Obrigada, Cafezinho. Sou-lhe muito grata pelo que fez por nós e espero retribuir-lhe à altura, algum dia.

Então, ouviu em seu pensamento um latido e uma voz rouca como se fosse a voz de uma pessoa com dificuldade em pronunciar palavras, que dizia:

– Você já retribuiu estando aqui agora.

A seguir, recebeu de Café uma grande lambida no rosto e nas mãos. Uma lágrima de alegria rolou em sua face. A seguir, abraçou-o, novamente, e deu-lhe um beijo na cabeça.

Os outros alunos nada entenderam, mas Ana percebeu o que aconteceu, fez um sinal com a cabeça e deu uma piscadela para Ingrid, como que dizendo:

– Muito bem, você entendeu.

Ao terminar a aula, a professora Ana mostrou as instalações da sala de tratamento de moléstias infecciosas e os outros animais internados. Ensinou como funcionavam os aparelhos e para que serviam, além de recomendar a cada um que retornasse no dia seguinte com o sr. Gustavo, pois teriam aulas externas, isto é, fora do rancho.

Saindo da sala, passaram para a antessala, onde eram retiradas as películas protetoras e devolvidas as roupas comuns. Guilherme não retornou para casa, mas foi ao encontro de Cláudia, que estava em companhia de Luciana.

Na Fazenda

Observavam Carlos, o dono de Formosa. Ele estava desdobrado e abraçava sua égua, enquanto chorava copiosamente, se lamentando.

– Desculpe-me, Formosa, eu não queria abandoná-la, mas foi melhor assim. Você vai ficar melhor com o doutor que vai alimentá-la e cuidar de você. Quanto a mim estou à beira de morrer e não queria que você ficasse sozinha neste mundo. Não queria que morresse comigo, por isso dei você a ele. Carlos chorava alto, como se fosse uma criança desamparada.

– Eu sei que estava sendo agressivo, mas não me odeie por isso. Você foi o único ser que me compreendeu e me aceitou e eu retribuí com agressões. Desculpe-me, eu estava descontrolado. Não suporto mais viver... – e ouvem-se mais choro e mais soluços de Carlos.

Cláudia e Luciana, que estavam de longe sem que ele lhes notasse a presença, também estavam com os olhos inundados de lágrimas, comovidas pela cena a que assistiam. Guilherme aproximou-se lentamente do grupo e perguntou à Cláudia o que estava acontecendo e o que perdeu. Cláudia, então, sussurrando, explicou ao noivo:

– Ficamos sabendo que Formosa era a égua preferida de Carlos, na época em que ele era um rico dono de terras e ainda não havia perdido a memória. Com o desaparecimento de seu dono, Formosa tornou-se um animal furioso e incontrolável, que atacava quem se aproximasse dela. Pensaram que tivesse contraído raiva, apesar de ser vacinada. Certa vez, escoiceou a esposa de Carlos, que foi levada em estado grave para o hospital. Por ter-se tornado uma ameaça, resolveram matá-la a tiros. Formosa viu a movimentação ao seu redor, percebeu o que queriam fazer e pulando por sobre a sua baia, correu para o pasto, arrebentando várias cercas e porteiras até conseguir fugir dali. Foi perseguida, mas escapou, escondendo-se na mata e entre as plantações de cana. Estava muito ferida e com a pele cheia de cortes, causados pelos arames das cercas. Foi encontrada por um sitiante da região, que cuidou dela até que melhorasse um pouco, mas ela era muito agressiva. Ninguém a queria por perto, por representar um perigo. Foi levada ao sítio de um amigo, que a aceitou, mas também não a quis mais. Certo dia, Carlos estava coincidentemente passando pela estrada, ao longo deste sítio, quando Formosa percebeu sua presença, correu em sua direção e o acompanhou relinchando para ele como se o chamasse. Estava feliz por rever seu dono. O sitiante, notando o interesse do animal por aquele homem desconhecido, ofereceu-a a ele, que a aceitou. A partir de então, tornaram-se quase inseparáveis. Mas Carlos, após algum tempo, entrou em depressão, desejando morrer. Soltou Formosa para que ela fosse embora e voltasse para seu antigo dono, que ele não sabia que era ele mesmo. Como Formosa recusava-se a partir, passou a maltratá-la, a fim de que passasse a odiá-lo e o abandonasse. Maltratava-a fisicamente, exagerando na quantidade de carga que ela poderia carregar. Amarrava cordas apertadas, a fim de feri-la, mas Formosa não queria deixá-lo e continuava leal, porque o amava.

Naquele momento em que o grupo estava reunido ali, observando Carlos desdobrado em espírito, Guilherme sentiu-se tocado, não somente pelo que estava presenciando, mas também porque já conhecia a história de Carlos por intermédio de Gustavo. Então, aproximando-se lentamente dele, tocou no ombro do homem com quem teve aquele desencontro pela manhã, olhou em seus olhos e pediu que o perdoasse.

– Por favor, senhor. Venho pedir que me perdoe pelo que fiz. Eu gostaria de poder ajudá-lo, se me permitir, para redimir minha culpa.

Carlos, notando sinceridade nas palavras do médico, disse:
– Por favor, não se desculpe, pois a falta foi minha. Acovardei-me diante da vida e queria que alguém me livrasse de suas garras – lamentou-se Carlos.

Fez uma pausa, enxugou os olhos com as mãos e continuou dizendo:

– Quando estarei livre deste sofrimento? Eu era feliz e rico, ao lado de uma linda e fiel esposa. Repentinamente, vejo-me vítima da mulher que mais amei. Fiquei sem um lar, sem amigos, sem nada...

Voltou a soluçar alto e abraçou Guilherme em prantos, pedindo que o perdoasse por tentar jogar sobre ele uma responsabilidade que não tinha forças para carregar sozinho. Por isso, tentou incitá-lo a eliminá-lo da vida.

Então, ambos se abraçaram e choraram juntos.

Guilherme disse:

– Farei o que estiver ao meu alcance para ajudá-lo a se recuperar. Sei que é uma boa pessoa e alguém como você precisa ter amigos com quem contar nos momentos difíceis. Pode contar comigo, amigo...

Carlos balbuciou palavras quase ininteligíveis, entre soluços de choro, dizendo:

– Amigo... Somos amigos?

– Sim, assim eu o considero.

– Faz tanto tempo que não ouço alguém me dizer esta palavra.

Comovidos, abraçaram-se. Cláudia e Luciana se aproximaram e também o abraçaram. Guilherme disse:

– Todos somos amigos, e um amigo nunca abandona o outro.

Ao dizer isso, notou Formosa agitada e lhe disse:

– Você também é nossa amiga, por isso não a abandonaremos e não deixaremos que se separe de Carlos.

Guilherme, então, ouviu uma voz feminina muito distante, que parecia ir diretamente ao seu cérebro dizendo:

– Muito obrigada. Agradeço por ajudar meu mestre.

Guilherme arregalou os olhos, surpreso pelo que acabava de ouvir, como se estivesse se esforçando para ver se não era sua imaginação. Abraçou Formosa e entendeu que era dela a voz que ouviu.

Guilherme e os outros se afastaram e desapareceram. Carlos voltou a abraçar Formosa e ficou em sua companhia até o amanhecer.

Mal raiou o dia, Carlos foi surpreendido por uma visita inesperada que o encontrou dormindo entre algumas moitas de uma praça da cidade. Era Guilherme, que viu como era difícil a vida de Carlos, entre folhas de papelão e jornais velhos para aquecer-se. Olhando ao redor, viu que nem tinha o que comer e o que vestir. Espalhados pelo chão, havia vários pedaços de trapos com que se aquecia nas noites frias. Ao seu lado, uma caixa de sapatos, que Guilherme abriu para olhar o que tinha dentro. Havia um pedaço de osso de boi com alguns pedaços de carne que achou no lixo de um restaurante à beira da estrada e guardou para comer mais tarde. Na mesma caixa, havia uma espiga de milho mastigada parcialmente e alguns pedaços de cana, que são abundantes naquela região. Era tudo o que tinha para comer.

– Por isso ele estava com dificuldade em me acertar o soco e caiu com tanta facilidade com o meu. Ele está muito fraco e, apesar de sua grande estatura, não suportaria outro soco como o que recebeu de mim. Talvez eu o tivesse matado se desse outro. Que grande canalha eu sou! – pensou.

Quando Guilherme mexeu na caixa, acabou acordando Carlos, que se surpreendeu com sua presença.

– O que o senhor quer de mim? Quer levar o resto do que eu tenho? – perguntou Carlos, com uma voz fraca e melancólica. A minha fortuna está toda dentro desta caixa de sapatos – falou, em tom de sarcasmo.

– Não, meu amigo... – falou Guilherme, que foi interrompido por Carlos.

– Você está enganado, pois eu não tenho amigos. Sou um ninguém, de quem todos querem distância.

— Meu amigo – insistiu Guilherme –, vim até aqui para pedir-lhe desculpas pelo que fiz e peço, humildemente, que me perdoe e aceite uma proposta que tenho para fazer ao senhor – disse ao homem que o fitava, mudo e incrédulo.

— Esta manhã, antes de o sol nascer, estive na fazenda de um amigo meu que está precisando de alguém forte como o senhor para trabalhar para ele. O salário não é muito grande, mas ele oferece uma casa, roupas e comida, pois todos os empregados almoçam e jantam em companhia dos patrões. Só preciso saber se o senhor aceita, pois sua égua já está lá e está com saudades do senhor.

Quando Guilherme falou no animal, os olhos de Carlos brilharam e ele se ergueu, rapidamente, e perguntou, afobado:

— Como ela está? Está bem? Está comendo? Ainda sente muita dor? As feridas estão sarando?

— Calma, senhor...

— Carlos. Carlos é o meu nome.

— Pois bem, sr. Carlos, eu sei que o senhor deve estar preocupado com ela, por isso acho melhor certificar-se pessoalmente de seu estado. Se quiser me acompanhar, podemos ir para lá, imediatamente.

Carlos concordou em acompanhar o doutor. Pôs-se em pé, recolheu seus pertences, colocou-os na caçamba da caminhonete de Guilherme e seguiram em direção à fazenda. Ao chegarem, foram recebidos por Mataveira, filho do falecido Gustavo. Guilherme apresentou Carlos que, muito tímido, sentiu-se encabulado com a calorosa recepção.

— Seja bem-vindo, sr. Carlos, à minha humilde casa.

Carlos cumprimentou Mataveira, mas olhava através da porta da casa, como se estivesse procurando algo. O dono da fazenda entendeu o que ele procurava e disse:

– Eu sei que o senhor deve estar querendo ver a égua. Então, vamos até lá?

Saindo da casa de Mataveira, andaram por uma curta estrada de terra que ia até as baias dos cavalos. Ao entrarem, foram a uma baia especial para cavalos doentes. Era toda isolada e forrada com um revestimento de espuma lateralmente e com palha macia no chão. Lá estava ela, a amiga de Carlos, tomando soro na veia, aplicado pelo doutor Guilherme durante a madrugada. Ela já mostrava sinais de melhora e animou-se ainda mais após perceber a presença de seu "mestre". Formosa tornou-se agitada e somente se acalmou quando o dono se aproximou, acariciou-a e a beijou na cabeça. Ela fechou os olhos para sentir o carinho que estava recebendo daquele a quem considerava um deus. Carlos a abraçou e ficou em silêncio, enquanto lágrimas rolavam pelo seu rosto. Mataveira interrompeu o silêncio, dizendo:

– Nossa amiga...

– Formosa é o nome dela... – falou Carlos.

– Nossa amiga Formosa não pode ficar sem seu melhor amigo. Gostaríamos que o senhor aceitasse ficar conosco aqui na fazenda e nos auxiliasse a cuidar dela enquanto se recupera. Mas, se depois que ela estiver boa, ainda assim o senhor quiser partir, terá toda liberdade de ir quando quiser. No entanto, gostaríamos que ficasse para cuidar não somente dela, mas também dos outros animais da fazenda.

Carlos olhou para ele e acenou que sim com a cabeça. O sr. Mataveira, então, pediu a Carlos que o acompanhasse para que conhecesse onde passaria a morar daquele dia em diante. Era uma colônia de empregados da fazenda, com oito casas geminadas. Cada uma tinha um quarto, uma cozinha simples, mas de bom gosto, e um banheiro, igualmente simples, mas com muita higiene. No quarto havia um guarda-roupa com várias calças, camisas e botas, de muitos tamanhos.

– Por favor, escolha umas roupas e botas. Algumas delas devem servir em você. Banhe-se, barbeie-se, pois daqui a pouco minha esposa nos chamará para almoçar e gostaria que o senhor participasse conosco.

Carlos deu um sorriso de agradecimento, e Mataveira saiu, deixando-o à vontade em sua nova casa.

Carlos dirigiu-se rapidamente para o banho. Já nem se lembrava mais quando tinha tomado um banho de chuveiro. Talvez nem tenha tomado algum, desde que bateu a cabeça. Mesa posta, Carlos surgiu e nem parecia o mesmo, de banho tomado e barba feita. Mais tarde, a esposa de Mataveira encarregou-se de lhe cortar os cabelos excessivamente longos e deu-lhe um chapéu. Ele mal podia acreditar naquilo que estava acontecendo. Não cabia em si de tanta felicidade. Convidado, sentou-se, timidamente, mas comeu como se fosse sua última refeição. Todos pararam para olhar para ele, que se desculpou por seus modos à mesa, dizendo estar faminto. Após o almoço, Mataveira o convidou a conhecer a fazenda e lhe indicou as tarefas que esperava que fizesse, além de cuidar de Formosa. Após alguns dias, a égua já estava totalmente recuperada, e Carlos quis continuar na fazenda, em companhia dos novos amigos. Ele era muito esforçado, trabalhava o dia todo e cuidava muito bem dos animais. Tinha muita habilidade com tudo, como se já conhecesse a rotina de uma fazenda. Mataveira notou o dinamismo de Carlos e ficou muito contente, pois estava sempre se movimentando e fazendo algo. Nunca deixava para depois algum trabalho e ficava atento a tudo na fazenda para não ficar nenhum serviço para trás.

O tempo foi passando e Carlos, sempre dinâmico e observador, procurou o sr. Mataveira, para sugerir que fizesse uma integração de produção, aproveitando resíduos que normalmente eram descartados como lixo. O que se desprezava como refugo era, na verdade, alimento rico em proteínas e vitaminas, que serviriam de ração aos animais. Isso representaria uma grande economia e uma suplementação nutricional de alta qualidade. Sugeriu que fossem criadas abelhas no pomar, para aumentar a produção de frutas; que os resíduos das galinhas da granja fossem dados aos peixes como ração, pois continham muita proteína; advertiu para que as ovelhas não fossem colocadas com os bovinos, pois elas comem até as raízes da grama, não deixando alimento suficiente para aqueles. Fez, enfim, diversas outras sugestões de medidas de economia. Mataveira admirou-se com a atitude e o conhecimento de administração rural daquele ex-morador de rua. Analisou bem e aceitou as sugestões. Rapidamente, os lucros da fazenda se multiplicaram, tornando-a ainda mais próspera. Aumentaram a produção de ovos, frutas, mel, peixes, e as vacas aumentaram sua produção leiteira. Carlos era um administrador nato.

Tudo na fazenda estava sendo reaproveitado, representando uma economia cada vez maior. Com o passar do tempo, Mataveira aumentou seu salário e o promoveu a administrador da fazenda. Com esse aumento nos ganhos e com a economia que fez, comprou alguns lotes de terra do patrão e começou seu próprio negócio, em parceria com ele.

Com o passar dos anos, tornou-se novamente próspero, tal como antigamente.

Animais Assustadores

Guilherme voltou da fazenda de Mataveira, naquele dia em que lhe apresentou Carlos, feliz, com a sensação de ter feito algo bom.

Conseguiu um emprego para o novo amigo e um lar para Formosa. O médico não falava de outra coisa e não se cansava de contar a João Rubens e à Cláudia como Carlos ficou diferente depois de tomar banho e fazer a barba, deixando aquela imagem de pessoa tosca e grosseira. Ele repetia que, na verdade, Carlos era muito simpático, principalmente com os animais.

O assunto do dia foi Carlos e Formosa, que estava se recuperando muito rapidamente.

Ao término do dia, ao sair da clínica, Guilherme passou no apartamento de Cláudia para irem ao cinema e a uma lanchonete, onde poderiam conversar sobre amenidades.

Já noite, Guilherme retornou ao lar e preparou-se para dormir e retornar, ainda que não soubesse conscientemente, ao rancho para adquirir mais conhecimentos, que se armazenariam em seu subconsciente. Em estado de vigília, nem sequer sabia da existência deste local na dimensão espiritual.

Após deitar-se, caiu logo em sono profundo. Seus olhos começaram a se mover rapidamente, de um lado a outro, nas órbitas oculares sob as pálpebras semifechadas. Seu corpo tremia e movimentos musculares involuntários ocorriam em diversos feixes que se evidenciavam por contrações de braços e pernas, enquanto se revirava na cama. No momento em que ocorriam estes eventos no corpo físico, Guilherme chegava em espírito ao hospital veterinário do "rancho". O sr. Gustavo o esperava, mas não notou a presença da professora Ana e dos outros alunos.

– Onde estão todos? Será que me atrasei? – perguntou Guilherme ao amigo.

– Sim. O senhor está um pouco atrasado. Todos já foram ao prédio da biblioteca, de onde partirá a excursão de aulas práticas – falou Gustavo, apontando com o dedo indicador onde ficava o prédio para o qual Guilherme se dirigiu.

O prédio da biblioteca era muito grande, em estilo renascentista, com longos corredores e escadarias largas de madeira muito bem trabalhada. As paredes eram esculpidas em relevo e cobertas de quadros famosos da época. O piso era feito de mármore claro. O médico entrou correndo pela porta principal do prédio. Sem saber para onde se encaminhar, perguntou à primeira pessoa que encontrou:

– Para onde foi a professora Ana com os alunos? – dirigiu-se a uma moça que lhe mostrou a direção.

Ao entrar na sala, estava ofegante, mas conseguiu cumprimentar todos com acenos e desculpar-se com a professora Ana, que disse:

— Guilherme, você é o único que ainda não escolheu a ficha de destino. Por favor, apanhe uma das propostas que se encontram sobre a mesa e junte-se a nós.

Guilherme, a fim de não perder mais tempo, pegou a primeira ficha que encontrou, sem se preocupar com o destino inscrito nela, e juntou-se aos demais.

— Vamos formar grupos de acordo com as cores das fichas que cada um estiver segurando. São quatro cores e cada grupo formado seguirá para um portal correspondente, acompanhado de um professor. Dependendo de onde forem, peço que não se afastem uns dos outros, pois, caso contrário, pode ser perigoso.

O cartão de Guilherme era vermelho.

— Os "vermelhos" venham por aqui – chamou o professor que se apresentou em seguida:

— Meu nome é Anésio e vou acompanhá-los a esta excursão. Farei algumas recomendações antes de partirmos. Para onde vamos, teremos oportunidade de observar, mas não poderemos tocar em nada. Procurem não se afastar uns dos outros. As anotações devem ser feitas na volta, pois os alunos precisam ficar atentos aos perigos da viagem. Em caso de perigo ou pânico, acionem o botão vermelho, bem à frente, sobre o painel do veículo de que estaremos nos servindo durante o passeio. Procurem não olhar fixamente nos olhos das pessoas que encontraremos e não tentem falar com elas. Uma tentativa de contato direto pode ser interpretada erroneamente e prejudicar a excursão. Excursionaremos fazendo o máximo silêncio possível. Por favor, não conversem uns com os outros nem comigo durante o trajeto. Quando voltarmos, estarei à disposição para responder a quaisquer perguntas. Estaremos sendo acompanhados por uma equipe de segurança que nos escoltará na ida e na volta, protegendo-nos de eventuais incidentes com os habitantes da região. Esta equipe está armada com instrumentos eletromagnéticos capazes de atordoar ou no mínimo assustar algum intruso que tente ser hostil conosco. Quanto aos animais que encontraremos, nada temam, pois, apesar das aparências, a maioria é inofensiva. No entanto, alguns podem ser agressivos. Por isso, é preferível não tentar tocá-los. A aparência deles não é agradável, mas não se assustem, pois os senhores não estarão sozinhos. No entanto, como já foi dito, se houver pânico, lembrem-se do botão vermelho, que uma vez acionado, um portal interdimensional individual se abrirá e conduzirá o aluno de volta à biblioteca, sem riscos. Quando este botão é acionado, a desinfecção é feita automaticamente naquele que o acionou, pois o portal, ao ser utilizado para voltar, já faz a assepsia do aluno que o utiliza. Os que ficarem até o final não deixem de usar o dispositivo desinfetante do traje. Os senhores receberão uma película protetora sobre a pele, semelhante àquela usada na ala de moléstias infecciosas, para que não se contaminem ou tragam contaminantes para esta dimensão. Antes de sairmos, receberão esta roupa especial protetora, pois a película por si só não é garantia de proteção total. Estas medidas são necessárias, porque a energia densa do local algumas vezes consegue desintegrar a película – falou o professor Anésio, concluindo as advertências aos alunos, que ouviam em silêncio.

Todos estavam surpresos com informações tão graves a respeito da primeira aula prática fora do rancho. Parecia-

-lhes que a aula seria muito perigosa. Um tanto temerosos, apesar das recomendações, os alunos comentavam entre si, em voz baixa, sobre uma excursão tão arriscada. Para disfarçar o nervosismo, alguns tentavam rir. Mas Anésio, sempre sério, não achava graça.

— Parece que vamos fazer uma excursão ao inferno — falou um dos alunos em tom de brincadeira.

— O inferno não existe, sr. Erasmo — falou Anésio, sem mudar sua expressão austera — é somente uma obra da mente de pessoas que queriam assustar outras menos esclarecidas. Os senhores não deveriam temer algo que não existe.

Os alunos iam dar um suspiro de alívio, achando que o lugar para onde iam não tinha tantos perigos como imaginavam, quando Anésio continuou.

— No entanto, o lugar para onde vamos é real.

Eles se entreolharam surpresos com a resposta direta do professor.

— Alguém tem alguma dúvida ou quer mudar para outro grupo? — perguntou aos alunos, para saber se alguém preferia ir em outra excursão mais tranquila. Contudo, ninguém queria desistir, para não passar por medroso.

— Não? Então podemos ir. Já que estão todos seguros, podem vestir estes trajes que cada um recebeu e seguir-me, por favor, até a sala do andar de baixo.

Vestiram-se em silêncio e seguiram-no pela escadaria até o andar onde estava preparado o portal com o destino desejado. Ao chegarem à sala, encontraram um ambiente vazio. Não havia móveis, nem janelas ou estantes, nada. Somente uma porta no lado oposto da sala, trancada com um grande cadeado. Era toda entalhada com figuras estranhas assustadoras, que permanecia fechada, talvez por medida de segurança. Anésio parou entre a porta e os alunos.

– Senhoras e senhores... o Umbral – falou o professor, com trejeitos teatrais, enquanto abria a porta, lentamente, deixando ver o ambiente sombrio por trás dela.

Depois de totalmente aberta, podia-se ver ou tentar ver como era aquele local que causava arrepios nos espectadores, que não se animavam a entrar.

O professor, aproveitando o silêncio dos alunos, que estavam paralisados por temor, esclareceu alguns pontos que faltaram.

– Senhores, ao ultrapassar esta porta, entrarão em uma espécie de hangar, onde encontrarão os veículos que nos servirão de transporte. Não ponham as mãos e nem os pés para fora do veículo. Segurem-se, firmemente, pois, durante as manobras, o veículo se inclina e vocês poderão se desequilibrar. Durante o trajeto todo, que é feito automaticamente, vocês permanecerão em pé. Será uma excursão rápida, que não deverá durar mais que cinco ou talvez dez minutos – falou Anésio aos alunos, que hesitavam em entrar no hangar.

– Vamos, coragem! É só um passeio cultural – encorajou Anésio.

– Então, irei na frente – anunciou o orientador.

Após a passagem do professor, entraram, um a um, temerosos, pé ante pé. Estavam como que pisando em ovos. Agruparam-se em turmas de três alunos para ocuparem os veículos, que poderiam comportar apenas três passageiros cada um. Pareciam plataformas metálicas redondas e refletiam a cor bronze, como se fossem feitos de cobre com revestimento interno de chumbo. Circundando pelo lado de dentro, havia corrimões metálicos, onde os alunos se apoiavam, ficando com dois terços do corpo protegidos pela plataforma. Nas laterais e abaixo havia holofotes direcionáveis, com poderosas lâmpadas com alcance de alguns quilômetros. Ao se acomodarem nos veículos, começou o movimento de decolagem absolutamente silencioso. O único som que se ouvia eram silvos produzidos pelo vento que cortava o ambiente sombrio e assustador! Era um vento gelado que soprava fazendo arrepiar cada fio de cabelo e trazia um odor muito forte, cadavérico, como se houvesse ali milhares de corpos em decomposição. O céu era acinzentado, com nuanças avermelhadas, que pouco deixava ver o fraco contorno do sol, cujos raios mal penetravam a densa atmosfera. Ali não existia o dia. Era sempre noite, mas havia estrelas. O horizonte era fracamente definido, pois se misturava com as densas nuvens escuras, suspensas e em movimentos circulares que formavam figuras assustadoras ao sabor daquele vento cortante. O campo de visão não ultrapassava alguns metros, por causa da escuridão típica do local. Ouviam-se gritos de pessoas se lamentando, gemidos de dor agudos, pessoas correndo, como se estivessem acompanhando a plataforma em movimento em um piso lamacento. Olhando para o que parecia ser o céu, viam-se enormes corpos voadores, com silhuetas pouco definidas. Suas enormes asas davam a ideia de pertencerem a gigantescos animais, como os grandes pterodáctilos da pré-história. Não passavam de vultos quase sem contorno, que voavam emitindo sons que se assemelhavam a sussurros. À medida que as plataformas se deslocavam, podiam-se ver alguns contornos como copas de frondosas árvores ao longo daquele horizonte quase indefinível. As supostas árvores estavam mais próximas e delas se podiam ouvir sons sibilantes, como produzidos por alguma pessoa afônica que tentava falar. Mais próximos, viam-se movimentos ondulatórios entre os aparentes galhos das árvores. Naquela floresta tenebrosa, aquilo que pareciam ser árvores, após se acenderem os holofotes, eram centenas, talvez milhares, de seres cilíndricos como serpentes, com grandes cabeças e olhos vermelhos, que faziam movimentos constantes, entrelaçando-se uns nos outros, ficando fixos pela extremidade oposta em algo que poderia ser o tronco seco de uma árvore. A plataforma passou tão próxima destes seres que por pouco o botão de pânico não foi acionado por um dos alunos que estavam ao lado de Guilherme.

Guilherme, no entanto, desobedecendo às recomendações, tentou tocá-los com as pontas dos pés, através de uma abertura lateral da plataforma, mas não os alcançou. O botão não foi acionado, pois a plataforma mudou de direção e se afastou daqueles seres estranhos. Diminuindo de altitude, aproximou-se do solo em total silêncio, para que pudessem visualizar os pequenos animais em atividade. Parou cerca de dois metros do chão e acionou os holofotes potentes na direção deles. Neste instante, a correria foi geral entre os pequenos seres que tentavam fugir das luzes. Eram semelhantes a ratos, em sua maioria, cinzas e pretos. A plataforma se aproximou mais, deixando ver o solo que estava coberto por milhões de seres parecidos com baratas enormes que, ao se atritarem, produziam um som quase metálico de estalidos contínuos, acompanhados por chiados produzidos pelos vários animais que circulavam sobre aquele tapete de insetos. A quantidade deles era tão grande que deixava ver muito pouco da rara vegetação rasteira do local. Subitamente, ouviu-se acima um grito de mulher, seguido de muitos outros, como se houvesse muitas mulheres gritando e se aproximando das plataformas. Acenderam-se as luzes superiores e enormes rostos humanos surgiram horripilantes, acima dos excursionistas, que ficaram horrorizados com aquelas aparições. Estavam tão próximas que poderiam ser tocadas, se alguém se atrevesse a fazê-lo. Eram seres alados e com rosto humano. A plataforma se afastou daqueles seres horríveis, que retornaram ao seu voo após saciarem sua curiosidade sobre os visitantes. Deslocando-se a baixa altitude, a plataforma parou diante de uma figura humana esfarrapada, quase nua e com cortes profundos no rosto e tórax que, retesando os músculos do pescoço, rosto, braços e pernas, gritou tão alto que, novamente, quase o botão de pânico foi acionado. O medo atingiu forte a todos. A plataforma afastou-se, deixando aquela figura para trás. No alto, podiam ser ouvidos sons de alguma coisa que sobrevoava as plataformas. Eram sons guturais que lembravam o coaxar de sapos em uma lagoa, mesclados a outros que pareciam produzidos por gralhas. As luzes se acenderam em direção ao alto e localizaram várias aves que voavam apressadamente, como se estivessem fugindo de algo ainda mais assustador do que elas mesmas. Essas aves se pareciam mais com morcegos do que aves propriamente ditas, e voavam em bandos de dez a doze indivíduos, deixando para trás um rastro escuro de partículas formando um traçado espesso. Abaixo da plataforma, sons de pessoas correndo em solo alagado ou pantanoso, gritando insultos contra os excursionistas. As luzes apontaram para baixo e foram vistas pessoas de aparência terrível, recolhendo pedras, paus e objetos que encontravam para jogar contra o foco de luz que as incomodava. Subitamente, alguns deles saltaram alto e alcançaram as plataformas, deixando seus ocupantes em pânico. Os alunos chegaram a pensar em saltar para fugir dos invasores, mas seria pior cair entre eles do que enfrentá-los. Antes, porém, que tentassem reagir contra aqueles estranhos, a equipe aproximou-se, atirando projéteis de descarga elétrica que os atordoavam e faziam com que se soltassem das plataformas, caindo de volta no pântano. Livres daquele susto terrível, a excursão se viu quase que imediatamente diante de outro, pois à frente delas ouviam-se mais sons assustadores. Pareciam cavalos raivosos, bufando pelas narinas, impregnando a atmosfera com seu odor. As luzes miravam os animais, encontrando equinos monstruosos, cavalgados por seres simiescos, peludos como gorilas. Afastaram-se por causa das luzes, que os deixavam aparentemente cegos. As plataformas seguiram e notaram adiante luzes fracas, como se fossem tochas de algum vilarejo medieval. A iluminação era extremamente fraca, que pouco deixava ver seus habitantes de feições fechadas e taciturnas. Nesse vilarejo, encontraram vários animais, como cães, gatos, galinhas e patos, que perambulavam por ali. Nas paredes das habitações havia seres semelhantes a grandes aranhas. Outros pareciam escorpiões e outros, ainda, caranguejos cobertos por pelos.

Os alunos olhavam com expressão de surpresa, pois não supunham encontrar animais domésticos por ali.

Afastaram-se do vilarejo e seguiram em direção ao hangar, para alívio da maioria que estava muito tensa com tal experiência que estava mais para um pesadelo do que para uma excursão cultural. Repentinamente, duas das integrantes do grupo de Guilherme, Margaret e Bianca, ficaram paralisadas e se desintegraram no ar. Estavam voltando ao corpo físico, abandonando a excursão e deixando-o sozinho na plataforma, que já se aproximava do hangar, estacionando. Todos desceram muito rapidamente dos veículos, como se tivessem pressa de deixar o local e não repetir mais aquela experiência. Caminharam céleres em direção ao portal para ir o quanto antes à biblioteca em busca de segurança.

– Esperem – gritou Anésio.

– Preciso fazer a chamada para verificar se estão todos aqui.

Feita a chamada e excluindo aqueles que voltaram ao corpo físico, Anésio percebeu que faltava uma pessoa.

– A Denise estava com quem? Quem a acompanhava?

– Ela estava conosco até agora há pouco. Não percebi quando ela se separou de nós – respondeu Helga, uma das alunas, que também era parente de Denise.

– Eu a vi – falou Luiz Carlos. Ela foi a primeira a descer das plataformas e correu diretamente para o portal. Pareceu-me estar com muito medo.

– Precisamos encontrá-la para a descontaminação, senão ela poderá carregar consigo germes para a nossa dimensão – explicou o professor à equipe de segurança, que seguiu para o portal à procura de Denise.

Antes de atravessarem o portal de volta ao prédio, acionaram um dispositivo de descontaminação instalado em seus uniformes, que faz desprender um vapor verde brilhante. Atravessaram o portal e encontram Denise próxima à saída, com as pupilas dilatadas, chorando e trêmula. Estava aterrorizada, mas não conseguia voltar ao corpo físico. Acionaram o dispositivo descontaminante de seu uniforme e aplicaram-lhe uma pequena descarga elétrica com um aparelho semelhante a uma caneta instalada no uniforme, que a enviou de volta ao corpo físico para acordar sem lembrar-se do ocorrido e sem as sensações desagradáveis que teve durante a aula. Caso contrário, ela poderia acordar com um sentimento de medo que a deixaria passar um péssimo dia.

– Acompanhem-me, por favor – pediu Anésio aos alunos que já estavam descontaminados e atravessavam o portal de volta à biblioteca. Depositem seus uniformes naquela abertura para que sejam desmaterializados, pois não é material reaproveitável.

– Agora vamos à sala de reuniões, onde poderemos conversar.

Na sala havia uma grande mesa ovalada, cercada por cadeiras de madeira, aveludadas e macias. Era um ambiente muito iluminado, se comparado com o local de onde vieram. As luminárias espalhadas por toda a sala produziam uma luz que quase se assemelhava à de um dia ensolarado.

– Por favor, acomodem-se e perguntem o que quiserem. Estou à disposição para responder suas indagações a respeito da aula – falou Anésio.

Mas todos ainda estavam chocados com a viagem e não conseguiam falar. Anésio, então, percebeu a indisposição do grupo e sugeriu:

— Sobre a mesa há vários frascos com líquidos nutritivos, que têm a função de eliminar as vibrações absorvidas daquele ambiente onde estivemos. Sirvam-se e se sentirão melhor. Na primeira vez é assim mesmo. Não se preocupem. Bebam e relaxem um pouco. Quando se sentirem melhor, podem fazer as perguntas que desejarem.

Todos se serviram rapidamente daquele líquido saboroso, levemente adocicado, como mel diluído.

Após cada gole, os alunos suspiravam, como se estivessem deixando cair pesados fardos. Depois de alguns minutos, já estavam mais tranquilos e alguém levantou a mão para perguntar:

— Professor, notamos o aspecto medonho dos seres que vivem ali naquele ambiente inóspito do umbral e que os animais também são assustadores. Seria o ambiente pesado do umbral o causador de tais deformidades?

— Ocorre exatamente o contrário, minha cara amiga Maria do Patrocínio. As energias pesadas próprias daqueles seres que encontramos, tanto os humanos como os híbridos, os atraíram àquele ambiente, por possuírem sintonia energética, isto é, energias semelhantes às de lá. Não chegaram ali inocentemente nem adquiriram aquele aspecto por estarem ali por algum tipo de castigo imposto por alguém. Aqueles seres já vibravam daquela forma, por isso foram atraídos para ali, como um pedaço de ferro é atraído por um ímã. Suas energias e sua vibração se assemelham à do local. Sua própria energia, somada à energia de outros que estão ali formando aquela atmosfera, pode deformá-los daquele jeito.

– Professor, eu sempre achei que os animais fossem seres puros e por isso não poderiam ser atraídos a um local como aquele. Como isso ocorreu, pois os vimos ali? – perguntou Ludmila.

– Os senhores ficariam surpresos em saber que a maioria dos seres que se julgam animais, na verdade, são pessoas com aspecto que lembra animais. Aqueles cavalos, por exemplo, eram pessoas e os que cavalgavam, também. Aquele ser com rosto humano, corpo alado e coberto por escamas era uma criatura que criou para si aquela forma, pois é assim que se sente. Pessoas como estas poderiam ter servido de modelo para criação da caricatura daquele ser imaginário que as pessoas fantasiosamente chamam de diabo, demônio, satanás etc., ou poderia ser o contrário. Essa caricatura talvez tenha servido de modelo para aquele que provavelmente estava querendo mostrar-se tão assustador e por isso respeitado no seu meio. Na verdade, merecem mais a nossa compaixão do que o nosso temor, pois são seres de baixa condição espiritual. Não são demônios nem animais. São pessoas envolvidas em energias densas por tanto tempo que perderam sua forma humana. Algumas das aves, os insetos e os pequenos roedores vistos ali são realmente animais, mas que não existem na Terra. Eles se alimentam do tipo de energia abundante naquele local. Por isso, na verdade, não são animais inferiores como poderíamos pensar, mas são criaturas que auxiliam na eliminação de grande parte daquelas energias que poderiam ser ainda mais densas se não fosse por suas ações depuradoras. Outros animais que não fazem parte daquele ambiente, como os cães e gatos, por exemplo, são animais que, de alguma forma, se envolveram em energias pesadas levadas a partir de seres humanos que os usavam como instrumentos para fazer algum tipo de maldade a outros seres humanos. As nossas equipes de resgate estão frequentemente recolhendo-os para tratamento, pois não estão ali voluntariamente, na maioria das vezes. No entanto, o fluxo de resgate é menor do que o fluxo de ingresso a estas zonas de escuridão.

Anésio interrompe sua explicação ao perceber que alguém tinha levantado a mão para perguntar.

– Pois não, sr. Benedicto.

– Por que o voo daqueles seres semelhantes a grandes aves era tão silencioso, apesar de suas enormes asas?

– As asas são meramente acessórios das fantasias que aqueles seres criaram para eles mesmos. Na verdade, o voo deles não depende do suposto deslocamento de ar produzido pelas asas, como ocorreria com as aves terrestres. Voam por ação do pensamento. Se não tivessem asas, voariam também, mas seu aspecto fica mais assustador quando exibem as grandes asas. E é justamente o que querem: assustar, não somente as pessoas encarnadas, que produzem uma energia densa de medo, da qual se alimentam, mas também os desencarnados de condições semelhantes às deles, a quem podem dominar pelo temor, usando-os e obrigando-os a trabalhar como escravos. Quando seres como estes se tornam visíveis aos humanos encarnados ou surgem em sonho, fortes descargas de adrenalina e cortisol são liberadas na corrente sanguínea da vítima e adensam suas energias, que são absorvidas por eles.

— Pois não, sra. Simone – falou Anésio, apontando para outra aluna que levantava a mão.

— Notamos a presença de algumas aves que não emitiam sons e pareciam, apesar do aspecto denso, ser translúcidas, pois as luzes dos holofotes as atravessavam. Como pode ser isso?

— Aqueles seres não eram reais. Eram criações mentais dos que vivem naquele local. São materializações de pensamentos repletos de energias densas. Essas criações mentais têm, no entanto, a capacidade de produzir lesões graves em quem as toca, podendo criar distúrbios que atingem inclusive o corpo físico de um encarnado, causando determinados tipos de câncer. Elas possuem forma e densidade. Aparentam ter vida, mas são apenas pensamentos materializados que contêm energias extremamente perigosas. Aquele rastro, por exemplo, se for inalado por encarnados pode causar lesões respiratórias, neurológicas ou enfermidades difusas por todo o corpo físico. Os encarnados, quando vão a lugares como estes desacompanhados de uma equipe de segurança, podem inadvertidamente entrar em contato com estas energias. Isto ocorre frequentemente com pessoas que se utilizam de indução química para se desdobrarem, isto é, pelo uso de bebidas alcoólicas ou pelo consumo de drogas, conseguem alterar as polaridades magnéticas do corpo físico fazendo com que o corpo espiritual se afaste do físico dirigindo-se àquelas paragens.

— Sra. Jéssica, deseja perguntar algo? – dirigiu-se a uma aluna que estava com a mão levantada.

— Sim. O senhor disse que o inferno não existe. O inferno seria então uma caricatura do umbral?

— Antes seria interessante entender o que vem a ser o umbral — ponderou o professor Anésio. O umbral não é exatamente um lugar, mas uma condição energética, isto é, sua formação inicial ocorre a partir da reunião de seres que possuem energias muito densas, cujas vibrações são semelhantes entre si. Imaginem que inicialmente uma pessoa que possuía uma forte vibração negativa viu-se desencarnada e errante na dimensão espiritual. Outra, ao desencarnar e tendo as mesmas características energéticas daquela que já está na outra dimensão, imediatamente é atraída a ela. Com isso, a intensidade energética dobra. Mais dois desencarnam e também vibram igual aos que estão ali. Esses também serão atraídos e a energia quadruplica. À medida que indivíduos com as mesmas características energéticas desencarnam e se juntam aos demais, estas energias se adensam, criando uma atmosfera própria nessa abundância energética pesada. Com grande disponibilidade destas energias, disponibiliza-se também a matéria-prima para moldarem seus pensamentos, pois essa energia densa é muito plástica. Deste modo, podem ser criados todos os ambientes do umbral, que dão a ele o aspecto de lugar e não de uma situação energética coletiva. O umbral é resultante do encontro de muitas pessoas sofredoras. Não sendo um lugar, pode formar-se em qualquer local onde se reúnam pessoas encarnadas ou desencarnadas que possuam estas vibrações energéticas. Como essas energias são muito densas, de modo geral, se formam bem próximas aos habitantes da Terra encarnados, pois a nossa energia quando encarnados já é densa por natureza. O inferno para onde vão os pecadores para um sofrimento eterno é apenas uma ilustração fantasiosa criada por algumas lideranças religiosas, que se utilizam do medo e da ignorância para reforçar sua dominação.

Os alunos ficaram pensativos e, ao mesmo tempo, preocupados em saber se suas energias se assemelhavam às do umbral, temerosos em serem atraídos ao desencarnarem.

Anésio, adivinhando a preocupação dos alunos, esclareceu:

— Não se preocupem, pois o que faz criar este padrão é principalmente a culpa. Se fizermos tudo com boa intenção, mesmo que não saia como o esperado, dificilmente vibraremos em padrões perigosos. Quando fazemos algo, mesmo que não tenha consequência grave, mas gere culpa, poderemos ser atraídos. No entanto, se fazemos algo desastroso, mas com uma intenção positiva, não há "consciência pesada". Então, não somos atraídos. Se ainda assim tivermos nossa parcela de culpa, pois ninguém é anjo aqui, e formos atraídos, lembrem-se de que nada é eterno. Perdoem-se a si mesmos, livrem-se da culpa. Nunca estamos sozinhos e abandonados. Peçam o amparo a Deus. Ele nunca abandona ninguém. Basta um simples pedido sincero para que este padrão se desfaça e retornemos aos nossos amigos da Luz. Eu posso dizer isto com convicção, pois sou um resgatado das profundezas onde cheguei pelos crimes que cometi.

Todos ficaram surpresos com a revelação, mas nada comentaram a respeito, permanecendo em silêncio.

— Não tendo mais perguntas, damos por encerrada a aula de hoje. Amanhã nos reuniremos novamente e os senhores escolherão outro tema.

SABATINA

Todos se despediram e saíram do prédio, indo cada qual para onde mais lhe interessava. Guilherme foi ao encontro do sr. Gustavo, pedindo que lhe fosse dada a oportunidade de conhecer animais de outros mundos, diferentes dos que existem em nosso planeta. Mas Gustavo não o encorajou, pois exigiria um conhecimento prévio. Seria necessário entender muito bem tudo sobre os nossos irmãos animais da Terra antes de procurar estudos muito avançados, sem os quais pouco proveito teria. Por isso, Gustavo sugeriu a Guilherme que escolhesse um tema de ficha verde na próxima aula, pois seria interessante. Não tendo mais atividades estudantis no "rancho", Guilherme despediu-se do amigo e se afastou para ir ao encontro de sua noiva, com quem ficou durante o resto da noite, indo a vários lugares em sonho até o amanhecer.

Quando acordou, dirigiu-se à cozinha, onde estava sua mãe pondo a mesa do café da manhã.

– Bom dia, mãe!

– Bom dia, Gui! – respondeu dona Elza, sorridente.

– Como passou a noite? – perguntou a mãe, enquanto esperava o leite ferver.

– Ah! Foi horrível. Tive sonhos ruins a noite toda. Acho que foi aquela pizza de calabresa do rodízio. Comi demais, por isso tive estes pesadelos. Sonhei que cheguei a um castelo enorme, frio e escuro. Lá estava cheio de fantasmas. Entrei morrendo de medo, mas entrei. Lá dentro havia várias pessoas que me puxaram para uma sala que parecia uma masmorra. Acho que eles moravam no local. O líder deles era um senhor bem mais velho, que tinha uma voz cavernosa. Levei um susto e saí correndo. Subi umas escadas e caí em uma sala escura, onde tinha uma porta que dava para o sótão. Curioso, abri-a e dei de frente com uns monstros que quiseram me atacar. Corri de volta, tranquei a porta por onde entrei e vi a Cláudia. Foi o maior alívio. Assim que a vi, tudo mudou. As coisas ficaram mais claras e surgiram muitas paisagens bonitas. O castelo sumiu e apareceu no lugar uma montanha coberta de árvores e flores coloridas, com o sol surgindo por trás dela, e o mar. Dava para sentir o vento do mar batendo em meu rosto. Nem parecia sonho. Aliás, não sei como consegui lembrar-me tanto assim dos sonhos que tive hoje. Geralmente, nem me lembro deles – Guilherme ia se servindo, enquanto conversava com a mãe, mordiscando algo entre uma frase e outra.

– Que noite, hein, filho? Ainda bem que minha nora favorita apareceu – comentou dona Elza.

– Vocês vão sair hoje? – perguntou a mãe.

– Sim. É domingo e quero aproveitar para ficar com ela o máximo que puder. A gente quase não se vê. Hoje vamos tirar a diferença.

Cumprindo o que disse, Guilherme passou o dia com a noiva. O tempo passou rápido, pois as horas voam quando estamos nos divertindo.

No fim da tarde, quando o sol já estava se pondo, foram para uma colina que oferecia uma linda vista da região para apreciarem aquele espetáculo da Natureza.

À medida que o sol se escondia no horizonte, deixando de exibir o seu brilho e de iluminar o céu, os olhos de Cláudia se enchiam de lágrimas de alegria. Mas nem só de felicidade eram as lágrimas que rolavam por sua face, pois algo a deixou inquieta por alguns instantes. Parecia querer dizer algo a Guilherme, mas sentia-se insegura. O rapaz, notando a expressão de angústia no rosto da noiva, perguntou-lhe:

– O que a está incomodando? Você não parece feliz. Aconteceu algo que queira me contar?

Cláudia retira de sua bolsa algumas folhas de papel e as entrega a Guilherme.

– É uma carta psicografada de seu pai – falou Cláudia ao noivo, esperando que não acreditasse e se recusasse a ler a mensagem pretensamente escrita por seu falecido pai e ainda não compreendesse a importância de tal documento. No entanto, Guilherme pegou os papéis e olhou para a jovem como que esperando uma confirmação sobre o que acabava de ouvir. Então, desdobrou as folhas e começou a ler em silêncio.

"Querido filho,

Estou enviando esta carta para dizer que lamento todos os dias e peço a Deus que me ajude a retirar as marcas da culpa que ficaram em mim pelo que fiz a Bob, a você e à sua mãe. Eu sei que vocês já me perdoaram, mas eu ainda não. Agora não choro mais por isso, mas minha consciência ainda me cobra a cada instante uma reparação pelo erro. Espero que tenha gostado do presente que lhe enviei. Sei que está sendo amado por vocês. Sei que não é o Bob e também não o dei a vocês como substituto. É apenas o meu pedido de desculpas. Aqui, onde vivo, trabalho em um hospital que cuida de animais, a fim de me redimir de meus atos impensados. No entanto, estou gostando do que faço. Gosto tanto que já não faço por obrigação, e sim, por gosto. O mais importante que tenho a lhe dizer nesta carta é a respeito do pedido que fiz ao diretor da instituição onde trabalho. Pedi a ele que me inscrevesse como candidato à reencarnação. Fui aceito e os preparativos já estão sendo iniciados. Esta é a primeira vez que escrevo a vocês desde que cheguei aqui, pois não tinha condições para isso antes. Agora, estou bem melhor e, como os preparativos já se iniciarão no próximo mês, é provável que esta seja a única carta que poderei enviar. Em breve, estarei voltando a essa dimensão e peço a Deus que possa reencontrá-los em meu retorno. Diga à sua mãe que a amo e que também arrume um lugar para mim em seu coração. Amo vocês todos. Espero que se case com Cláudia. Ela é uma ótima moça. Fiquem com Deus".

Guilherme terminou de ler a carta, com lágrimas nos olhos. Cuidadosamente, dobrou as folhas e as guardou em seu bolso. Olhou para Cláudia, que mantinha os olhos fixos no pôr do sol, abraçou-a, ficando assim até a noite chegar completamente.

Caminharam abraçados até o automóvel e foram para a casa de Guilherme dar uma notícia à dona Elza: que se casarão em breve.

— Finalmente, vocês se decidiram. Estava na hora de me encomendarem um neto.

— Calma, mãe. Só estamos falando em casamento. Os netos ficarão para depois.

Cláudia olhou para Guilherme com expressão de reprovação. Então, ele voltou atrás no que disse.

— Está bem, vamos encomendar o Júnior o mais breve possível.

E todos riram por Guilherme já ter escolhido o nome para o neto de dona Elza. Imediatamente, começaram a planejar como fariam a cerimônia e tudo o mais.

Dona Elza era daquelas católicas fervorosas, e dona Ayako era católica não praticante. Guilherme não era católico, Cláudia era espírita, mas para agradar as mães resolveram fazer uma cerimônia na igreja da cidade. Desde então, dona Elza e dona Ayako conversavam quase todos os dias.

Aquele domingo foi especial e inesquecível para toda a família. Mas, findo o dia, Guilherme em sonho se desdobra novamente ao "rancho" para prosseguir com suas aulas. Ao chegar à biblioteca, todos já estavam presentes, então, o sr. Gustavo anuncia:

— Antes de os senhores saírem para outra excursão, serão submetidos a uma sabatina. Queremos avaliar o aproveitamento que estão tendo das aulas. Espero que tenham estudado.

— Prova?! – pensou Guilherme – eu nem estudei nada. Nem sabia que tínhamos que fazer provas aqui. E agora?

Gustavo falou para todos: peguem as folhas de teste e respondam às perguntas da forma mais completa possível.

O tempo de duração é trinta minutos, de acordo com este relógio à frente de vocês. Boa prova!

Cada um pegou sua folha de teste e se acomodou em uma das cadeiras que ficavam ao redor da mesa de reuniões onde estiveram no dia anterior. Guilherme olhou para a sua prova e engoliu em seco. As perguntas eram muito complexas e as respostas vinculadas umas às outras, isto é, se errar a primeira resposta, todas as outras estarão erradas também.

— O que vou fazer agora? Não sei a resposta da primeira pergunta. Aliás, não consigo entender nem o que está sendo perguntado.

Guilherme olhava para a sua prova, enquanto mordia os lábios e a ponta de sua caneta, que já estava ficando amassada. Seus calcanhares batiam nervosa e ansiosamente no chão sem que uma resposta se formasse em sua mente. Quinze minutos se passaram e Guilherme nem sequer escrevera uma letra ou tocara a caneta na folha de respostas. Entretanto, Glaucer, uma das alunas se levantou, dizendo:

— Terminei, e estava muito fácil. Nem parecia uma prova.

Guilherme sentiu-se enregelar por dentro e pensou:

— Se ela diz que está fácil assim e eu nem consigo começar a prova, então estou perdido. Provavelmente, serei barrado nas aulas e não poderei prosseguir com os estudos.

Vinte e cinco minutos se passaram e Guilherme ainda não havia conseguido iniciar as respostas de suas questões de avaliação. E pensava consigo mesmo:

— Estas perguntas parecem sem sentido. Nunca ouvi falar destes assuntos. Será que faltei tanto assim às aulas?

Vinte e nove minutos, e nenhuma resposta às questões.

Trinta minutos se passaram sem que uma palavra fosse escrita na folha de respostas. Guilherme já estava se considerando excluído da turma.

Então, Gustavo retornou à sala e pediu que deixassem as folhas sobre a mesa e aguardassem pelos resultados.

Os alunos se olhavam, em silêncio, mas a expressão de ansiedade era notável no rosto de cada um. Poucos minutos depois, e o sr. Gustavo retornou com os resultados das provas.

– Senhoras e senhores, devo dizer que todos foram muito bem – falou Gustavo, enquanto se ouvia um burburinho entre os alunos que, pelo visto estavam na mesma situação de Guilherme, isto é, entregaram em branco a folha de respostas.

– Esta prova – falou Gustavo – é uma avaliação de alunos da colônia "Coroa Solar", localizada na "Constelação de Cocheiro". Estas perguntas se referem a questões relacionadas a anatomia, fisiologia, bioquímica, patologia e terapias de animais que vivem naquela região da galáxia. Os senhores puderam notar a dificuldade em entender até mesmo o que estava sendo perguntado. As respostas... nem eu mesmo sei quais são. A prova foi somente uma forma de demonstrar aos senhores quanto é complexo o entendimento das coisas que estão além de nosso alcance. Calculamos que para podermos participar das aulas em "Cocheiro" deva levar talvez 150 anos de estudos antes que possamos entender os animais que vivem naquela região. Quando estivermos em condições melhores de entendimento, talvez recebamos a visita de um dos orientadores de lá para nos dar uma palestra a respeito de como trabalham e para entendermos como estamos distantes daquela outra realidade. Procuremos nos esforçar para ser o melhor possível neste nível em que nos encontramos agora, nesta condição atual. Aquela outra ainda está no futuro. Portanto, não se preocupem com ela neste momento. Parabéns, todos foram aprovados. E quanto a Glaucer, foi só uma encenação combinada, pois ela também não sabia as respostas – concluiu Gustavo, com uma pequena risada, que foi copiada pelos alunos, pois compreenderam a intenção da brincadeira.

– Agora, por favor, todos se reúnam no andar superior para a escolha das fichas de roteiro de excursão para onde desejam ir hoje – pediu Gustavo.

Em Auxílio

Dirigindo-se ao andar de cima, Guilherme seguiu o conselho de seu amigo Gustavo e escolheu a ficha verde. Enquanto esperavam pela professora que ministraria a aula prática, os alunos conversavam a respeito da excursão anterior.

Surgiu uma moça muito bonita, com grandes olhos negros e brilhantes e uma voz macia e suave como a de um anjo. Sua aura iluminava por onde passava. Com um jeito muito meigo de falar, pediu que os alunos que tivessem fichas verdes a seguissem para darem início à excursão.

– Boa noite! Meu nome é Vivian. Eu serei sua orientadora durante nosso passeio à crosta terrestre. Hoje, iremos visitar lugares interessantes e pitorescos, onde poderemos interagir com os animais e as pessoas que encontrarmos. Imagino que após a prova por que passaram e a tensão a que estiveram expostos, vocês devem estar cansados, mas posso garantir que ao final de nosso passeio, sentir-se-ão revigorados. Hoje, teremos a oportunidade de estudar na prática como é feito o auxílio aos nossos irmãos animais em diversas situações em que nós não seremos meros espectadores, mas, sim, atuantes. Teremos o ensejo de dar a nossa contribuição. Poderemos auxiliar na reconstituição de corpos espirituais de animais enfermos, ajudaremos nossos assistidos e amigos veterinários em cirurgias de alto risco, partos difíceis e muitos outros locais que serão realmente gratificantes.

Guilherme ouvia Vivian falar e parecia que sua voz vinha de todos os lados. E era tão agradável de se ouvir, que mal prestou atenção no que era dito, mas se preocupava em sentir a vibração positiva que aquela voz quase divina deixava no ar.

– Senhores, então, eu gostaria que me acompanhassem até o andar superior, onde se encontra o portal aberto para nossa excursão.

Todos a seguiram, com sorrisos de satisfação estampado no rosto, pois aquela moça realmente encantava as pessoas.

– Aqui é o nosso ponto de partida. Iremos, primeiramente, a uma clínica para tratamento de pessoas encarnadas, obviamente portadoras de deficiências neurológicas congênitas, em que a terapia se apoia basicamente no contato físico com animais. Podemos partir? Então vamos – falou Vivian.

Dizendo isso, formou-se um grande vórtice à frente dos alunos que, à medida que aumentava de tamanho, ia envolvendo a todos e a paisagem ao redor ia se modificando. Aos poucos, viram-se em um vasto gramado verde e uniforme, como um tapete, onde se podia notar a presença de muitos equinos. Para cada um deles, um instrutor acompanhava puxando suavemente as rédeas enquanto outro seguia de perto os movimentos do animal que era cavalgado por uma pessoa portadora de alguma deficiência neurológica ou alguma síndrome como, por exemplo, o autismo. Os pacientes permaneciam sobre a sela, no dorso do animal, que andava suavemente na grama macia, fazendo com que o paciente participasse destes movimentos. O paciente abraçava o animal enquanto ele andava.

Vivian levou os alunos ao centro do gramado e pediu que observassem o halo de luz ao redor do animal.

– Notem – dizia Vivian, com sua voz quase hipnotizante – aquele brilho ao redor do corpo do cavalo. Percebam como ele aumenta quando caminha e mais ainda quando é abraçado pelo paciente. Observem que é uma energia forte que envolve, além do animal, o paciente. Essa energia é muito semelhante à de equilíbrio encontrada nos seres humanos. Então, os pacientes, ao entrarem em contato com os animais da terapia, recebem uma forte carga de energias reparadoras que fazem circular energias que estavam estagnadas pelo corpo e, principalmente, nas células nervosas do cérebro que foram lesadas durante o nascimento. Vejam como esta energia se move como um turbilhão sobre o paciente e se concentra em suas terminações nervosas e no cérebro. É uma verdadeira terapia de regeneração celular. Observem aquele garotinho que foi vítima de anoxia cerebral ao nascer. Vejam aquela grande faixa escura que envolve seu cérebro e que se estende aos nervos periféricos. Quando ele é colocado sobre o cavalo, imediatamente forma-se um circuito que se fecha, fazendo com que seu sistema cerebral se encha desta energia azul esverdeada que traz momentos de lucidez ao paciente e o "aterra", permitindo que seu espírito entre em contato com a dimensão física, pois encontra-se mais frequentemente na dimensão espiritual do que na física. Vamos nos aproximar daquele garoto e ver de perto como isso ocorre.

– Notem como ele percebe a nossa presença, enquanto está alheio ao que ocorre em seu mundo físico. Esperemos até a energia do equino envolvê-lo – pediu Vivian.

Então, aguardaram enquanto viam aquele brilho envolver o garoto, que adquiriu energeticamente a mesma cor do seu animal terapeuta.

– Vamos nos aproximar novamente. Percebam que ele está sorrindo mais intensamente e olha para seus pais que estão próximos, reconhecendo-os e acenando para eles. No entanto, não capta mais a nossa presença, significando que se voltou para a dimensão física, onde estão seus pais e sua verdadeira realidade. Ao entrarem em contato, a energia amorosa e despretensiosa do animal preenche os espaços vazios dos campos energéticos do paciente, tornando-o verdadeiramente reencarnado, induzindo-o a desejar permanecer nesta dimensão, a física, e não na espiritual. É assim que se processa, muitas vezes, a cura parcial e até total em pacientes com essas disfunções congênitas – explicou, enquanto todos os alunos observavam em silêncio, maravilhados com o que viam.

– Venham, vamos nos aproximar daquele cavalo que está ali. Toquem-no e sintam sua energia antes de ser tocado pelo paciente. Vejam o diâmetro do halo de energia. Agora, observem após ser montado pelo paciente, um garoto autista. Vejam como o diâmetro energético aumenta diversas vezes. Agora, sintam a energia. Toquem-no, novamente.

Então, puderam sentir a vibração suave e balsamizadora, diferente daquela anterior que era semelhante à de um cavalo qualquer, pronto para um trabalho no campo ou na fazenda.

– O animal conhece seu potencial energético e se compraz em auxiliar, transferindo essa energia aos pacientes de forma voluntária – falou Vivian.

– Eu gostaria que vocês reparassem que os animais são conscientes do que fazem, e fazem dessa forma porque, simplesmente, querem colaborar com a recuperação da saúde de uma pessoa, com quem acabam criando vínculos energéticos inseparáveis. Vocês devem saber que existiu uma pessoa que acreditava que os animais possuíam raciocínio lógico e estava disposta a provar isso. Ela resolveu que treinaria alguns equinos para aprenderem códigos de sons que poderiam produzir pateando o solo. Com persistência e paciência, conseguiu que os cavalos entendessem o código por meio dos quais poderiam construir palavras e até frases com os sons das batidas de suas patas no chão. O treinador fazia perguntas aos equinos e eles respondiam por batidas, passando a se entenderem mutuamente. Também ocorria o contrário, isto é, os equinos perguntavam e o treinador respondia. Os equinos entendiam o que seu treinador perguntava em idioma germânico. Vejam seu nível de inteligência! Conseguido o intercâmbio desejado, passou a lhes ensinar as operações básicas de cálculos matemáticos, que aprenderam rapidamente, dando respostas corretas ao cálculo solicitado. Ensinou-lhes algo que não acreditava que pudessem aprender, mas aprenderam: a raiz quadrada. O mais surpreendente ocorreu após terem aprendido isto.

Os equinos, por dedução, sem que lhes fosse ensinado, conseguiam resolver problemas de raiz cúbica. Percebam que não se trata de uma inteligência elementar, pois possuem inclusive raciocínio matemático. Somente por essa experiência feita no início do século XX, podemos concluir que os animais são inteligentes e merecem ser tratados de forma diferente do que são tratados por nós, que os torturamos e os matamos para nos alimentarmos de sua carne ou por prazer ou esporte.

Ao término de sua última frase, Vivian observa ao longe algumas pessoas conduzindo cães treinados para serem também animais de terapia.

– Vejam, já estão trazendo os cães. Vamos nos aproximar para senti-los, também.

Todos a seguiram até próximo aos cães, que eram muito dóceis e disciplinados. Eles são usados para recuperação de pacientes internados em hospitais, em consequência de enfermidades graves e irreversíveis, o que os torna depressivos.

Ao chegarem perto dos cães, estes perceberam a presença da equipe e abanaram a cauda em sinal de cumprimento.

– Toquem os cães e sintam sua energia. Percebam como é suave e leve. Observem melhor e vejam o halo da energia que os acompanha. Notaram como aquele halo verde que envolvia os cães passou a envolver as mãos e os braços dos senhores, assim que os tocaram?

Os animais possuíam uma luz ao redor de cor verde limão muito brilhante aos olhos dos alunos.

– Assim que os tocamos, absorvemos sua energia, sentimos um bem-estar que nos obrigou a continuar o toque.

Enquanto isso, esta energia se renova imediatamente, sendo retirada diretamente do Universo. Ela pode ser inesgotável enquanto o animal for jovem e saudável, pois, à medida que envelhece, a sua capacidade de captar e transformar essa energia diminui.

Enquanto eram acariciados pelos alunos da equipe, os cães mostravam-se alegres com sua presença, pois a aura deles aumentava a cada toque que recebiam.

– Vocês conseguem perceber a alegria com que eles distribuem suas energias? Estes são animais muito evoluídos e que já poderiam estar em outros patamares, encarnando em corpos de animais mais adiantados, mas preferem manter-se nesta condição voluntariamente, pois se sentem úteis e esta consciência facilita a eles absorverem a energia cósmica abundante no Universo – esclareceu Vivian. Vamos ao hospital para onde são levados os cães a fim de que os observemos em atividade terapêutica.

Todos concordaram e se afastaram dos animais, não sem antes abraçá-los como despedida.

O vórtice que os trouxe ao instituto de equoterapia abriu-se, envolvendo-os e levou-os ao hospital em fração de segundos. Quase imediatamente se viram em um hospital infantil na ala de oncologia. Nela, havia leitos com crianças de idades que variavam desde recém-nascidos até crianças com 12 ou 13 anos, portadoras de lesões causadas não somente pela enfermidade de que sofriam, mas também pela ação dos quimioterápicos e da radioterapia.

– Vejam, ali está Fofão – falou Vivian, feliz por reencontrar um velho amigo, que também a reconheceu.

– Vamos acompanhá-lo...

Fofão estava sendo levado ao quarto de uma garotinha de 3 anos de idade, portadora de um hepatocarcinoma, ou câncer congênito do fígado.

– Observem a criança antes de ela notar a presença de Fofão. Vejam as cores escuras que envolvem sua aura. Percebam como as cores são quase monocromáticas, variando entre o azul-marinho, o cinza e cinza-escuro, quase preto. Agora, notem as mudanças com a chegada do cão.

Fofão entra no quarto e, quando a garota o vê, as cores imediatamente se transformam e adquirem um tipo de movimento que não havia antes de sua chegada. Tornaram-se mais claras e as luzes que compunham a sua aura alternaram em luminosidade, dando a impressão de que se moviam. Mas ainda são cores escuras para um padrão bom de saúde emocional.

Quando Fofão aproximou-se e subiu em sua cama, um sorriso estampou-se no rosto da garota que se transformou energeticamente, tornando-se brilhante.

– Olhem a energia dela como busca a de Fofão, a fim de fazer uma ligação com ele. A sua energia tornou-se mais clara, maior e inclinou-se em forma de um cilindro, em direção ao nosso amigo. Vejam como, ao subir em sua cama, a energia de Fofão efetivamente encontrou a dela.

A garota abraçou o cão e o acariciou, como se ele fosse um grande brinquedo.

– Olhem agora o que ocorre com as energias, quando elas se encontram.

A energia de Fofão invade o campo da garota, que adquire a mesma coloração do cão. A tonalidade verde do animal começa a predominar no campo energético da menina, que parece transformada em outra mais saudável. Sua aura, mais brilhante e maior, parecia produzir estalos, como se pequenos fogos de artifício estivessem sendo lançados de dentro dela, explodindo em luzes ao seu redor. Era um pequeno espetáculo presenciado pela equipe de alunos que nunca tinham visto nada semelhante.

– Agora, Fofão precisa ir para outro quarto visitar mais uma criança, mas vejam como a menina está sorridente e alegre. Ela deixou de sentir as dores que a incomodavam tanto antes da chegada de Fofão, que nem mesmo a morfina controlava.

O animal fez menção de que iria levantar-se, então a energia da menina sofreu uma queda. Era muito pequena, mas podia ser notada. Aquele cão da raça labrador, de longos pelos dourados, despede-se de sua amiga com um toque do focinho no rosto dela. Vivian pediu aos alunos que a acompanhassem no exame da atividade bioquímica cerebral da garotinha, através de uma tela que ela criou diante deles.

– A energia doada por Fofão iluminou todo o seu corpo espiritual e, consequentemente, o físico. Percebam o cérebro como se iluminou e teve sua atividade aumentada. Olhem como são produzidas maiores quantidades de hormônio, capazes de aliviar a dor e auxiliar até mesmo na cura. As serotoninas e endorfinas são produzidas em maior quantidade, fazendo minimizar os sintomas – dizia Vivian, apontando para a tela.

Alguns minutos se passaram enquanto examinavam a atividade orgânica da menina, que parecia curada, não fossem as lesões aparentes. Vivian fechou a tela e pediu que os alunos notassem que a luminosidade permanecia inalterada.

— Reparem que a energia continua circulando pelo corpo de nossa amiguinha e continuará por, no mínimo, um dia inteiro, garantindo a ela alguns momentos de bem-estar.

Todos saíram do quarto e se reuniram do lado de fora.

— Aqui já terminamos. Que tal auxiliarmos em um parto distócico, isto é, em um parto complicado em uma fazenda?

Os alunos estavam radiantes pela oportunidade de conhecer aqueles animais especiais. Gostariam de acompanhar Fofão a outros quartos, mas aceitaram o convite de Vivian. O vórtice novamente formou-se diante deles, como se fosse controlado mentalmente por Vivian, transportando-os até uma localidade dentro de um cercado em uma fazenda onde estavam um veterinário e dois auxiliares em dificuldades para solucionar o parto de uma vaca holandesa, Estrela, cujo filhote estava em posição inadequada, sob risco de morrer dentro do abdome materno.

— A situação está complicada. Meu braço é curto para alcançar o cordão umbilical que está muito tenso e envolto ao redor do pescoço do filhote. Se tentarmos puxar, poderá romper-se e causar uma hemorragia fatal à mãe e ao filho ou enforcá-lo – falou Francisco, o veterinário.

— Eu posso tentar? Meus braços são maiores e talvez eu consiga desvencilhá-lo – pediu um auxiliar.

Os braços do auxiliar eram realmente muito longos para um homem de quase dois metros de altura. Ele vestiu suas longas luvas e introduziu o braço até onde foi possível, mas pouco pôde fazer. Também não conseguiu soltar o cordão, que podia sentir com a ponta dos dedos.

O médico estava resolvido a retirar o filhote por uma incisão cirúrgica.

— Vamos ter que retirá-lo por cesariana. Preparemos o material e o local para operá-la.

Enquanto preparavam o material cirúrgico, a equipe chefiada pela professora Vivian aproximou-se a fim de coordenar os trabalhos de auxílio sob a supervisão da equipe espiritual que acompanhava o veterinário que gentilmente concordou em deixá-los praticar.

— Você e você – falou Vivian apontando para dois alunos – apliquem energias anestesiantes sobre o útero da Estrela, enquanto você e você – apontou para outros dois alunos – irão soltar o cordão que está ao redor do filhote.

— Como faremos isso? – perguntou Guilherme, que estava incumbido do cordão umbilical.

— O processo é simples. Não se preocupem. Criaremos um pequeno portal, como o que nos transportou até aqui, que cobrirá apenas parte do corpo do filhote, fazendo com que parte de seu corpo fique em outra dimensão, dando a ilusão de desmaterialização, deixando o cordão solto em sua posição correta antes de fecharmos o portal.

Assim fizeram e em poucos segundos estava tudo resolvido.

Antes da intervenção cirúrgica, Francisco faz mais uma checagem na situação do filhote, palpando-o novamente, e teve uma grata surpresa.

— Milagre! O bichinho se soltou sozinho.

Então todos os alunos riram, quando ouviram o veterinário chamar o que fizeram de "milagre".

Felizes por poderem ajudar, despediram-se da equipe espiritual de Francisco e se afastaram dali.

– Vamos ver como podemos ajudar em uma cirurgia de risco? – convidou a encantadora Vivian.

O turbilhão com forma cônica novamente se formou e os levou a outro local distante em milésimos de segundo. Foram transportados a uma clínica veterinária, onde encontraram o doutor Alcebíades Marcel, que estava começando uma cirurgia.

– Caros amigos, o doutor está se preparando para aplicar anestésicos em Pretinha. Ela apresenta câncer no baço, que já tomou todo o órgão, que deve ser retirado. O problema está no fato de Pretinha ser cardíaca, ser nefropata e o tumor estar envolvendo muitos vasos, dificultando o acesso cirúrgico. Nosso trabalho consiste em auxiliar a eliminar os empecilhos que possam dificultar a cirurgia.

– Valter, por favor, aplique energias anestesiantes em Pretinha para que assim seja necessário uma quantidade menor de anestésicos químicos.

– Vera, por favor, fale mentalmente ao doutor para usar 30% a menos de anestésicos.

– Teresinha, por favor, ponha o baço em uma posição que facilite o acesso para que a cirurgia seja o mais rápida possível.

– Guilherme, por favor, use um portal para retirar uma parte do tumor que envolve os vasos sanguíneos.

– Eu guiarei as mãos de Alcebíades durante o ato cirúrgico, enquanto Maurício se incumbe de regularizar as funções renais ao menos durante a anestesia e a cirurgia, aplicando energias restauradoras e energias antissépticas que eliminarão as bactérias que se encontram dentro dos glomérulos renais de Pretinha.

Trabalharam em conjunto e coordenadamente. Pretinha recuperou-se fácil e rapidamente da cirurgia que transcorreu sem surpresas. Vivian pediu, então, aos alunos que aguardassem um instante, pois o telefone iria tocar.

O telefone toca e o doutor atende. É uma emergência.

– Alô, doutor Alcebíades? – perguntou alguém do outro lado da linha.

– Sim, sou eu – respondeu.

– Doutor, aconteceu um acidente terrível. Um ônibus atropelou uma cachorra sem dono que vive em uma praça que existe em frente à minha casa – falou a pessoa, com voz de quem estava muito ansiosa, quase em prantos. – O ônibus fez uma curva, repentinamente, quando ela atravessava a rua e não teve tempo de se desviar. As rodas passaram sobre seu corpo. Ela está muito mal. Acho que não vai aguentar. O senhor pode socorrê-la, por favor?

– Sim, claro. Irei agora mesmo. Diga-me onde você está.

– Não se preocupe, nós a levaremos até aí – e desligou o telefone.

Poucos minutos depois entram na clínica uma senhora e um rapaz, trazendo a acidentada nos braços. A aparência dela era realmente impressionante. Uma das pernas traseiras foi decepada e a outra apresentava uma grande fratura exposta. A pele ao redor do abdome foi arrancada, como se fosse uma roupa, deixando à mostra as estruturas subcutâneas. A pele que não foi arrancada estava fofa, como se tivesse sido inflada com ar. Mas, incrivelmente, a cachorra não apresentava sinais de sofrimento ou dor. Isto deixava o doutor intrigado.

– Aproximem-se e olhem para esta tela – falou Vivian, que criou outra tela mental. – Vamos aproveitar estes minutos enquanto o doutor a examina para ver o que ocorreu com nossa amiga acidentada.

Na tela, surgiu a imagem de um motorista que conduzia o ônibus que a atingiu em alta velocidade e de maneira imprudente, quando em uma curva que circunda a igreja principal do bairro, a cachorra sem raça definida que foi abandonada quando ainda era filhote atravessava a rua, despreocupada. Ela sempre esteve nas ruas e estava acostumada a andar entre os automóveis, mas o ônibus surgiu muito rapidamente e a atingiu. Com o impacto, a cachorra foi lançada para a frente do veículo, cujo condutor nem sequer cogitou em parar. Os pneus dianteiros passaram sobre seu corpo frágil, comprimindo seu abdome e tórax, fraturando-lhe as costelas. Com a pressão sobre o corpo, o diafragma rompeu-se. As costelas fraturadas se transformaram em lâminas perfurantes e cortantes, que traspassaram os limites torácicos, atingindo o subcutâneo, deixando escapar o ar dos pulmões, fazendo com que inflasse como um balão de borracha e estourasse. A seguir, as rodas traseiras a atingiram, provocando as fraturas e arrancando uma das pernas. Foi uma sequência rápida, mas horrível de se presenciar, que impressionou a todos.

– Notem que a equipe do "rancho" que a assiste está próxima. Eles não puderam evitar o acidente, mas desligaram parcialmente as terminações nervosas de nossa amiga, fazendo com que sentisse o mínimo de dor. Se pudessem, teriam evitado o acidente, mas estava fora das possibilidades, uma vez que estava em seu roteiro esta ocorrência, fazia parte do aprendizado dela.

A tela então foi fechada, pois o doutor Alcebíades já estava terminando seu exame clínico.

– Sinto muito, senhora. Nada há a se fazer por ela. Não há como recuperá-la deste acidente e não podemos deixá-la sofrer mais ainda. O melhor seria fazer eutanásia – falou o doutor.

Enquanto o médico explicava a situação da cachorra à senhora e o rapaz que a trouxeram, o médico espiritual que o acompanhava tocou-lhe as mãos, transferindo para ele uma energia que seria repassada à paciente. Ela passaria pela eutanásia. O doutor olhou para a cachorra, consternado, pois gostaria de poder fazer algo para que se recuperasse, mas não podia.

Decididos pela intervenção que a devolveria à dimensão espiritual, o médico aproximou-se dela e a tocou paternalmente na face com a sua mão esquerda. Neste instante, uma luz dourada com nuanças violetas invadiu a sala de consultas por uma fração de segundo, como um *flash*, mas entre os encarnados somente sua auxiliar, que é uma pessoa mais espiritualizada, pôde perceber. Foi o início da transferência do pobre animal acidentado de volta a outra dimensão. Os presentes pouco notaram a mudança de consciência da cachorra, que se manteve tranquila durante o tempo todo. O médico aplicou-lhe uma anestesia geral para, em seguida, aplicar um bloqueador cardíaco. Enquanto isso, a equipe auxiliar espiritual solicitou a ajuda dos alunos de Vivian, que fizeram o restante do trabalho de resgate, recolhendo o corpo espiritual da fêmea desacordada, desligando os pontos de fixação energéticos que uniam o corpo físico ao corpo espiritual. Os alunos se aproximaram da mesa de atendimento onde ela ainda estava deitada e tocaram os pontos amarelos com cerca de um centímetro de diâmetro. Eram dezenas de pontos. Ao serem tocados, notaram algumas pequenas explosões naqueles pontos luminosos dos quais se desprendia uma nuvem de vapor. Ela se deslocou suavemente de seu corpo físico e escorregou para a outra dimensão, como se estivesse untada em alguma espécie de lubrificante que a tornava escorregadia. Seu corpo estava perfeito. Não havia sinais de fraturas ou lesões extensas como as notadas no corpo físico. Um portal se abriu e a envolveu completamente, levando-a ao hospital do "rancho", onde seria recebida pelas equipes especializadas em acidentes.

– Ela foi levada ao "rancho" para as devidas providências e cuidados necessários – falou Vivian.

E completou:

– Não se preocupem, pois ela nada sentiu, desde o impacto com o ônibus até a sua desencarnação. Agora que foi recolhida para tratamento, logo se recuperará e poderá voltar à Terra para viver com uma família que já foi escolhida para cuidar dela. Retornará em perfeitas condições.

Vivian e os alunos permaneceram na clínica com o doutor e sua equipe espiritual durante toda a jornada. Findo o dia, a professora os convida a retornarem à biblioteca para conversarem a respeito do que participaram e tirar dúvidas. Sob a ação do vórtice transportador, retornam ao prédio.

Ao chegarem ao "rancho", foram à sala de reuniões, onde todos se acomodaram em seus lugares. Alguém levantou a mão e perguntou:

— Neste momento, estamos desdobrados por ocasião de nosso sono. Agora em nosso tempo é noite. Como pudemos estar durante o dia nos lugares em que estivemos se estão tão próximos de nós? Também não deveria ser noite?

— Esta é uma boa pergunta, Enzo — elogiou Vivian. Como os amados colegas sabem, o tempo e o espaço são conceitos relativos. Conhecendo-se a teoria da relatividade de Einstein, podemos entender parte deste fenômeno de deslocamento no tempo e no espaço. Einstein, com sua teoria, dizia que o tempo não é o mesmo em todos os lugares do Universo. Aqui na dimensão espiritual, podemos nos deslocar com velocidades acima da velocidade da luz. Não dá quase para imaginar a que velocidade nos deslocamos, pois a da luz é de 300 mil quilômetros por segundo. Deste modo, podemos nos deslocar tão rapidamente, através de técnicas comuns para nós daqui, que ir para o passado ou para o futuro é muito fácil, pois tanto um quanto outro estão em um mesmo plano. O passado existe e o futuro também. O que não existe, por incrível que pareça, é o presente. Há um passado extremamente recente, mas é passado. Neste momento, enquanto falo, cada palavra que pronuncio é parte do passado. Como nos deslocamos em velocidade acima da luz, podemos viajar tão rápido e alcançar o tempo passado indo até aquele momento. Em todos os lugares onde estivemos há poucos minutos, na verdade, estivemos lá, em tempo da Terra, ontem pela manhã.

Ouviam-se comentários em voz baixa. Os alunos estavam confusos.

— Eu sei que isso os confunde, mas imaginem uma estrela no céu, vista da Terra. A luz emitida por esta estrela, e o que os nossos olhos captam em um determinado momento, demorou no mínimo quatro mil anos. Estou me referindo à luz emitida pela estrela mais próxima da Terra, para atravessar o espaço e nos alcançar. Se nos deslocarmos com a velocidade do pensamento ou através de portais, poderemos alcançar o raio de luz quase no momento em que foi emitido. Então, estaremos no passado de há quatro mil anos. Esta mesma luz que presenciamos a emissão chegará à Terra após quatro mil anos.

— Então, a senhora quer dizer que se nos deslocarmos muito rapidamente poderemos ir ao passado, mas que também é o presente? – perguntou Romualdo, que estava com a mão levantada.

— Tudo o que ocorre no presente já é passado, mas de certa forma, sim, é isso mesmo.

Muitos se olharam, coçaram a cabeça ou seguraram o queixo, tentando raciocinar sobre o que foi dito e entender a explicação da professora. Por mais que pensassem sobre o assunto, muitos não alcançaram a extensão das explicações.

— O que ocorre na prática é isso: podemos viajar no tempo e no espaço. Isso é um fato natural e em breve será um meio de transporte comum também na Terra. Os portais interdimensionais estão sendo estudados e logo saberão, pelas orientações de equipes espirituais, como utilizá-los.

Outra pessoa levantou a mão e perguntou à Vivian:

— Professora, através dos portais pudemos não somente viajar no tempo, mas, como podemos lembrar, nós os usamos de forma auxiliar nas emergências que encontramos hoje. Em uma destas emergências, foi possível retirar parte de um tumor e enviá-lo a outra dimensão. Então, se pudemos retirar parte daquele tumor, por que não o retiramos totalmente? — perguntou Lenita.

— Nós, aqui em nossa dimensão espiritual, podemos fazer coisas que os senhores nem imaginam e que, se as revelássemos, nem aceitariam a possibilidade em tese. Nós temos condições de facilitar a vida de muitas pessoas, mas não podemos interferir. Se tivéssemos permissão para tanto, poderíamos acabar facilmente com todas as doenças existentes na Terra; eliminar todos os germes patogênicos existentes na atmosfera do planeta, e muitas coisas que vocês nem imaginam e que considerariam como fantásticas, mas não temos esta permissão. O Planeta Terra é uma escola e se fizermos isso estaremos isentando seus habitantes do aprendizado. Estaremos atrasando seu aprendizado evolutivo. Temos permissão para auxiliar quando solicitam a nossa ajuda ou quando a ajuda é viável e revestida de alguma forma de aprendizado. Caso contrário, estaremos prejudicando mais do que ajudando — explicou Vivian.

Jane levantou a mão. Queria saber a respeito daqueles equinos que ela mencionou que podiam se comunicar com seu dono.

— Os senhores devem saber que não somos a forma mais inteligente do Universo. Estamos em uma escala considerada baixa de evolução se nos compararmos com outros seres que habitam outros mundos. O mesmo ocorre na Terra. Os seres humanos dividem com outros seres, que na maioria das vezes consideramos como estúpidos, um grau elevado de inteligência. Estes cavalos são um exemplo disso, assim como os golfinhos e as baleias; os cães e tantos outros que humildemente preferem não expor seu potencial intelectual. Preferem submeter-se a nós a nos confrontar. Se os humanos reconhecessem sua inteligência, certamente haveria conflitos, pois somos inseguros por natureza. Não há dúvida de que os seres humanos se confrontariam com os animais por temor da concorrência e por perder escravos baratos. Em pouco tempo deixariam de existir animais. Enquanto não souberem com certeza, consideram-nos como crianças desprotegidas e, sentindo-se superiores, os protegem – concluiu Vivian.

Todos ficaram pensativos e em silêncio. Vivian perguntou se não havia mais dúvidas quanto ao que acompanharam. Não havendo mais perguntas, sugeriu que, se houvesse interesse, poderiam juntar-se a outra equipe que estaria voltando à Terra em poucos minutos para uma excursão a um matadouro de bovinos na cidade de Bauru/SP. Os interessados deveriam dirigir-se ao primeiro andar, onde o professor já os esperava.

Os condenados

Alguns alunos, entre eles Guilherme, quiseram participar de mais esta viagem para acompanhar as equipes espirituais que trabalham em prol do alívio do sofrimento destes animais.

Guilherme dirigiu-se, com os outros alunos, para onde estava o professor Anésio, que conduziria a turma.

Ao entrar na sala, foi ao professor dizendo que gostaria de acompanhá-los. Anésio concordou e informou que ainda tinham dez minutos antes da saída. Guilherme quis aproveitar o pouco tempo para visitar seu pai e saber como iam os preparativos para o seu retorno ao mundo físico.

Indo até a saída do prédio, tomou uma "esteira" e foi ao hospital ao encontro do pai. Ao se encontrarem, abraçam-se.

– Como estão indo as coisas? Já estão acertando a sua reencarnação?

– Sim – respondeu o pai. Hoje mesmo estive no departamento de reencarnação para escolher o modelo de corpo em que devo retornar. De acordo com ele, é escolhido um óvulo específico da minha futura mãe e um espermatozoide específico de meu futuro pai. Mas, filho, preciso pedir-lhe algo para que eu possa prosseguir com os trâmites reencarnatórios. Eu gostaria de falar com Cláudia também.

– Então, vamos até ela.

E partiram, sem dificuldades, pois Guilherme já havia adquirido a habilidade de se deslocar por pensamento.

Encontraram Cláudia em uma colônia-hospital, auxiliando enfermos a se recuperarem. Ao vê-los, aproximou-se e os cumprimentou.

– Cláudia, este é meu pai. Ele deseja conversar conosco e fazer um pedido.

– Ah! Sim, já nos conhecemos.

– Bem, meus filhos, para continuar com meu projeto reencarnatório, preciso voltar como filho de um casal que possa dar-me uma educação de boa qualidade para que eu, tendo apoio e amparo, consiga reparar meus erros do passado. Em outras e não somente nesta última reencarnação, maltratava animais por diversão e nunca fui educado no sentido de não prejudicá-los. Nas cidades do interior é comum e até faz parte da cultura a caça de animais por diversão. Agora tenho consciência de meus erros, mas quando voltar à Terra precisarei de pais que me mostrem desde criança a importância dos animais como nossos irmãos e não como objetos de diversão. Precisarei de pais que se importem com o bem-estar das pessoas e dos animais. Eu gostaria de voltar ao plano físico como filho de um casal que tenha esta consciência. Enfim, eu gostaria que Cláudia me recebesse como seu filho – pediu Benati, com lágrimas nos olhos.

O casal permaneceu em silêncio por alguns instantes, surpreso com o pedido. Benati olhou-os e prosseguiu:

— Se não quiserem, eu entenderei, pois sei que não fui um bom pai e reconheço meus erros. Não posso forçá-los a esta responsabilidade.

— Não poderíamos receber melhor presente de casamento que este, sr. Benati. Para mim, não seria um pesar, seria uma honra recebê-lo como filho. Isso me tornaria a pessoa mais feliz do mundo.

— A mim também, pai. Nada me faria mais feliz do que poder recebê-lo entre nós, novamente.

Um paciente estava tendo convulsões e precisavam de Cláudia com urgência. De longe, uma voluntária fez um sinal para ela que, entendendo ser algo urgente, despediu-se para ir cumprir seu dever, não sem antes agradecer a oportunidade que Benati lhes oferecia de tê-lo como filho.

Guilherme e Benati retornam ao "rancho". Ao chegar, despediram-se e Guilherme disse ao pai:

— Não há bem maior neste mundo que a paternidade, e por isso sou duplamente feliz, pois o terei por perto de novo como um filho.

Retornando ao prédio, Anésio o aguardava para que partissem em auxílio aos animais prestes a serem abatidos em um matadouro. Estando todos reunidos, convidou os alunos a seguirem através do portal aberto que os levaria ao novo aprendizado. Ao atravessarem o portal, chegaram a uma instalação industrial muito ampla, produtora de carnes e de derivados de carne bovina. Era um grande prédio central. À frente dele, muitos caminhões frigoríficos aguardavam pelos carregamentos e outros traziam bovinos vindos de fazendas criadoras da região.

Por detrás do prédio, havia um grande cercado, onde cerca de trezentos bovinos se aglomeravam à espera de seu destino certo. O piso do cercado era de terra e acabava de chover. O chão estava lamacento e escorregadio. Os animais estavam ansiosos e agitados, movimentando-se de um lado para outro, enquanto algumas pessoas andavam entre eles selecionando os que se feriram durante o transporte ou que apresentassem alguma evidência de não estar saudável. Entre eles, havia um que estava estressado e fraco, que nem podia levantar-se. Ouviu-se uma das pessoas dizer:

– Este não serve para consumo. Leve-o à graxaria.

A graxaria era o local para onde eram enviados os animais rejeitados e as sobras de carne que não podiam ser usados como alimento para humanos. O que pudesse ser aproveitado seria convertido em embutidos ou servirá à indústria química ou farmacêutica. Os animais sadios continuavam no cercado para serem levados ao seu destino dentro das instalações. Aquelas mesmas pessoas que estavam entre os animais passaram a conduzi-los forçadamente em direção a um cercado que dava para um corredor que se estreitava cada vez mais até que passasse apenas um de cada vez. Os animais eram obrigados a seguir por ali, pois os encarregados aplicavam descargas elétricas por meio de um aparelho, para que, pela dor, obedecessem e seguissem ao corredor. Grandes bufadas e respiração ofegante, seguidas de mugidos tristes de lamento, podiam ser ouvidas entre os animais que esperavam o encontro com o carrasco na outra extremidade do corredor. Os mais afoitos tentavam inutilmente saltar sobre a cerca muito alta com intenções frustradas de fuga.

Livrar-se daquele fim era impossível. Entre choques e gritos dos encarregados, os bovinos, amedrontados, encaminhavam-se ao único local onde poderiam ao menos se livrar dos choques. Sem opção, iam se enfileirando no corredor estreito, onde somente um de cada vez poderia entrar.

O grupo de estudantes observava tudo, mas nada podia fazer além de observar. Notavam os olhares de angústia e desespero em cada animal, que não notava sua presença. Os olhos dos bovinos estavam esbugalhados de terror.

Anésio pediu aos alunos que apurassem sua visão e percebessem as presenças estranhas dentro do cercado e ao redor.

– Observem a quantidade de entidades desencarnadas que se encontram entre os animais.

Eram centenas ou talvez milhares de seres com aparências medonhas como aquelas vistas durante a visita ao umbral, com corpos deformados. Pareciam personagens de filmes de horror, que se movimentavam rapidamente como sombras entre os animais que sentiam e temiam sua presença. Eram entidades escuras de baixo padrão energético. Alguns corriam alucinados de um lado para outro gritando como dementados, outros cavalgavam nos animais por diversão, outros gritavam aos funcionários, estimulando-os a aplicar mais descargas elétricas nos animais para que, estressados, eles produzissem mais adrenalina e cortisol.

Os animais tentavam fugir desesperadamente das entidades que os assustavam mais que os funcionários com seus aparelhos de tortura, mas não tinham para onde ir. Aqueles seres riam alto, felizes com a possibilidade de absorver as energias dos animais prestes a serem abatidos. Gritavam e uivavam como lobos, à espera de mais energias produzidas pelos pobres animais, que já estavam impregnados delas. A cada choque que os funcionários aplicavam, ouviam-se gritos de estímulo ao redor, pois significava mais energia para ser sugada.

À medida que entrava pelo corredor, o animal que ia à frente conseguia ver a porteira aberta na outra extremidade. Seria a saída daquele inferno? Iludidos com a falsa ideia de poderem fugir dali, corriam apressados com os olhos fixos na porteira aberta. Liberdade, finalmente. Aproximaram-se da porteira, acreditando estar diante da chance de se livrarem do cativeiro, mas, quando a porteira se fechou diante deles impedindo-lhes passagem ou o retorno, fazendo com que ficassem presos no corredor da morte, ouviu-se um grito longo de satisfação de uma das entidades que estava sobre a grade da porteira. Ela dá um salto e imediatamente agarra-se ao tórax do animal, que se assusta com seu movimento brusco para sugar-lhe a energia que escorria em fluxo acinzentado mais abundante ainda, espesso, como graxa. A quantidade de energia que era liberada dos animais assustados para eles era um banquete.

Anésio pediu que observassem acima da porteira. Havia um funcionário escondido, portando uma enorme marreta. A porteira se abriu e o animal, com esperança de deixar aquele sofrimento, foi em busca de uma provável liberdade. Ao entrar, as porteiras se fecharam, e ele não pôde mais retroceder: a marreta desceu sobre sua cabeça, fazendo-o perder os sentidos e ele rolou para dentro do prédio.

Dos alunos ouviu-se um som de lamento pela cena que presenciaram.

Antes que recobrasse a consciência, os funcionários o penduraram pelas pernas de trás em um dispositivo elevatório e cortaram-lhe as jugulares, que jorravam sangue em abundância. Nesse momento, centenas de entidades que estavam à espreita saltaram sobre o sangue para sugar a energia densa. Saltaram aos montes sobre o líquido vermelho, como moscas sobre o açúcar. Lambuzavam-se daquele líquido, como animais selvagens sobre a sua presa. Outros agarravam-se à carcaça da pobre vítima para sugar-lhe suas últimas energias.

Anésio pediu que observassem a carne já embalada e perguntou:

– Os senhores notam algo de diferente nesta carne em relação ao que acompanharam até o momento?

Todos olharam melhor e viram ainda entidades abraçadas aos pedaços de carne e uma nuvem escura ao redor da peça.

O professor continuou:

– Esta energia permanecerá com a carne enquanto existirem células vivas nela e, enquanto não se deteriorar a última célula, aqueles seres permanecerão ali, tentando sorver o que puderem. Mesmo após cozida, a carne levará parte dessa energia, em um bife, por exemplo, que poderá ser servido a qualquer pessoa. Quem a ingerir absorverá parte daquela energia escura, consequência do que passou o animal antes de sua morte e algo das entidades que se mantiveram em contato com a peça o tempo todo.

Alguém perguntou ao professor Anésio:

— Professor, é por isso que não se recomenda comer carne vermelha antes de algum tratamento espiritual?

— Isso mesmo, Marcelo Koji, não se recomenda comer qualquer carne, mesmo a de frango ou de peixe antes de qualquer tratamento espiritual. Na verdade, o ideal seria que deixássemos de ingerir carne, de modo geral, mas, como a maioria de nós ainda sente grande necessidade desse tipo de energia, o consumo é aceito fora dos tratamentos que envolvam energias espirituais. Com o tempo, todos teremos aversão a ingerir carne e acabaremos por achar incrível que alguém possa matar para comer. Em relação à carne vermelha, o que a diferencia de uma branca é a quantidade de mitocôndrias, isto é, microestruturas, encontradas dentro das células musculares da carne de consumo. As mitocôndrias são pequenas fábricas, do ponto de vista espiritual, de ectoplasma. Isso significa que, ao nos alimentarmos desse tipo de carne, estamos ingerindo muito ectoplasma impregnado daquelas energias de sofrimentos pré-agônicos do abatedouro. A carne de peixe e de frango possui uma menor quantidade de mitocôndrias e, consequentemente, menos ectoplasma será ingerido por nós, mas, mesmo em quantidades menores, podemos sentir a energia densa do sofrimento pré-agônico da ave ou do peixe. A quantidade desta energia é dezenas de vezes menor que a notada na carne vermelha, mas ela existe ainda assim.

— O que acontece quando ingerimos esta energia? – perguntou Emi, uma descendente de japoneses.

— Vamos ver o que acontece *in loco* – respondeu Anésio. Vamos ao refeitório do matadouro, onde as pessoas estão se alimentando de carne, agora mesmo.

Seguiram para o refeitório, onde se encontravam dezenas de funcionários almoçando e o cardápio principal era carne.

O professor Anésio abriu uma tela fluídica à frente dos alunos e pediu que observassem qual o trajeto da energia no organismo:

– Vejam. A pessoa que ingere carne, imediatamente, tem a cor de sua aura alterada. Observem como os tons tornam-se escuros. Reparem nos intestinos. Notem como se revestem de uma espécie de fuligem negra. As células intestinais parecem relutar para absorver, mas, assim que o fazem, tornam-se escuras. Essa energia circula pelo sangue, fazendo agregar moléculas de gordura nas paredes dos vasos sanguíneos, levando a riscos de formar estreitamentos. Ao chegarem às células do corpo, essas também tornam-se escuras, vejam – e apontou o dedo indicador para a tela onde se podiam ver as células corporais intoxicando-se com essas energias.

– Professor, esse tipo de energia pode ser visto entre a presa e o predador carnívoro na Natureza? – perguntou Guilherme.

– Não. Esse tipo de energia é própria de animais que passam por longos períodos de sofrimento no abatedouro. Na Natureza tudo é tão rápido que não dá tempo de gerar esse tipo de energia – respondeu Anésio.

Renê, um aluno que se destacava dos outros por causa de seu jeito de garoto adolescente questionou.

– Esses bovinos recebem as mesmas atenções ao desencarnar, como vimos outros, para não sofrer? – preocupou-se com o bem-estar dos seus irmãos abatidos ali.

— Sim. Cada animal recebe atenção, em particular de nossas equipes de resgate, que evitam sofrimentos desnecessários. Momentos antes de receberem o impacto sobre a cabeça, são submetidos a energias anestesiantes, o que faz com que nem ao menos sintam que foram atingidos por algo. Neste momento, as equipes estão espalhando fluidos calmantes no curral a fim de diminuir-lhes o estresse. Não podemos impedir que morram para servir aos humanos, pois aceitaram voluntariamente reencarnar como animais que seriam usados nessas condições para nutri-los. Essa escolha faz parte de seu aprendizado, por isso não podemos interferir – concluiu Anésio.

A visita estava por terminar, então o professor convidou-os a voltarem ao prédio da biblioteca.

Ao retornarem, o professor recomendou que voltassem no dia seguinte para a continuação das aulas práticas.

Guilherme, ao acordar pela manhã, de nada se lembrava do sonho, mas sentiu muitas saudades de seu pai falecido, e com uma grande vontade de encontrar e abraçar Cláudia.

Não foi para a clínica, como de costume, mas ao hospital onde sua noiva trabalhava. Chegando lá, perguntou por ela. A recepcionista apontou para o fim do corredor, onde ela estava conversando com uma enfermeira. Ele correu para lá e a surpreendeu com um abraço, deixando-a embaraçada na presença da amiga enfermeira, que sorriu compreendendo ser o noivo.

— Puxa! Que vontade louca de encontrá-la e abraçá-la. Parece que faz um século que não a vejo. E a abraçou novamente.

— Gui! O que aconteceu?

– Não sei, mas sinto-me melhor agora que a encontrei. Acho que agora posso ir trabalhar mais sossegado.

Beijando-a no rosto, despediu-se e saiu do hospital em direção à sua clínica.

Surpresas

Ao chegar à clínica, encontrou João Rubens com uma gata e dois filhotes.

— Oi, João Rubens. De quem são esses gatinhos? São seus?

— Não, patrão. Foram abandonados aqui na clínica e os achei dentro de uma gaiola de passarinho, apertados como sardinhas em lata.

— Coitados! — exclamou Guilherme, surpreso ao ver o tamanho desproporcionalmente pequeno da gaiola que os continha.

— Devem estar com fome. Vamos alimentá-los.

— Não se preocupe, patrão, já os alimentei. Comeram como desesperados. Acho que estavam há muito tempo sem comer.

Guilherme os examinou e constatou que os filhotes estavam saudáveis, mas a mãe estava fraca e cheia de cortes e cicatrizes pelo corpo. Muitos vermes intestinais a vampirizavam e uma infecção causava-lhe tremores febris.

— Precisamos medicá-la. Não sobreviverá se não for tratada rapidamente.

– Pobrezinha. Como será que veio parar aqui? Por quanto sofrimento terá passado antes de chegar? – pensou Guilherme.

– Podemos ficar com ela? – perguntou João Rubens, preocupado. Eu cuidarei deles e os alimentarei. Limparei a sujeira e trarei a comida de casa para eles – falou, supondo uma recusa do patrão.

– Tudo bem, João Rubens. Mas eu trago as rações – falou Guilherme.

Então adotaram a pequena família de felinos que, finalmente, encontraram um lar.

Os gatinhos não tinham mais que um mês de idade e a mãe não mais que um ano. Ela era quase toda branca, mas tinha algumas manchas marrons e pretas na cabeça e tórax.

Seus pelos eram curtos e os olhos grandes, verdes. Os dois filhotes eram muito parecidos um com o outro. Pelos cinza e branco, longos e sedosos. Abdome abaulado indicando que acabavam de mamar. Olhos espertos, que prestavam atenção em cada movimento próximo a eles.

Enquanto Guilherme e João conversavam, os filhotes brincavam com a cauda da mãe, que se movia nervosamente por causa da dor que sentia. Estava muito magra e fraca. Era perigoso continuarem mamando, pois podiam adoecer também.

– Vamos dar-lhes leite e alimentos sólidos, pois já estão em condições de desmamar – falou o médico – assim a mãe terá condições de se recuperar mais rapidamente.

Os gatinhos se adaptaram ao novo lar e, em pouco tempo já se alimentavam sozinhos. Brincavam bastante, gastando energia de sobra que tinham enquanto a mãe já estava se recuperando das feridas e da infecção. Corriam e brincavam o tempo todo, pulavam um por cima do outro como duas crianças. O passatempo favorito dos filhotes era brincar de se esconder. Eles eram a diversão dos que visitavam a clínica, pois, além de bonitos, eram também sociáveis, buscando contato com as pessoas que acabaram por adotá-los.

Sofia, a mãe, acabou ficando na clínica aos cuidados de João Rubens e Guilherme, e se tornou parte da família. Às vezes, Guilherme a levava para casa e ela brincava com Boris e Bob, que já estava com aparência mais adulta. Os três brincavam como se já se conhecessem há muito tempo até se tornarem quase inseparáveis. Ela foi morar definitivamente na casa de Guilherme, com os outros dois que não a deixavam em paz. Sempre correndo de um lado para outro como três irmãos felizes por estarem juntos. Quando menos se esperava, vinha Sofia correndo, atravessando a casa como um raio, seguida de Bob, o filhote, e Boris, o cão cego que não perdia uma diversão por nada no mundo com seus dois novos companheiros. Aliás, era o que mais se divertia.

Certa noite, Cláudia chegou à casa de Guilherme e ficaram conversando até tarde da noite sobre os planos de casamento e acabaram cochilando sobre o tapete macio da sala, com Sofia, Boris e Bob. Sofia, sobre o abdome de Guilherme e Bob e Boris com as cabeças apoiadas no abdome de Cláudia.

No dia seguinte, ao chegar à clínica, Guilherme estava sendo esperado por uma senhora que segurava um pequeno filhote de *rotweiller*, com cerca de 30 dias de idade.

— Bom dia, senhora. Em que posso ser útil? – disse Guilherme.

— Este é um dos filhotes de minha *rotweiller*, que deu cria há um mês, e, acidentalmente, caiu e bateu com a cabeça no chão. Ficou desacordado por duas horas e agora não para de chorar.

Guilherme, após o exame, constatou uma lesão cerebral.

O filhote estava cego, assim como o seu cão Boris, mas não apresentava qualquer outro sintoma mais comprometedor.

— Sinto muito, sua cadelinha está cega – falou à senhora, que não pareceu abalar-se com a notícia desagradável.

— Ela tem recuperação? O tratamento é dispendioso?

— Não, senhora. O tratamento é relativamente barato, mas não há garantias de que volte a enxergar – explicou o médico.

— Então quero fazer a eutanásia – disse a senhora, de forma fria e sem o menor sinal de arrependimento do que dizia.

— Senhora, ela está saudável. Ele só não consegue enxergar, e além do mais é só um filhote, que poderá aprender a conviver com a cegueira se ela for irreversível.

— Mesmo assim, não quero gastar com um filhote cego, prefiro a eutanásia – repetiu, de forma seca e direta.

— Sinto muito, mas não posso fazer isso – rebateu Guilherme.

— Não vou gastar com essa cachorra, pois faço criação para vender. Se vai dar prejuízo, é melhor fazer a eutanásia – insistiu a mulher.

— Sinto muito, mas não farei – tornou Guilherme.

— Pois, então, fique com ela para você — e entregou o animalzinho cego nas mãos do médico, girou sobre o calcanhar, dando as costas ao doutor, e saiu contrariada, sem se despedir.

Guilherme, que segurava o filhote, ficou parado, sem ação. Não sabia o que dizer nem o que fazer diante daquela situação em que a frieza daquela senhora quanto a um assunto tão grave o havia deixado atônito.

Guilherme olhou para João Rubens e exclamou:

— João Rubens, esse mundo não tem mais jeito!

— Se as pessoas não se sensibilizam com uma situação como essa, então com o que se sentirão tocadas? — perguntou João Rubens ao patrão.

Guilherme observou que a senhora entrou no seu automóvel e saiu sem olhar para trás. Não havia dúvida de que ela tivesse realmente abandonado o filhote.

— Mais um para a família — falou Guilherme.

— Teremos que amamentá-la por alguns dias ainda, pois é muito nova e não sabe mastigar.

Ao olhar para aquela cadelinha, que parecia um brinquedo de pelúcia se espreguiçando sobre a palma das mãos de Guilherme, não havia como resistir. Resolveram ficar com mais um integrante na família.

Foi medicado e a cada dia seguia-se um tratamento rigoroso a fim de que readquirisse a capacidade visual.

Dois meses se passaram e não havia sinais de recuperação. Sua visão não se restabelecia. Já estava pesando quase dez quilos de pura energia. Desajeitada por natureza e sem ver por onde andava, derrubava tudo no seu caminho dentro da clínica. As pessoas que frequentavam o local a achavam uma graça. Ela chamava a atenção de todos, por sua beleza e vitalidade, e brincava com os clientes. Muitos perguntavam se Guilherme não venderia o filhote. Quando o médico dizia que não venderia, mas daria a quem cuidasse muito bem dela, muitos se interessavam, rapidamente. No entanto, quando explicava que ela era cega, subitamente o interesse desaparecia.

– Ah! Ela é cega. Então deixa para lá. Não tenho tempo nem para cuidar de mim, muito menos de um animal cego – diziam alguns.

– Pensando bem, não tenho espaço em casa. Ela é muito grande – diziam outros, dissimulando a intenção de não adquirir um cão deficiente.

Quatro meses de idade e a cachorrinha já ganhava corpo de cão adolescente, mas não via um palmo diante de si. No entanto, a deficiência visual não a impedia de brincar dentro da clínica correndo e pulando alegremente como se pudesse ver tudo. Seus outros sentidos se aguçaram para compensar a falta de visão.

Certo dia, entrou na clínica uma senhora humilde que queria fazer um pedido ao médico.

– Doutor Guilherme, minha cachorrinha morreu há alguns meses, porque já estava velha. Ela era muito querida e minha filha está sentindo muito a sua falta. Não sei o que fazer, pois ela queria outra cachorrinha e eu não posso comprar uma para ela. Pensei em passar por aqui e perguntar ao doutor se não saberia de alguém que quisesse doar algum cachorrinho para substituir a Penélope.

– Puxa vida! – exclamou Guilherme, contente com a possibilidade de arranjar um lar definitivo para o filhote e ainda contentar a criança que perdeu sua cachorrinha.

— Eu tenho uma filhote, que é linda, brincalhona, inteligente, obediente, mas...

— Mas o que doutor?

— Ela é cega...

— O senhor a está doando por que ela é cega, doutor?

— Não, não é por isso. Estamos à procura de alguém que a ame tanto quanto nós e tanto quanto amo o meu Boris, que também é cego. Na verdade, ela foi abandonada aqui pelo fato de ter perdido a visão e nós a adotamos à espera deste alguém.

— Pois o senhor achou. Eu a quero. Será uma grata surpresa à minha filha, que aguarda ali do lado de fora — falou a senhora, apontando para a porta da entrada da clínica, onde uma criança a aguardava em silêncio.

— Ora, por que a senhora não a deixou entrar também? Traga-a para dentro para que ela veja se gosta da cachorrinha. Talvez ela não queira, porque não é todo mundo que aceitaria ter um animal cego em casa — falou o médico, sem medir as palavras.

— Está bem, eu a chamarei.

Ela saiu da clínica e retornou com a filha. Era uma criança de seus 10 anos de idade, loura, rosto alongado e nariz afilado. Ela era realmente muito bonita. Parecia uma boneca. Entraram de mãos dadas, mãe e filha. Ao se aproximarem, a mãe disse:

— Filha, cumprimente o doutor, que nos dará um belo presente.

Então, a menina estendeu o braço direito e não encontrou a mão do médico.

Guilherme buscou a sua mão, cumprimentou-a e olhou em seus olhos inexpressivos. Ela apresentava algumas manchas brancas que cobriam as córneas.

– Ela perdeu a visão em um acidente, há dois anos, doutor.

Guilherme não conseguia dizer uma palavra. Estava desconcertado. Sua expressão dorida era de quem pedia profundas desculpas pelo que dissera há pouco. Enquanto isso, João Rubens vinha trazendo a cachorrinha e a colocou nos braços da menina, que a abraçou forte, enquanto era lambida diversas vezes pela rotweiller, que se simpatizou imediatamente por ela.

– Mamãe – chamou a menina.

– Estou aqui, filha.

Virando-se na direção da mãe, a garota disse:

– Ela se chamará Penélope também.

Deu um grande sorriso e continuou a abraçar o pequeno animal. Agradeceu ao médico, dando-lhe um beijo no rosto, que ele retribuiu. Deu outro beijo em João Rubens, que já estava com lágrimas nos olhos há tempos. A mãe abraçou o médico e João Rubens, pegou Penélope em um braço, deu a outra mão à filha e foram para casa, felizes.

No dia seguinte, a nova dona de Penélope ligou para o doutor para dar notícias:

– Doutor – falou a senhora –, quando chegamos em casa, parecia que ela já a conhecia. Foi direto ao lugar onde ficava a antiga Penélope e deitou-se do mesmo modo, à espera de sua ração e biscoito. Mas o que eu queria dizer é que ela voltou a enxergar e está correndo por toda parte, como se estivesse querendo mostrar sua alegria em poder enxergar.

A senhora fez uma pausa no telefone para enxugar as lágrimas que não a deixavam falar direito.

– Doutor, não sei como agradecer pela alegria que o senhor nos proporcionou, pois minha filha transformou-se com a chegada de Penélope e nossa esperança em ter nossa filha enxergando de novo, com o exemplo dela, se renovou. Deus o abençoe pelo que fez por nós.

Aquele foi um dia especial na vida daquelas pessoas. E a notícia da recuperação de Penélope também deixou Guilherme muito feliz.

Naquela noite, no fim do expediente, Guilherme despediu-se do amigo e agora compadre João Rubens e retornou para casa em companhia da esposa, Cláudia, ansioso para dar-lhe a notícia da recuperação de Penélope.

Em casa, Cláudia o esperava também para lhe dar outra notícia.

Ao chegar em casa, Cláudia correu para seus braços e o beijou. Estava mais feliz que o habitual e, antes que Guilherme pudesse contar o que aconteceu na clínica, disse:

– Vamos jantar fora para comemorar..., papai.

O futuro pai demorou um pouco para cair em si e entender; mas, quando entendeu, começou a rir sem parar e depois a chorar e depois a rir de novo de alegria pela ótima notícia.

Cláudia estava grávida e, em breve, estaria retornando à dimensão física o pai de Guilherme, agora como filho. O casal estava radiante de alegria. Ligaram para todos os parentes e amigos para contar a boa nova e saíram para comemorar.

Tarde da noite retornaram para mais uma noite de sono e mais uma jornada de aprendizado no astral. O retorno ao "rancho" foi especial, assim como todo o dia pelo qual passou Guilherme. Ele mal podia esperar para dar a notícia também ao amigo Gustavo.

Ao chegar ao hospital, encontrou o amigo, para quem contou a novidade. Ele o parabenizou e ficou feliz também por saber que o amigo Benati estava completando seu caminho de volta ao mundo físico em companhia de tão boas pessoas como eram Guilherme e Cláudia.

Gustavo comentou sobre a alegria da reencarnação, não somente para o reencarnante, mas também para os amigos que ficam na dimensão espiritual, torcendo para que tenha sucesso e que consiga levar a termo seus propósitos registrados em seu projeto reencarnatório, e aos que o esperam na Terra como pais e parentes, que aguardam ansiosos por sua chegada para ser amado. A conversa transcorria animada sobre a reencarnação do pai de Guilherme, mas estava quase na hora de começar a aula. Antes que seguissem para a classe, Gustavo comentou:

– Não é só o Benati que está feliz por sua volta ao plano físico, Penélope também.

– Penélope, a rotweiller? – perguntou Guilherme.

– Sim, a nova Penélope é a reencarnação da velha Penélope. Ela retornou ao lar. A antiga dona dela já havia vendido toda a ninhada a um lojista de artigos para animais de outro Estado, por isso intervimos para que ela retornasse à casa de Juliana, a garota cega. Então fizemos com que ela, a filhote, sofresse um pequeno acidente e desligamos temporariamente as terminações nervosas do nervo óptico para que, ficando cega, não fosse vendida e ficasse por perto à espera da verdadeira dona. Sugerimos que ela levasse o filhote a um veterinário, ou seja, até você, pois sabíamos que não faria a eutanásia. Como nós já conhecíamos a criadora e sabíamos de seu temperamento, já era previsto que a abandonasse na sua clínica. Aguardamos que as vacinas fossem feitas e que ela chegasse a uma idade adequada para que Juliana a reencontrasse por nossa indicação intuitiva. Foi o que aconteceu. Assim que retornou ao lar, reconectamos suas terminações neurológicas e ela voltou a enxergar. O resultado foi duplamente positivo, pois ela reencontrou a família, e dona Izilda e o sr. Augusto readquiriram a fé de que Juliana volte a enxergar, pois, se Penélope conseguiu, ela também pode conseguir. De acordo com os relatórios da colônia responsável pelos projetos reencarnatórios de Juliana, a recuperação de sua visão deve ocorrer dentro de um ano – concluiu Gustavo, feliz com um sorriso no rosto.

– Bem, já que estamos falando de uma abandonada que reencontrou o lar, poderíamos falar de outra abandonada? Eu poderia aproveitar estes últimos minutos para saber sobre nossa Sofia?

– Vou falar rapidamente sobre ela, senão você vai se atrasar para a aula – avisou Gustavo.

– Sofia se chamava Catarina, tinha um dono, mas ele bebia muito e não cuidava dela. Sóbrio ele era uma boa pessoa, mas, embriagado, era outra. Um dia, quando retornou para casa bêbado, por diversão, quis acertar Catarina com uma faca de cozinha, só para ver se acertaria daquela distância. E acertou. Gravemente ferida, Catarina fugiu de casa e se tornou independente, vivendo da caça e de alimentos que conseguia fortuitamente. Recuperou-se das lesões, mas era uma gata sem dono e sem experiência de vida fora de casa. Ela era muito nova quando saiu de casa e entrou no cio pela primeira vez quando já estava nas ruas. Conheceu Frajola, um gato sem raça definida, cinza e branco, que, apesar de ter dono e um lar, ficava mais tempo nas ruas do que em casa. Sofia o conheceu e o elegeu como futuro pai de seus filhotes. Não tinha onde morar nem o que comer, mas os instintos a chamavam à procriação. Grávida, perambulava à procura de alimentos que encontrasse no lixo. Enquanto estava distraída buscando o que comer, dois cães se aproximaram, sorrateiros. Pretendiam atacá-la e matá-la, pois ela invadira o território deles. Foi surpreendida por eles, que a cercaram, deixando-a encurralada em uma rua sem saída. Atacaram em conjunto, mas ela conseguiu escapar, com nossa ajuda. Muito fraca, desfaleceu em frente a um bar onde estava seu antigo dono, que a reconheceu e a recolheu, prometendo cuidar dela e que não a deixaria mais fugir. Não demorou muito tempo para que novamente ébrio, começasse a torturá-la com pontas de cigarro acesas. Ela não estava ainda bem recuperada, mas preferiu ir embora de vez a ser torturada mais ainda. Mais alguns dias se passaram e os filhotes estavam para nascer, porém o primeiro deles morreu dentro de seu abdome, impedindo o nascimento dos outros cinco que estavam bem. Contrações fortes se sucediam, mas não havia como expulsar o filhote morto. Novas contrações se seguiram e, por fim, expelia líquido amniótico, mas não o filhote. O odor do líquido atraiu alguns cães que a encontraram escondida por trás de algumas tábuas em um depósito abandonado e tentaram atacá-la de surpresa, contudo, ela notou a presença de um deles que tropeçou em uma lata e, rápida, conseguiu arranhá-lo e fugir para o telhado. Com o susto, conseguiu expulsar o feto morto, facilitando, assim, o nascimento dos outros filhotes. Escondida em uma fenda no telhado do depósito abandonado, lá estava ela dando à luz a cinco filhotes. Ainda úmidos, Catarina ou Sofia os lambia, tentando livrá-los de suas membranas fetais. Um a um foram nascendo, sendo limpos e colocados para mamar com um carinho materno extremo. Pouco saía para se alimentar e já estava ficando fraca por causa disso. Aproveitando alguns momentos enquanto dormiam, deixou-os para procurar algum alimento e água. Estavam com duas semanas de nascidos quando, aproveitando a saída da mãe, um gavião notando os movimentos dos filhotes pela fenda, em um voo rasante, alcançou dois deles, que não tiveram a menor chance de escapar das garras daquela ave de rapina. Sofia, de longe, vendo a enorme ave se aproximando de seu esconderijo, pressentiu o perigo a que estavam expostos seus filhotes. Rapidamente, largou os restos de alimentos que procurava no lixo de um restaurante ali perto e correu o mais veloz que suas pernas podiam suportar, mas não foi o suficiente. Quando conseguiu chegar, a ave já tinha estado em seu ninho e levado os dois menores. Sofia notou a ausência deles e percebeu que já estavam mortos nas garras daquela ave sorrateira que ela podia ver de longe afastando-se. Sofia olhou para o alto e soltou um grande miado de dor pela perda de seus dois filhotes. Antes que retornasse em busca de mais algum filhote, ela os transportou a outro local que pudesse ser mais seguro, onde não houvesse cães ou aves de rapina. Um jardim. Parecia que ali era seguro entre aquelas moitas. Sofia saía de seu novo esconderijo para buscar alimentos, mas sempre por perto, para não perdê-los de vista. Os filhotes já estavam de olhos abertos e brincavam. Um dia, Sofia saiu para encontrar alimento e retornou rapidamente, mas notou que os filhotes tinham sumido. Ela tentou não entrar em pânico e saiu à procura de suas crias. Deveriam estar por perto. Talvez tenham se distraído, brincando e se afastaram. Não deveriam estar longe. Sofia miava na esperança de ouvir uma resposta deles, inutilmente, porém. Continuou a procurá-los e, por fim, ouviu o miado de um deles. Vinha de dentro da casa. Ela saltou até a janela da sala e conseguiu vê-los. Estavam tentando tomar leite dentro de um prato. Sofia deu um miado rouco de alívio. Encontrou-os. Estavam todos lambuzados de leite. Andavam dentro do prato e se molhavam, tomando o leite que era oferecido por Elvirinha, uma garota de cerca de 6 anos de idade que adorava gatos, mas nunca pôde ter um, pois seu pai não permitia: dava muito trabalho. Elvirinha pediu ao pai que a deixasse ficar com os filhotes, mas ele se recusava em tê-los em casa, dizendo que assim que terminassem com o leite, os devolveria à sua mãe. A garota olhou para a janela e viu Sofia. Ela insistiu com o pai e pediu para ficar também com Sofia. Novamente, o pai recusou, e ela começou a chorar. Seu pai sabia que quando começava a chorar não parava tão cedo. Ele concordou em deixá-los, mas seus planos eram outros. Pretendia livrar-se deles quando ela adormecesse. Pensou em soltá-los, mas, provavelmente, retornariam. Pensou em matá-los, mas não tinha coragem. Resolveu levá-los para longe. Alguém os adotaria. Lembrou-se de uma gaiola de passarinhos que tinha guardado na garagem. Era muito pequena para caber todos, mas, forçando a entrada por uma abertura, colocou todos dentro dela e a deixou em frente à sua clínica, onde passaram a noite toda antes de ser encontrada por João Rubens. E é isso... Agora é melhor você ir para a aula, porque eu já falei demais e você vai se atrasar.

— Sei que estou atrasado, mas me diga como as equipes de assistência agiram no caso de Sofia.

Gustavo começou a narrativa, para não atrasá-lo ainda mais.

— As nossas equipes estão sempre monitorando nossos animais. Nenhum escapa de nossa vigilância. Não importa se tem dono ou não, se é selvagem ou doméstico, se é um inseto ou um cavalo inglês puro-sangue. Todos recebem atenção e auxílio. Sofia não poderia estar sem nossa assistência. Nossa equipe tentou evitar que seu dono a acertasse com a faca, provocando uma contração involuntária em alguns músculos de sua mão, mas, mesmo assim, conseguiu acertá-la. Se não fosse nossa intervenção, teria sido acertada mortalmente. O dono dela se arrependeu e pediu-nos que a trouxesse de volta em suas preces, mas, embriagado, torna-se outra pessoa. Não cumpriu o prometido. Quando foi atacada por cães que pretendiam se divertir à custa de Sofia, os confundimos com sons que os distraiu por tempo suficiente para que ela se safasse. Aplicamos energias balsamizadoras enquanto tentava expulsar o feto morto que, aliás, também só foi expulso com nosso auxílio, pois estimulamos algumas glândulas uterinas a secretarem mais abundantemente para tornar as paredes lisas e escorregadias. Não podíamos interferir no episódio do gavião, pois estava em seu roteiro perder três dos seis filhotes; nós a guiamos à casa de Elvirinha, que os alimentaria e, trazendo-os até você, que poderia cuidar deles.

– Que resumida, hein? – brincou Guilherme.

Gustavo olhou para Guilherme e franziu a testa.

– Eu já entendi. Estou atrasado.

– Você entendeu – respondeu o amigo.

No Mar

Guilherme agradeceu a paciência do amigo, despediu-se e correu para a sala de aula na biblioteca onde normalmente se reúnem. Chegando à sala, já estavam todos reunidos à sua espera. Ele se desculpou pelo atraso e ocupou seu lugar.

A aula daquele dia foi ministrada pelo professor Éder, pessoa simples no modo de falar e no agir, apesar da inteligência aguçada. Foi engenheiro em sua encarnação, mas ainda adota o jeito simples que tinha quando era jovem e morava em uma cidade do interior. Vestia-se ao modo de um boiadeiro. Usava calças jeans, botinas de bico fino, cano longo e saltos altos, camisa xadrez de vermelho e azul, um cinturão com uma grande fivela com um boiadeiro em relevo e um chapéu do tipo Panamá.

— Nosso assunto de hoje será a ecologia marinha. Falaremos sobre os animais do oceano – iniciou a aula. Os oceanos se formaram há milhões de séculos. Naquela época não havia vida orgânica na Terra, somente a inorgânica.

Um dos alunos interrompeu a palestra para fazer uma pergunta.

– Professor, o senhor falou em vida inorgânica. Eu pensei que, para ter vida, o ser deveria, necessariamente, ser orgânico. Sendo inorgânicos, seriam eles minerais? – perguntou Pedro Henrique.

– Vamos começar do "começo" – falou Éder, em tom de brincadeira. Inicialmente, o Sistema Solar surgiu a partir de explosões gasosas ocorridas no Sol, que se condensaram e formaram o que hoje são os planetas. No início, a consistência do planeta era macia como uma geleia quente, aliás, muito quente, pois a temperatura era de milhares de graus centígrados. Com o passar do tempo, os gases e os minerais foram se acomodando e a temperatura foi baixando, criando a atmosfera primitiva em nosso planeta, composta por milhares de gases diferentes que se aqueciam, se evaporavam e se precipitavam como uma chuva cáustica que voltava à superfície. Os gases, além de cáusticos, eram também tóxicos a qualquer tipo de vida orgânica. Os únicos seres que poderiam permanecer naquelas condições eram os inorgânicos.

Éder fez uma pausa, olhou para os alunos, enganchou os polegares no cinturão e esperou que alguém perguntasse alguma coisa. Ninguém perguntou.

– Vocês não vão perguntar quem eram os seres inorgânicos que viviam, ainda vivem e continuarão a viver na Terra enquanto ela existir?

Guilherme levantou a mão e aceitou a brincadeira.

– Professor, quem eram os seres inorgânicos que viviam, ainda vivem e continuarão a viver na Terra enquanto ela existir?

Éder deu uma risada e continuou com a aula.

— São todos os átomos e partículas subatômicas dos elementos químicos, que estão em toda parte ainda hoje formando os minerais, o ar, a água etc. Todos os átomos e partículas subatômicas possuem vida. Não como a entendemos em relação aos seres orgânicos, a exemplos dos vegetais e animais. São formas de vida extremamente primitivas, mas essenciais e de vital importância à nossa existência, pois fazem parte de nossa constituição física e de todos os seres orgânicos que não existiriam sem eles. Os seres orgânicos mais primitivos são estágios avançados dos inorgânicos. As moléculas de ácido ribonucleico e ácido desoxiribonucleico são o primeiro estágio da transição entre estes dois grupos: os inorgânicos e os orgânicos. Estas duas moléculas basicamente formadas de nitrogênio se tornaram orgânicas e com capacidade de se replicar ou de se reproduzir, dando origem aos reinos orgânicos que conhecemos hoje. O primeiro ser orgânico que surgiu foi um vírus. Depois, vieram as bactérias e daí em diante surgiram as outras formas de vida conhecidas. Um dos átomos mais importantes para a vida orgânica é o carbono. Ele está presente em quase todas as moléculas orgânicas, como as proteínas das quais somos formados em grande parte. O oxigênio do ar que respiramos em conjunto com outro átomo, o hidrogênio, constitui a água, que é um líquido vital para nós enquanto estamos encarnados. O enxofre está presente em muitas moléculas orgânicas. O ferro está presente em nossas células sanguíneas. O cálcio, o magnésio, o sódio, o potássio convivem conosco, nos auxiliando nas transmissões neurológicas e contrações musculares, sem as quais desencarnaríamos ou, aliás, nem existiríamos como somos.

— Professor, quando foi que começou esta "dependência química?" – brincou outro aluno, que estava se sentindo à vontade com a aula descontraída do alegre professor Éder, que ensinava brincando.

— Esta dependência começou mesmo antes de existirem os orgânicos. À medida que os "inorgânicos se organizaram" para formar moléculas cada vez mais complexas – unidas a outras que chegaram à Terra vindas do espaço com os milhares de asteroides – deram origem aos seres orgânicos, que são, na verdade, o resultado dessa organização dos seres inorgânicos. Os vírus foram os primeiros seres orgânicos surgidos, que não necessitavam ser parasitas como são hoje. Estes se organizaram também, dando origem às primeiras bactérias e depois células que levavam consigo os elementos químicos de que necessitavam para viver. Estas originaram outros seres mais complexos até chegar ao que somos hoje, seres constituídos por muitas células, que, por sua vez, são compostos por muitos elementos químicos inorgânicos. Chegando aos dias de hoje, temos os oceanos e mares repletos de seres que conhecemos e tantos outros que a maioria de nós ignora a existência. Nos oceanos é que está o maior contingente de flora e fauna existente no planeta, onde também está o melhor exemplo de equilíbrio entre os seres que convivem em perfeita harmonia. Os seres marinhos também vivem sob nosso acompanhamento. Aliás, é um ótimo lugar para trabalhar, pois é uma tranquilidade. Quase não há o que fazer, pois tudo funciona em perfeito equilíbrio há milhões de anos, desde que foi projetada pelos engenheiros astrais. Nossa intervenção é mais importante quando nos deparamos com os desequilíbrios provocados por nós mesmos, os seres humanos, que nem fazemos parte daquele ambiente. Provocamos grandes desequilíbrios quando praticamos a pesca predatória. Quando nos deparamos com um derramamento de óleo no mar, há a interrupção da entrada da luz solar que nutre o plâncton, o principal alimento da maioria das espécies marinhas. Quando morrem muitos plânctons, desaparecem espécies maiores também. As manchas de óleo empapam as asas das aves marinhas, que não conseguem mais caçar e morrem de inanição ou de intoxicação. Quando as coisas estão indo bem no oceano é uma maravilha. Principalmente a paisagem. Hoje, conheceremos algumas espécies ameaçadas e, se necessário, auxiliaremos em alguma ocasião.

Éder parou por alguns segundos, olhou novamente para os alunos com os polegares enganchados no cinturão e uma das sobrancelhas levantadas. Ele queria dizer algo. Os alunos achavam engraçado o seu jeito brincalhão.

– Antes de partirmos, gostaria de dizer aos "marinheiros de primeira viagem" para não entrarem em pânico quando estivermos sob as águas. Lembrem-se de que estaremos lá em espírito, que não necessitamos respirar. Agora mesmo estamos aqui fazendo movimentos respiratórios mais por hábito do que por necessidade. Não há perigo de se afogarem. Não se afobem. No entanto, se mesmo com o aviso alguém achar necessário, antes de sairmos, podem usar estes equipamentos de mergulho que estão aqui – e apontou para algumas máscaras e *aqualung* que estavam sobre a mesa.

– Não vai fazer diferença usar ou não, exceto como reforço mental. Os que estiverem prontos sigam-me –

e foram à sala onde estava aberto o portal para o mar. Ele era muito grande. Deveria ter cerca de vinte ou talvez trinta metros quadrados, o tamanho de uma tela de cinema. Parecia que estavam diante de um aquário gigante. Podiam ver os animais marinhos que estavam do outro lado. Poderiam até tocá-los. A visão daquele portal era um espetáculo que deixava os alunos admirados. Os mais inseguros estavam equipados com máscaras e tubos de oxigênio plasmados por Éder, que perguntou:

– Estamos prontos? Podemos partir agora? Então vamos. Lembrem-se: não se afobem, pois a sensação de falta de ar é ilusória. Respirem normalmente e perceberão que não se afogarão.

Todos fizeram um sinal que sim, mas, mesmo os que não usavam equipamento de mergulho, sentiram uma certa insegurança, pois era a primeira vez da maioria no fundo do mar.

Éder atravessou o portal na frente, seguido dos outros que entraram um a um e, apesar do aviso, alguns ficaram em pânico após alguns segundos dentro da água salgada do mar. Éder os acalmou mostrando que não havia perigo inflando os próprios pulmões. Estavam sob as águas geladas de algum lugar da região polar do planeta. A quantidade de peixes e de outros animais marinhos era impressionante. Havia muitos atuns, que passavam por ali em grandes cardumes. O sol atravessava as águas criando um efeito luminoso excepcionalmente bonito sobre os cardumes e a ilusão de estarem diante de um grande animal. Os reflexos criavam um ambiente multicolorido. Os animais marinhos sentiam a presença do grupo, mas não se amedrontavam e se aproximavam para brincar e fazer gracinhas.

A certa distância, notaram um grupo de golfinhos fugindo de algo que parecia aterrorizá-los. A seguir, uma enorme baleia tentou mergulhar e não conseguiu. Uma imensa mancha avermelhada surgiu ao seu redor, turvando as águas profundas que deixaram de receber a luz do Sol.

Éder percebeu que algo não estava indo bem.

– Vamos à superfície. Chamou o grupo, que se deslocou rapidamente, flutuando até acima do nível do mar, de onde observaram um barco baleeiro clandestino que preparava para dar o segundo tiro de arpão. O barco havia atingido o pobre cetáceo que estava prestes a receber o segundo projétil. O cabo que prendia o arpão estava muito tenso e a baleia usava toda sua força para se livrar da armadilha, mas era impossível. Em pouco tempo desistiu de resistir, ficando inconsciente. O segundo arpão não era para a baleia. Próximo a ela estava seu filhote recém-nascido, que chorava produzindo sons estridentes, pois acabara de perder a mãe. As equipes de resgate estavam a postos para minimizar o sofrimento do animal que estava inconsciente, sob ação magnética de fluidos sedativos. Rapidamente, a equipe desligou o corpo espiritual do cetáceo e enviou-o à dimensão extrafísica antes que recobrasse a consciência e relutasse em largar o corpo físico, deixando seu filhote desamparado. Não havia o que fazer, exceto resgatá-la ao ambiente marinho recriado em uma localidade específica do rancho onde são recebidas as espécies aquáticas. O filhote insistiu em ficar ao lado do corpo da mãe, sem entender o que ocorria. O arpoador já se preparava para disparar o tiro sobre o filhote.

Éder produziu um efeito luminoso ao lado do marinheiro que, por um instante, teve sua atenção desviada. Enquanto isso foi aplicada uma corrente elétrica sobre os músculos do braço, provocando uma contração e fazendo com que passasse longe o tiro que poderia ser fatal. A equipe de resgate entrou em contato com os golfinhos que estavam próximos, para que auxiliassem no afastamento do filhote para outra região fora de perigo, antes que outro projétil fosse armado.

Os golfinhos se aproximaram dele e pararam ali ao seu lado por alguns segundos, como se estivessem conversando. Poucos instantes depois, a pequena baleia soltou um som grave muito longo e alto de lamento e acompanhou os golfinhos até longe do perigo daquele barco. A menos de vinte quilômetros dali, os golfinhos, acompanhados por alguns membros da equipe de resgate, se aproximam de um grupo de baleias da mesma espécie do filhote, que o aceita imediatamente, sendo amamentado e colocado com os outros filhotes. Foi adotado pelo grupo. A equipe assegura-se de que não há mais perigo e retorna ao barco baleeiro, que continua à procura de mais baleias a fim de completar sua cota diária.

A equipe interfere nos radares, confundindo-os e criando um obstáculo virtual à frente, desviando-os de sua rota e afastando-os de onde estavam as baleias. Despistaram o radar, mas não conseguiram confundir o arpoador, que acertou a pobre baleia.

A equipe de Éder acompanhou toda a operação de perto. Foi tudo muito rápido. Estavam cerca de seis metros acima do nível do mar assistindo e podiam ver o barco se afastando, rebocando o enorme animal.

— Professor, as tentativas de impedir a ação predatória do barco baleeiro resultaram em frustração, pois o filhote perdeu sua mãe. Então, quer dizer que a equipe pode falhar algumas vezes? — perguntou Bete, que era irmã de Leda.

— Sim, podem ocorrer falhas. Apesar de contarmos com pessoas experientes na equipe de resgate, os erros acontecem, porque ainda somos humanos. Além disso, há a forte intenção do arpoador, que interfere em nossa ação. Quando há uma forte intenção em concretizar uma ação, muitas vezes não há como intervir, pois há a escolha daquele que quer levar adiante seu intento. Neste caso, somente podemos auxiliar o animal, minimizando seu sofrimento.

— Mas, professor, eu acreditava que os espíritos fossem infalíveis.

— Não somos. Nós somos apenas pessoas como vocês. Somos falíveis. Quando perdemos nossa roupagem física de encarnados e entramos na dimensão espiritual, não nos tornamos Deus. Ele, sim, é infalível. Mesmo aqueles a quem vocês chamam de anjos, que são espíritos mais adiantados que nós, também estão sujeitos a cometer suas falhas. Somente Deus não falha. No entanto, aquilo que poderíamos entender por falha, muitas vezes são determinações que vêm do Alto sem que saibamos.

— Outra pergunta, professor — pediu Guilherme, que permanecia suspenso no ar ao lado dos outros alunos.

— Os golfinhos sempre auxiliam as equipes de resgate?

— Sempre não, mas com bastante frequência. Na maioria das vezes, são excelentes membros da equipe dispostos a arriscar suas vidas em favor de outro animal ou pessoa em apuros no mar. São muitos os casos de náufragos salvos por golfinhos, que o fazem espontaneamente ou a nosso pedido. Eles chegam a enfrentar tubarões para proteger o náufrago e lutam corajosamente em seu favor. São ótimos aliados. Eles, além de nos ajudarem deste modo, também são nossos informantes nestas regiões geladas, enviando-nos notícias, pedindo auxílio, solicitando nossa presença e intervenção em muitos casos de incidentes envolvendo pessoas e animais.

— Professor, os baleeiros são profissionais que vivem desta atividade que, apesar de ilegal em muitos países, não deixa de ser uma forma de sobrevivência. Como podemos analisar essa situação?

— Marcos, os pescadores e caçadores de animais marinhos merecem trabalhar para sobreviver como qualquer outra pessoa. Não podemos impedir diretamente que deixem essa atividade. Eles pescam e caçam porque há quem consuma o produto de suas atividades. O ideal seria se as pessoas se conscientizassem e deixassem de consumi-los, evitando a matança exagerada de milhares de baleias, golfinhos e outras espécies. Muitas espécies estão quase em extinção por esse motivo, apesar de estarmos fazendo o possível para evitar que isso aconteça. As baleias e golfinhos têm muita consciência, mais do que vocês imaginam, e quando reencarnam nesta condição o fazem já sabendo o risco que irão enfrentar. Eles aceitaram voluntariamente o risco, para viver da maneira como escolheram, mesmo estando sob essa ameaça. Como eu disse, não podemos agir diretamente impedindo a caça e a pesca, pois milhares de famílias dependem desta atividade. O que fazemos com frequência é agir sobre a mente de políticos influentes para que regulamentem e policiem esta atividade. Os golfinhos fazem salvamentos espetaculares, acrobacias e gracinhas ao redor dos barcos de recreio; aceitam ser capturados para virar estrelas de shows aquáticos, não por serem presas fáceis, mas para fazer um *marketing* com as demonstrações de inteligência, para sensibilizar as pessoas em favor dos animais marinhos, para que deixem de consumir os produtos derivados. Não podemos impedir, mas podemos influenciar nas mudanças de hábito. Vocês já devem ter reparado que está diminuindo o consumo de carne ano a ano. Chegará em breve uma época em que não comeremos mais carne. As pessoas não conceberão a ideia de matar para comer. A tecnologia de alimentos, a engenharia de alimentos e a genética trabalharão em conjunto para criar alimentos sintéticos. Existe um projeto para isso em breve. Por enquanto, os humanos estão indo nesse sentido com a produção dos transgênicos e com a manipulação genética. No futuro, a carne natural será substituída pela sintética, que será idêntica em sabor e textura à obtida do abate de animais. Essa necessidade de comer carne deixará de existir, e com isso nossos irmãos animais viverão em paz. Até mesmo não consumiremos vegetais, somente proteínas e outros nutrientes sintéticos, produzidos em laboratórios de manipulação genética. Enquanto isso não ocorre, tentaremos dificultar que matem animais em excesso, além do necessário, para vender e sobreviver – concluiu Éder.

A equipe de alunos passou horas observando animais marinhos em seu *habitat*, então Éder pediu:

— Vamos ao continente. Está havendo matança de bebês focas.

Ao chegarem a uma região costeira isolada, vários filhotes de foca já estavam mortos. Dezenas de corpos deixados sobre o gelo manchado de sangue. As equipes a postos estavam resgatando os bebês assassinados enquanto outra equipe induzia os caçadores a terem fortes cólicas intestinais e turvação da visão. Com isso, abandonaram a intenção de continuar com a matança, ao menos temporariamente. As cólicas eram intensas e todos sentiam-se atordoados por causa da ação eletromagnética de energias aplicadas pela equipe espiritual. Os homens recolheram o que podiam de cadáveres e os levaram ao barco com a intenção de retornar outro dia.

— Professor! – chamou Neuza, uma das alunas. Acredito que a mesma explicação que foi dada em relação às baleias vale para os bebês focas.

— Nem tanto, pois a caça aos bebês é proibida em praticamente todos os lugares. Portanto, estes caçadores são criminosos, não somente no nosso ponto de vista, mas também no dos humanos da Terra. Nesse caso, podemos intervir mais intensamente causando, inclusive, essas dores e turvação da visão ou outros métodos que impeçam a matança, mas sem interferir demasiadamente no livre-arbítrio do caçador.

— Éder – perguntou Guilherme –, sabemos como age a equipe de resgate, mas ainda não acompanhamos as equipes de reencarnação. Seria possível visitar esta ala do hospital algum dia?

— Sim, sem dúvida. Podemos ir para lá agora, se concordarem. Essa seria uma visita que faríamos amanhã, mas, se estiverem interessados, podemos ir agora.

Todos concordaram, então Éder abriu um portal que os levou à câmara anterior da ala de reencarnação, localizada no setor sul do "Rancho Alegre". Ao chegarem ali, foram recebidos por João Rubens.

Os animais reencarnam

— Bem-vindos, senhores. Posso notar que estão muito interessados no assunto de reencarnação, pois a aula de vocês seria amanhã. Mas vamos lá, então.

Despedindo-se, Éder deixou a equipe de alunos, sob a orientação de João Rubens, que ali não era o simples auxiliar de veterinário, mas, sim, o diretor João Rubens, um dos mais graduados trabalhadores do Rancho.

— Vamos à câmara de esterilização, na qual receberemos um traje que isolará nossas energias, evitando que os candidatos à reencarnação se contaminem conosco.

Feita a esterilização e recebidos os equipamentos isolantes, entraram na câmara de reencarnação. O ambiente lembrava filmes de ficção científica.

Eram tubos e mais tubos nos quais se podiam ver embriões e fetos de diversos animais vertebrados e invertebrados, mergulhados em um líquido viscoso que os mantinha flutuando enquanto pareciam adormecidos. As paredes branquíssimas e os uniformes brancos do pessoal contrastavam com os milhares, talvez milhões, de tubos de tamanhos e largura variáveis, que iam desde alguns milímetros de largura até dezenas de metros, em que se viam embriões em diversas fases e de diferentes espécies de animais.

– Professor João Rubens – perguntou Ivana –, pensei que o feto e os embriões se desenvolviam no abdome ou no ovo no mundo físico e não aqui. Será que estou enganada?

– Estes fetos embriões que os senhores podem ver estão mergulhados nesse líquido nutritivo semelhante ao líquido que os envolve quando estão dentro do ovo ou no abdome materno. No entanto, se observarem mais atentamente, perceberão que eles estão adquirindo formas cada vez menores e aspecto cada vez mais primitivo. Estão se miniaturizando da forma que tinham quando aqui chegaram, após desencarnarem na Terra para outra mais jovem. Estão se adaptando, tornando-se fetos, depois embriões para chegarem a mórula segmentada e, a seguir, serem transferidos definitivamente para o mundo físico, isto é, a reencarnação. Esta é uma fase de readaptação em que, estando inconscientes, são mergulhados nesse líquido e recebem uma conexão como um cordão umbilical que os ligará ao ovo ou à mãe, diretamente. Por esses cordões ligados à dimensão física, já estão recebendo os estímulos da mãe, com quem fazem trocas energéticas para que se reconheçam após o nascimento como mãe e filho. Com isso, tanto as energias da mãe circulam pelo filhote com as do filhote circulam pela mãe, promovendo a estimulação dos instintos maternos para que cuide da cria, até ela poder manter-se por si só e faz com que procure a mãe instintivamente, por reconhecer nela a sua própria energia. Quando a miniaturização chegar à fase de mórula, inicia-se a gestação ou a incubação nos ovos, pois, nesse ponto, o animal está totalmente integrado ao mundo físico. A partir de então, segue o mesmo trajeto no sentido contrário, pois aqui estava involuindo até a mórula, mas lá no físico inicia sua evolução a partir desse ponto até se tornar embrião e feto maduro a ponto de nascer.

– Sr. João Rubens, quanto tempo ficam nesta fase de miniaturização antes de estarem prontos para reencarnar? – perguntou Guilherme.

– Cerca de dois a três dias para cães, por exemplo, mas em algumas espécies podem chegar a meses, como é o caso de animais maiores como os elefantes e baleias, por exemplo, cujo tempo de miniaturização é ao redor de sessenta a noventa dias. No entanto, com os animais menores, podem levar horas ou, em insetos, apenas segundos – explicou João Rubens.

– João! Digo, sr. João Rubens – desculpou-se Guilherme –, quando nascem animais com defeitos genéticos, a que se deve isso?

– Pode haver vários motivos específicos, tal como, o mais comum, o aprendizado, mas podem ocorrer alterações induzidas por ação humana pelo uso de medicamentos ou intoxicações maternas que podem causar lesões no corpo espiritual do feto que está se formando. O corpo espiritual é como se fosse o molde do corpo físico, portanto, se o corpo sutil estiver malformado em função de ações eletromagnéticas deletérias, o físico será identicamente lesado. À medida que o corpo espiritual adquire o formato que o filhote terá quando nascer, as células vão ocupando os espaços preestabelecidos, como se fosse um bolo crescendo dentro de uma forma. Se a forma for redonda, o bolo também se tornará redondo; se for quadrada, ele terá o mesmo formato. Se for uma forma amassada e assimétrica, o bolo será idêntico. Nosso corpo espiritual é a forma, e o corpo físico é o bolo. Aqui, seguimos um procedimento padrão; então não há como o corpo espiritual se formar de outra maneira. Mas, estando a mãe sob a ação destes produtos ou até mesmo de elementos de poluição do ar, existe a possibilidade de que esses elementos desmagnetizem alguma parte do corpo espiritual, deformando-o – explicou João Rubens ao amigo.

– Os animais podem escolher onde nascer? – perguntou Roberto, o aluno mais velho, que, apesar de brasileiro, tinha aparência de um escocês típico, com seus cabelos encaracolados e acinzentados.

– Não, os animais possuem seu livre-arbítrio muitíssimo restrito enquanto encarnados e aqui obedecem padrões preestabelecidos. Quem decide onde irão nascer é uma comissão que analisa as fichas dos animais periodicamente para avaliar se nascem novamente no mesmo ambiente, na mesma família ou se na mesma espécie animal.

– Que critérios esta comissão segue para tomar essas decisões?

– O principal critério baseia-se na sociabilidade com outras espécies que é, fundamentalmente, uma forma de amor interespecífica, isto é, à medida que aprenderem a conviver com outras espécies pacificamente, podem experimentar nascer naquela outra. Mas, antes, passam por outra fase de adaptação para não haver choque energético.

– Como assim?

— Estes, ao retornarem à dimensão espiritual e estando em condições de reencarnar em outra espécie mais adiantada evolutivamente, devem passar por uma fase intermediária como seres espirituais da floresta. Isso significa que passarão por uma fase de gnomos, elfos, duendes, ou outros, pois, prestarão serviços à comunidade animal, auxiliando-a, por exemplo, a se livrar de parasitas, em sua higiene, em partos, protegendo ninhos enquanto os pais estão fora em outras atividades.

Seriam como zeladores dos animais da floresta. Se forem bem-sucedidos, poderão, depois que amadurecerem e retornarem ao Plano Espiritual, voltar à floresta como animais mais evoluídos, com maior grau de sociabilidade. Este processo se repete sucessivamente, e o espírito animal vai de estágio em estágio até se tornar próximo dos humanos, com quem aprenderá a ser um humano para que, em futuras encarnações, seja um ser humano primitivo como os macacos, por exemplo, e, depois de muito aprenderem, poderão retornar como o *Homo sapiens* — explicou o orientador.

— A fase pela qual passam os animais até chegarem a humanos é de muito tempo? — perguntou Roberto.

— É, sim, uma fase relativamente longa. Pode haver um lapso de talvez centenas ou milhares de anos antes que cheguem à fase de individualidade em que se encontram os humanos. Antes de reencarnar, conviverão muito conosco para aprenderem como agir e como pensar da forma como pensam os humanos. Quando se sentirem humanos, estarão prontos a estagiar em nosso meio. Inicialmente, poderão reencarnar como pessoas que têm pouco desenvolvimento intelectual, podendo ser também um tanto agressivas. Alguns possuem instintos animais ainda muito aguçados, dando excessiva importância ao sexo e ao apetite. Podem ser excessivamente egoístas e territorialistas.

Alguns possuem habilidade física com resistência acima da média, tornando-se atletas.

– O senhor não está generalizando, não é mesmo? – interrompeu Érica.

– Não. Existem grandes pacifistas e intelectuais, por exemplo, que possuem habilidades físicas, enquanto há pessoas de pequeno intelecto que são extremamente dóceis. Nestes casos, não são animais estagiando entre nós. Há muitos que são egoístas e territorialistas e muito instintivos, mas já estão na fase humana há muito tempo. Portanto, são humanos patentes com instintos a serem superados. A maioria de nós traz ainda muitos instintos animais, que são úteis à nossa sobrevivência. À medida que formos evoluindo e perdendo a necessidade de nos defendermos dos ataques físicos e mentais de outras pessoas, estes instintos tendem a desaparecer. É provável que dentro de algumas décadas tenhamos que recorrer cada vez menos a esses instintos, que são resquícios de nossa vida animal, e talvez em breve tempo estejamos em um estágio acima deste em que estamos, no qual os instintos simplesmente inexistem entre nós por absoluta falta de necessidade.

Satisfeitos com as explicações, os alunos permaneceram em silêncio por algum tempo.

Então, João Rubens interrompeu a aula para dar um aviso.

— Senhores, amanhã teremos a última aula desse ciclo e para o encerramento, convidamos uma pessoa ilustre que virá para fazer uma prece e talvez dizer algumas palavras de incentivo. Gostaríamos que amanhã não houvesse atrasos e, se possível, cheguem um pouco antes para prepararmos energeticamente a sala de palestras para receber tão ilustre figura, e posso assegurar que será um dia inesquecível.

Visitaram o restante das instalações da ala e João Rubens deu por encerrada a aula do dia. Todos se despediram, passaram novamente pela antessala e voltaram a seus corpos, pois já estava amanhecendo.

TODOS OS ANIMAIS MERECEM O CÉU

Ao acordar, pela manhã, Guilherme estava feliz, mas, ao mesmo tempo, ansioso, sem saber por quê. Não sabia conscientemente, mas, inconscientemente, queria retornar ao "rancho" para a última aula e para assistir à palestra daquela pessoa tão ilustre que viria. Tomou o seu desjejum, preparado por Cláudia, e foi para a clínica para mais um dia de trabalho.

Ao chegar, encontrou seu amigo João Rubens tranquilo, como sempre.

– Bom dia, João Rubens. Como passou a noite?

– Bom dia, patrão. Pois é... tive mais um daqueles sonhos em que eu era o diretor; só que desta vez de uma escola. Estava dando aula, como se fosse um professor, e convidando os alunos para uma festa de fim de ano em que o prefeito iria fazer um discurso antes da festa.

– Cada sonho estranho que você tem, João Rubens! – exclamou Guilherme.

– Hoje eu me lembrei do sonho que tive e foi emocionante. Quer ouvir?

— Sim, patrão, por favor.

— Bem, eu era o capitão de um navio pirata. Estávamos em alto-mar sendo atacados por outro navio. Ordenei que atirassem contra o inimigo, mas não era mais o inimigo, e sim uma baleia que tinha sido acertada por arpão e um golfinho pedindo ajuda. Mergulhei na água para salvar a baleia, mas ela também sumiu. Quando voltei à superfície, vi os piratas do outro navio matando focas na praia. Quando cheguei lá, não havia mais focas nem piratas. Voltei ao meu barco e não era mais um barco, mas, sim, um laboratório espacial cheio de cilindros transparentes com extraterrestres dormindo dentro. Eu ia começar a fazer uma experiência, quando você apareceu usando uma roupa espacial. Levei o maior susto e acordei — terminou Guilherme.

— O senhor disse que o meu sonho era estranho?! — brincou João Rubens.

— Para quem nunca se recorda de sonho algum, até que me lembrei de bastante coisa.

Ficaram contando seus sonhos um ao outro até que dona Elza ligou para a clínica para falar que Sofia trouxe um presente.

— Filho, sua gata nos trouxe um filhote que nem abriu os olhos ainda. O que devo fazer?

— Mãe, a senhora precisa dar leite para ele na mamadeira, como se fosse uma criança. Nesta idade, só sabem mamar. Mas aguarde que já vou aí para ver o que Sofia aprontou.

Guilherme foi à casa de sua mãe, que agora morava sozinha com os animais, depois que ele se casou com

Cláudia. Dona Elza cuidava dos animais que lhe faziam companhia, mas não contava com mais esse acréscimo na família.

Chegando, Guilherme depara-se com um minúsculo gato, que cabia na palma de sua mão. Deveria ter apenas alguns dias de vida.

– Será que Sofia roubou este filhote de alguma gata que deu cria por perto? Talvez esteja com saudades dos seus filhotes e acabou sequestrando este – pensou Guilherme.

Mentalmente, Guilherme perguntou à Sofia:

– De onde veio este filhote, Sofia?

Sofia olhou nos olhos de Guilherme, deu um miado manhoso e seguiu em direção à porta de entrada da casa, que estava aberta. Parou, olhou novamente para Guilherme, deu outro miado e saiu.

– Será que ela quer me dizer onde encontrou o filhote?

Guilherme começou a seguir Sofia, que atravessou a rua, entrou em um terreno baldio, atravessou sua extensão até o lado oposto onde alguns caixotes estavam empilhados. O moço aproximou-se e ouviu um miado muito fraco, quase inaudível. Podia-se ouvir o som do ar passando pelas cordas vocais, mas sem força para conseguir com que vibrassem. Retirou os caixotes do caminho e encontrou uma gata semimorta de inanição. Não conseguia sair dali, pois tinha a coluna fraturada. Provavelmente, fora atropelada, e tinha acabado de dar à luz a quatro filhotes. Deveriam ter nascido há um ou talvez dois dias, pois ainda estava molhada de líquido amniótico e toda suja de terra.

Guilherme pegou a gata e a levou às pressas ao consultório para tentar reanimá-la e fazer algum tratamento em sua coluna. Aplicou-lhe vários medicamentos de emergência, mas seu estado era extremo. Os esforços foram em vão e a gata desconhecida entrou em óbito. O médico sentiu-se impotente diante daquela situação em que nada podia fazer para salvá-la. Pegando o animal em seus braços, levou-a a outra sala, envolveu-a cuidadosamente em um tecido e fez algo que não era de seu feitio: uma prece silenciosa.

– Deus, cuide bem desta gatinha quando ela chegar aí. Ela deve ter sofrido muito por aqui e acho que merece ser bem-recebida pelo Senhor. Se ela teve que passar pelo que passou sem poder escolher, eu peço ao Senhor que a compense, dando-lhe tudo de bom que puder. Não sei se existe um "Céu de animais" para onde eles vão quando morrem, mas, acho que sim, pois o João Rubens me falou que existe. Acho que ela merece ir para este Céu. Acho que todos os animais merecem o Céu. Por isso peço ao Senhor que a deixe entre amigos, para que não sofra mais. O João Rubens me falou também que eles são sempre bem-recebidos aí. Espero que seja mesmo assim e espero que o Senhor ouça meus pedidos. Que assim seja.

João Rubens entrou na sala e viu o patrão com os olhos cheios de lágrimas; aproxima-se tocando-lhe no ombro em sinal de solidariedade e lamento.

– Fique tranquilo, patrão. Deus não desampara ninguém e, principalmente, os animais.

– Estou triste pensando no sofrimento que ela deve ter passado. Grávida, com as pernas e coluna fraturadas, sem poder sair para se alimentar. Não podia mover-se. Os outros filhotes também morreram de inanição, pois não tinha leite para amamentá-los. Isso tudo é muito triste, João Rubens.

— Deixe comigo, patrão. Vá descansar um pouco. Eu cuido dela, agora.

— Dando o pequeno embrulho a João Rubens, Guilherme foi à sala dos fundos e sentou-se triste, em sua poltrona. Tentou relaxar por alguns instantes e, abatido pela tristeza causada pela morte da gatinha que nem conhecia, adormeceu.

Retorna imediatamente ao rancho, em busca do amigo Gustavo, para saber se a gatinha estava bem.

Gustavo pega as fichas da gatinha sem dono, que viveu toda a vida nas ruas, sem um lar. O seu lar era a rua. Apesar de não ter dono, ela nunca deixou de ser assistida pela equipe espiritual que a recebeu no hospital.

— Agora, ela está sob a ação de sedativos, mas está bem. Não há mais fraturas e já está sendo encaminhada à reencarnação. Você sabe da gatinha do sr. Wellington, que mora no número trinta e dois da sua rua? Ela ficará grávida esta semana e a gatinha voltará como um de seus filhotes. Talvez você a adote. O que acha da ideia? — perguntou Gustavo a Guilherme, que se mostrava menos ansioso.

— Ótimo. Agora fico mais tranquilo.

Guilherme baixou a cabeça, mostrou um ar triste e fez um pedido ao amigo.

— Sr. Gustavo, haveria a possibilidade de eu poder visitar meu pai na colônia onde está sendo preparado para reencarnar?

— Sim, claro. Como não? Vamos lá, imediatamente. Segure minha mão. Dizendo isto, partiram. Instantaneamente, surgem na outra colônia.

— Aqui é a colônia onde está seu pai. Vamos à recepção esperar pelo diretor. Ele, com certeza, nos liberará para a visitação.

— Será que iremos atrapalhar em alguma coisa?

— Não, não há problema. Normalmente, as visitas devem ser marcadas com antecedência, mas o diretor é uma ótima pessoa e muito acessível. Com certeza, nos deixará visitar seu pai.

Encontraram o diretor, que liberou a visita, mas deveria ser acompanhado por um trabalhador da instituição, pois Benati estava em processo acelerado de involução.

Foram ao setor de readaptação da ala de reencarnação. O procedimento era idêntico ao do rancho, em relação à reencarnação. Existia uma antessala de isolamento, onde era feita a desinfecção e o visitante receberia um traje isolante de energia de proteção ao reencarnante. Os reencarnantes se encontravam em grandes cilindros transparentes, contendo também um líquido viscoso rosa azulado que cintilava reflexos das luzes ambientais. Em cada um deles também se podia ver uma espécie de cordão umbilical, ligado ao fundo do cilindro, que se comunicava com o corpo materno. O acompanhante os levou ao cilindro onde estava o pai de Guilherme em estado de involução já avançada. Estava irreconhecível, com a aparência de uma criança de 7 ou talvez 8 anos de idade. Diferentemente do que ocorre com os animais, os humanos já iniciam a gestação no campo físico, enquanto o reencarnante ainda se encontra no plano astral em processo de readaptação e miniaturização. Quando a gestação estiver em torno de oito semanas, estará praticamente todo transferido ao corpo materno. Antes disso, o candidato à reencarnação consegue acompanhar mentalmente, através da ligação do cordão, tudo o que acontece no ambiente onde se encontra a sua mãe. Dentro do útero, antes das oito ou nove semanas de gestação, o feto em desenvolvimento repete os movimentos que são feitos pelo reencarnante dentro do cilindro. Nesta fase, o corpo físico do feto seria como uma marionete do corpo espiritual.

Só a partir da nona à décima terceira semana é que se pode considerar que o reencarnante esteja realmente reencarnado, mas este processo somente se completa aos 7 anos de idade, quando, a partir de então, pode-se considerá-lo totalmente integrado ao meio físico.

Guilherme perguntou ao acompanhante se poderia falar com o pai.

– Ele pode ouvir-me? Eu poderia falar com ele?

– Sim, ele pode. Apenas, toque o tubo com sua mão direita e poderão conversar, mentalmente.

Guilherme agradeceu pela explicação e tocou o cilindro.

– Oi, pai. O senhor pode me ouvir?

Benati, que parecia estar em estado de suspensão de consciência, abriu os olhos e olhou para o filho.

– Oi, Gui. Que boa surpresa vê-lo aqui. Fico feliz que ainda possamos nos ver antes que eu retornasse. Só me restam poucos dias. Talvez três ou quatro dias. Estou em processo de miniaturização acelerada. Não há mais como retroceder e estou com medo de falhar novamente.

– O senhor conseguirá, eu prometo.

– O... bri... ga... do..., filho. – Benati começou a falar com muita dificuldade.

— A partir de ho... je e em pou... cas horas minha me... me.... mória come... çará a ser bloque... ada, por isso estou tendo dificul... dade em falar. Faltam-me as pala... vras. Perdoe-me, filho.

Com grande esforço, Benati conseguiu recompor sua memória e falar com Guilherme.

— Estou feliz por meu retorno, mas, filho, perdoe-me pela aparência que terei ao nascer, pois pedi à comissão reencarnatória que considerasse a necessidade de eu nascer com lesões de pele para sentir as dores de queimadura. Disseram que não havia necessidade, pois eu já havia me redimido e a quantidade de queimados que tratei compensou o que fiz de errado em minha vida contra os animais. Mes... mo assim, insis... ti. Então... de...ve... rei ter lesões que somente de... sapare... cerão quando eu tiver ao redor de 3 anos de idade. Des... culpe o trans... torno que de... verei causar a vocês.

Guilherme notou a grande dificuldade de seu pai em manter os pensamentos em ordem. As palavras estavam ficando mais espaçadas. Então, o acompanhante o advertiu que deixasse seu pai repousar. Ele percebeu que o aspecto de seu pai estava mudando rapidamente ante seus olhos. Estava mais jovem, ainda. Soltando sua mão do cilindro, Guilherme olhou para o pequeno Benati que um dia foi seu pai e se despediu com o olhar.

Guilherme e Gustavo saíram do prédio, agradeceram ao diretor pela concessão e retornaram ao rancho.

Na clínica, o telefone tocou e acordou o médico, que tentava relaxar em sua poltrona. Guilherme retornou repentinamente ao corpo e acordou assustado e com taquicardia. Atendeu ao telefone. Era Cláudia, dizendo que não estava se sentindo bem. Guilherme levantou-se, rapidamente, avisou João Rubens de sua saída a fim de acudir a esposa grávida.

Cláudia estava suando muito, com febre e com contrações fortes no abdome.

– Vou chamar a doutora Magda. Ela deve chegar rapidamente.

Guilherme ligou para a médica, que não tardou a chegar. Ela a examina e constata que as contrações involuntárias estavam muito fortes e eram perigosas para o bebê.

– Vou medicá-la e ela deverá sentir-se melhor, mas precisa ficar em repouso por toda a semana – falou a médica.

Cláudia, com grande percepção espiritual, conseguia ver o que estava ocorrendo. Espíritos trevosos queriam impedir que Benati reencarnasse. Eram inimigos de vidas anteriores, que ainda não o perdoaram pelo que fez a eles há séculos.

– Deus me ajude – pediu Cláudia.

Começou a fazer, mentalmente, uma prece a São Francisco de Assis, pedindo-lhe que não deixasse levar o seu filho. Antes que terminasse a prece, surgiram várias entidades espirituais vestidas com túnicas brancas, apresentando-se como trabalhadores do Hospital Espiritual "Amor e Caridade", onde Cláudia auxiliava durante o sono como voluntária. Estavam ali para libertar aqueles espíritos mal-intencionados. Imediatamente, os malfeitores se viram presos em um campo eletromagnético em forma de pirâmide, da qual tentavam escapar, mas não encontravam a saída. A seguir, Cláudia, que acompanhava tudo, viu que na pirâmide começaram a surgir pequenos flocos finos como neve e em forma de pétalas de flor que, ao tocarem nos corpos dos ocupantes da pirâmide, tornavam-se sonolentos e se sentavam como exaustos. Naquele campo magnético, suas vestes maltrapilhas foram trocadas por túnicas alvas. Repentinamente, a pirâmide e seus ocupantes desapareceram. Os homens de branco olharam para Cláudia, sorriram e disseram:

– Foram levados ao hospital para tratamento. Agora, tudo estará bem. Despediram-se com um aceno de mão e partiram rumo ao hospital.

Imediatamente, Cláudia sentiu-se melhor e quis levantar-se. Neste instante, Guilherme estava chegando e viu sua esposa preparando-se para sair da cama.

– Não, não, não. A médica pediu repouso.

– Já estou me sentindo melhor, não se preocupe – acalmou-o.

– Hoje não irei trabalhar. Ficarei em casa para cuidar de você. Você não pode se esforçar. Deite-se.

Cláudia se deita e o marido a cobre, cuidadosamente. Guilherme ligou para João Rubens para que fechasse a clínica e fosse para casa, não sem antes deixar um recado para os clientes ligarem no celular, se necessário.

Ficou em casa com a esposa o dia todo, para certificar-se de que não faria qualquer esforço. Apesar de ela realmente estar bem melhor, não se afastou. Os clientes perceberam que o doutor deveria estar com algum problema, pois não estava na clínica, deixando o que não era urgente para outro dia. No entanto, no fim da tarde, o telefone tocou. Era a dona de Valente, um cão sem raça definida; ela estava aos prantos do outro lado da linha.

— O que houve, senhora?

— É o Valente. Ele não está nada bem. Acho que não sobreviverá.

Cláudia, notando a expressão de preocupação do marido, disse-lhe:

— Pode ir atender. Não se preocupe comigo, estou bem, agora.

— Eu vou atendê-lo, mas já volto em um instante. Não saia da cama.

Guilherme saiu, rapidamente, e foi à casa de Valente. Ao chegar, encontrou-o quase em estado de choque. Guilherme aplicou-lhe medicamentos de emergência e perguntou à senhora o que aconteceu.

— Nosso Valente já não é mais um jovem e surgiu-lhe um nódulo tumoral nos testículos. Foi feita a cirurgia há alguns dias, mas ele conseguiu retirar a proteção, arrancou os pontos da cirurgia e coçou o local, que infeccionou. Ele estava bem, mas agora começou a vomitar e ficou muito fraco.

Guilherme confirmou a infecção e explicou:

— Valente passou por uma cirurgia difícil para retirada do câncer, por isso sua resistência orgânica decaiu e, mesmo com os antibióticos que já vinha tomando, não conseguiu eliminar as bactérias oportunistas, que devem ser resistentes a este medicamento.

— Doutor, pegamos o Valente quando ele tinha um mês, o amamentamos e cuidamos dele como se cuida de um bebê. Sempre foi forte e nunca adoeceu. Nós o amamos como se fosse nosso filho. Acho que ele está sofrendo e não queremos que sofra. Preferimos que, mesmo que nos doa profundamente, fosse feita a eutanásia.

Guilherme estava indeciso. Não tinha certeza da irreversibilidade do quadro, mas sua dona sofria muito ao ver seu querido Valente naquele estado.

– Está bem. Vou levá-lo – decidiu Guilherme.

A dona de Valente e seu marido pediam que fosse feita a eutanásia, mas intimamente gostariam de tentar um pouco mais. Mesmo assim o entregaram, pois também não suportavam ver seu velho Valente debilitado daquela forma.

Guilherme o pegou, colocou-o em seu automóvel e o levou à clínica para concretizar o que prometeu. No entanto, o olhar de Valente dizia:

– Dê-me mais uma chance... vou me recuperar.

Aqueles olhos encontravam os de Guilherme, em súplica. E ele, que já iniciara a preparação do anestésico que procedia o bloqueador cardíaco, não resistindo ao pedido de Valente, desistiu do que estava prestes a fazer. Em vez disto, continuou com o tratamento em sua clínica, medicando pacientemente o animal que pedia para viver.

Dias se passaram e Valente estava mostrando sinais de melhora. Mais outros dias se seguiram e Valente reiniciava uma decaída em seu quadro geral. Era como se Guilherme estivesse interferindo em algo que não sabia. Por mais que o veterinário se esforçasse, aplicando diversos medicamentos, não obtinha os resultados que esperava. Valente não estava melhorando, e o quadro infeccioso se agravou. O médico trocou a medicação, pois com certeza a bactéria que se instalou nele era resistente aos antibióticos usados. Usou os mais modernos recursos ao seu alcance, mas o cão não reagia. As esperanças estavam minguando com a saúde do corajoso animal, que lutava bravamente para vencer a infecção oportunista. O quadro de Valente voltou a entrar naquela mesma situação em que estava anteriormente. Ele olhava para Guilherme, como se pedisse para não desistir, pois ele também estava lutando com todas as forças.

O médico voltou a preparar a medicação e, novamente a aplicou, mas, desta vez, fez uma oração a São Francisco de Assis para que olhasse por Valente e que o ajudasse a se recuperar. Foi uma prece fervorosa. O jovem médico não sabia, mas as equipes espirituais estavam trabalhando em favor de Valente, não para curá-lo, mas para livrá-lo de parte do seu sofrimento com o câncer que já o consumia. Visto da espiritualidade, depois que Guilherme fez aquela prece, os medicamentos usados tornaram-se brilhantes como o sol e as equipes ministraram com mais intensidade os medicamentos espirituais energéticos no animal, cujas células começaram a se reavivar e a se tornar mais radiantes. Guilherme, ao término da medicação intravenosa, colocou Valente em seu alojamento e se afastou, desanimado.

– Sinto muito, Valente, acho que não posso fazer mais nada por você. Já fiz tudo o que estava ao meu alcance. Somente um milagre para conseguir a sua recuperação – falou o médico, afagando a cabeça do cão que, muito fraco, ainda reuniu forças para abanar a cauda, como agradecimento por tudo o que o doutor estava fazendo.

A seguir, pensou consigo mesmo:

– Sinto muito, Valente, terei que proceder o que prometi ao seu dono. Eu também não quero ver você sofrendo com esta enfermidade que está minando todas as suas forças.

O médico voltou à sua sala, onde já aguardavam outros pacientes para serem atendidos, para depois concretizar o que prometeu.

Doutora Neuza, da equipe espiritual que estava acompanhando o caso de Valente, falou mentalmente ao subconsciente de Guilherme:

– Guilherme, não se preocupe, estamos tratando o corpo espiritual de Valente, que está muito debilitado, mas está se recuperando. Seu tempo na dimensão física acabou. Seu retorno já era esperado há alguns dias, mas, por seu pedido e de seus donos, foi concedido a ele mais algum tempo. Mas não poderá passar de uns poucos dias, pois sua etapa foi concluída e o seu corpo físico já está muito desgastado. É necessária a renovação. Ele deverá retornar a nós para, em seguida, voltar à sua família em um novo corpo sadio, onde permanecerá muito tempo para completar a próxima fase de sua evolução. Não podemos interferir nos desígnios do Alto. Valente terá ainda protelado seu tempo por mais um mês. Seu corpo não suporta mais que isso. O tumor que desenvolveu estava programado desde que nasceu para se desenvolver no momento certo e trazê-lo de volta à nossa dimensão. Valente nos pediu que não retornasse pela eutanásia, por isso o intuímos a não proceder a intervenção. Era seu desejo retornar naturalmente. Ele é um animal especial, muito evoluído, já com um certo grau de individualidade que permite a ele desejar algo para si, mas, mesmo tendo seu livre-arbítrio limitado, a comissão da análise considerou o seu pedido. Valente tinha ótimo aproveitamento em seu aprendizado, por isso, apesar de a comissão ter planejado para ele o retorno através do câncer, foi permitido um retorno lento.

Durante este mês, irá afrouxando, aos poucos, suas ligações com o corpo físico e deixando-o, sem traumas. Com isso, terá seu corpo físico com alguma energia vital circulando e mantendo o funcionamento precário de seus órgãos.

Guilherme, após atender os pacientes, retornou com a intenção de aplicar no animal o sedativo antes da injeção letal, mas, para sua surpresa, ele estava em pé, animado para retornar ao seu lar. O médico ficou muito feliz por não ter que fazer o que não queria. Abraçou Valente, que latiu de alegria.

No dia seguinte, Guilherme pegou-o e foi ao seu dono, que tinha plena certeza de que seu cão já não pertencia a este mundo. Foi uma alegria geral. A surpresa foi muito grande.

– Valente, meu querido. Você voltou – falou a dona, com lágrimas nos olhos.

Guilherme despediu-se de todos e voltou para seu consultório, feliz com o desfecho do episódio.

ILUSTRE VISITA

No rancho, Gustavo tomava as providências para receber a ilustre visita daquele elevado espírito que, sem dúvida, seria um estímulo aos voluntários. Pediu a todos os trabalhadores que mentalizassem por alguns instantes uma energia que fosse tão forte quanto a solar, para que nenhum resquício de alguma mais pesada permanecesse na instituição, prejudicando a estada do convidado.

A guarda foi redobrada nos limites do rancho, pois a aproximação de caçadores poderia comprometer e pôr a perder todo o trabalho de higienização e proteção ambiental.

Faltavam somente alguns minutos para a última aula, que seria a de encerramento de ciclo. Gustavo preparou o palanque nos jardins do rancho, onde se podia ouvir o som de água correndo por fontes belíssimas que enfeitavam a beleza arquitetônica que era aquele lugar. O lago era cristalino, as flores que enfeitavam o local eram inigualáveis a qualquer uma conhecida na Terra. Verificou a cúpula protetora onde deveria permanecer a nobre figura durante sua estada, para se proteger das energias do ambiente, que eram por demais concentradas para seu corpo sutilíssimo.

Verificou todos os itens, mas nada notou de anormal.

Mesmo assim, acionou as luzes violetas higienizadoras por garantia. Aquela luz fazia uma espécie de varredura luminosa no ambiente, fazendo passar feixes de luz ao longo de todo o local, à maneira de um *scanner*, tornando a atmosfera ainda mais agradável.

Completando o clima já criado pelas flores muito bem distribuídas pelo jardim, havia rosas de cores diversas e outras flores lindíssimas com perfumes suaves, que tomavam todo o ambiente. Faltavam menos de trinta minutos e todos estavam à espera da última aula, inclusive Guilherme, que chegou cedo. Esperavam, além dos alunos, também os professores e colaboradores. Além deles, muitos animais estavam ansiosos, aguardando pela chegada do visitante. Havia animais de todos os tamanhos, espécies e raças, e também os aquáticos, que aguardavam dentro do lago cristalino.

Gustavo anuncia que o visitante estava por chegar a qualquer momento, e pediu aos presentes que procurassem manter o padrão energético o mais positivo possível, para evitar transtornos ao palestrante, se quisessem vê-lo mais nitidamente, pois, de tão sutil, que é seu corpo, é necessária uma iluminação especial que o torne visível à plateia, sem a qual sua visão seria diáfana a alguns dos presentes.

Gustavo já estava acionando as luzes especiais e a cúpula de proteção, quando se aproximou uma pessoa que representava o palestrante, pedindo que não acionasse nenhum dos dois sistemas, por não ser necessário, pois o palestrante, em uma demonstração de humildade, condensaria suas energias para se tornar visível a todos e não permaneceria na cúpula para não constranger os espectadores.

Uma cortina que estava estendida por trás de Gustavo escondia os bastidores do palanque, mas, enquanto ele falava, puderam notar uma luz intensa que surgiu por alguns segundos e se refletia no tecido das cortinas. Novamente, surgiu outra pessoa, que se dirigiu a Gustavo. Era um homem franzino, de baixa estatura, braços finos, assim como suas feições, que usava uma túnica idêntica à dos trabalhadores do rancho. Deveria ser um dos trabalhadores da instituição que trabalha nos preparativos da palestra e que estaria transmitindo algum recado sem importância, pensaram todos com exceção de Gustavo, João Rubens e outros que já o conheciam. As pessoas, impacientes, tentavam olhar por detrás das cortinas, pois estavam ansiosas pela chegada, mas não perceberam que era o palestrante que acabava de chegar e, com sua grande humildade, não queria se diferenciar dos demais trabalhadores da instituição da qual se considerava um mero colaborador.

Gustavo anunciou sua chegada:

– Senhoras e senhores, apresento-lhes o palestrante de hoje, que nos faz esta visita especial de encerramento de ciclo.

Neste momento, as pessoas bateram palmas, mecanicamente, olhando para o palanque e ainda por trás das cortinas à espera do visitante. Aquele homem franzino aproximou-se da borda do palanque e fez uma reverência aos espectadores, que se entreolharam, se perguntando:

– Será ele?

Todos esperavam por alguém que causasse mais impacto com sua presença, comoção ao simples olhar. Aquele era alguém comum, sem os aparatos que normalmente as pessoas esperam de um espírito elevado. Muitos não entendiam ainda a dificuldade que havia para um espírito de tão elevada categoria e sutileza adensar seu corpo para se tornar visível e apresentar-se sem a proteção da cúpula, que o abrigaria das energias emanadas pelos ouvintes que não se deram conta de quão humilde era aquele que vinha ao encontro deles como um igual.

Aquele homem de baixa estatura e compleição delicada parou diante dos ouvintes, juntou os dedos das mãos e cumprimentou a todos com uma voz tão suave que parecia irreal. Assemelhava-se a um pensamento que brotava na mente das pessoas que o ouviam. Então, todos sorriram, surpresos, pois não havia dúvida de que aquele não era um simples trabalhador da casa, mas a quem todos esperavam.

Cumprimentou também os animais e as plantas, o lago, o céu, o vento e o Sol. Agradeceu a Deus pela oportunidade de poder estar ali, diante daquelas pessoas que tinham as mesmas preocupações que ele quando viveu na Terra. Ele, que via todos os seres do mundo como irmãos que merecem tanto de Deus quanto nós, pois somos realmente irmãos.

Iniciou sua palestra, que era a respeito da vida plena que teremos um dia, quando reconhecermos os direitos à vida que têm os nossos irmãos animais, nossas irmãs plantas. E, acima de tudo, nossa grande irmã Terra, que sofre com a nossa ação depredatória. O planeta que contém a vida em todo o seu potencial, em que cada coisa nele contida é um irmão ou uma irmã. Ressaltou a dádiva que é poder viver na Terra, ter contato com todos esses irmãos e trocar energias entre todos. Agradeceu a chance de ter vivido na

Terra e conhecer a água, o céu, a lua, o Sol, o vento, os rios, os peixes, e todos os animais e plantas, e os seres da floresta, os elementais, o fogo, o chão, as pedras, a chuva, as pessoas, enfim, todos. Agradeceu a Deus por poder ter sido útil a Ele e ter podido amar igualmente a todos os seres criados por Ele.

A palestra era tão tocante que não se via uma pessoa que não estivesse com lágrimas nos olhos ouvindo aquelas palavras que iam direto ao coração. Pediu a todos que nunca se vissem como inimigos, mas como irmãos, e que procurassem sempre o amor antes de tudo. E encerrou com uma linda prece.

> Louvado seja Deus na Natureza, mãe gloriosa e bela da beleza e com todas as suas criaturas.
> Pelo irmão Sol, o mais bondoso, o verdadeiro, o belo, que ilumina criando a pura glória. A luz do dia!
> Louvado seja Deus pelas irmãs estrelas, belas, claras irmãs silenciosas e luminosas, suspensas no ar.
> Pela irmã Lua, que derrama o luar.
> Louvado seja pela irmã nuvem, que há de dar-nos a fina chuva que consola.
> Pelo céu azul e pela tempestade, pelo irmão vento, que rebrama e rola.
> Louvado seja pela preciosa e bondosa água, irmã útil e bela, que brota humilde e casta e se oferece a todo o que apetece o gosto dela.
> Louvado seja pela maravilha que rebrilha no lume o irmão ardente, tão forte, que amanhece a noite escura e tão amável, que alumia a gente.

Louvado seja pelos seus amores.

Pela irmã Madre Terra e seus primores, que nos ampara e oferta seus produtos, árvores, frutos, ervas, pão e flores. Louvado seja pelos que passaram por tormentos do mundo doloroso e contentes, sorrindo, perdoaram.

Pela alegria dos que trabalham. Pela morte serena dos bondosos.

Louvado seja Deus na mãe querida, a Natureza, que fez bela e forte.

Louvado seja Deus pela vida. Louvado seja Deus pela morte.

No momento em que proferia a prece, do alto caíam finas gotículas, que perfumavam o ambiente, e pequenos flocos, que flutuavam suavemente sobre os presentes e que, ao lhes tocar, faziam brilhar cada um como se enormes quantidades de energia se desprendessem daqueles corpúsculos mínimos, alcançando a todos.

Ao se despedir, saiu tão humildemente como no momento em que entrou. Alguns iam bater palmas, mas ele pediu que não o fizessem, mas, sim, que meditassem sobre o que foi dito. Proferindo suas últimas palavras, baixou a cabeça, fez uma reverência e afastou-se sem dar as costas aos ouvintes.

Por trás das cortinas, viu-se novamente um enorme clarão que, de súbito, desapareceu.

Gustavo, ainda comovido com as palavras do orador e com os olhos úmidos, deu por encerrado o ciclo de aulas e convidou a todos para que continuassem com os demais ciclos.

— Caros amigos: de hoje em diante, todos os senhores são considerados membros ativos de nossa comunidade e estão convidados a fazer parte do nosso pequeno grupo de professores, pois, tendo atingido todos os objetivos, conseguiram graduar-se. Por isso, gostaríamos de tê-los, não somente como alunos do próximo ciclo, mas, também, como professores que ministrarão aulas aos novos alunos que chegarão para o primeiro ciclo, em breve.

Gustavo aproximou-se de cada aluno e tocou-lhe no peito, deixando uma espécie de marca luminosa, que os identificava como formados no primeiro ciclo e que lhes dava passe livre a todas as alas do Rancho Alegre.

Todos se congratularam e retornaram às atividades de auxílio com que tinham mais afinidade. Guilherme quis continuar o segundo ciclo com o sr. Kayamã, com quem pretende aprender mais sobre os animais da floresta.

Ao raiar o dia, o veterinário retornou ao seu corpo físico, para mais um dia de trabalho.

Cláudia, sentindo-se muito bem durante toda a gestação, ao término do nono mês dá à luz Mateus, o filho tão esperado, que tinha grandes olhos negros, cabelos lisos e espetados, como os de japoneses, de quem era descendente, saúde perfeita, exceto por uma mancha eritematosa, avermelhada, nas costas, que era coberta por bolhas, deixando aparentes as lembranças subconscientes de que tinha seus acertos consigo mesmo ainda por concretizar.

Referências Bibliográficas

Para mais informações sobre os assuntos abordados neste livro, podem ser consultadas diversas obras que falam sobre eles:

GUYTON, Arthur C. e John E. Hall. *Fisiologia Humana e Mecanismo das Doenças*. Editora GK — Guanabara Koogan S/A, 1998.

MARTINS, Celso. *A Alma dos Animais — As emoções e sentimentos dessas criaturas*. Editora DPL, 2005.

BOZZANO, Ernesto. *Os Animais Têm Alma?*. Editora Lachâtre, 2007.

PRADA, Irvênia S. *A Questão Espiritual dos Animais*. Editora FE – Folha Espírita, 2004.

KÜHL, Eurípedes. *Animais, Nossos Irmãos*. Editora Petit, 1995.

DELLANE, Gabriel. *Evolução Anímica*. Editora Feb, 2001.

XAVIER, Francisco Cândido. André Luiz. *Evolução em Dois Mundos*. 22ª edição, Editora Feb, 2002.

XAVIER, Francisco Cândido. André Luiz. *Nosso Lar*. Editora Feb, RJ, 2003.

CIAMPONI, Durval. *A Evolução do Princípio Inteligente*. 4ª edição, Editora Feesp, 2006.

MIRANDA, Hermínio. *A Memória e o Tempo*. 5ª edição, Editora Lachâtre, 1996.

PEREIRA, Yvonne Amaral. *Devassando o Invisível*. 1ª edição, Feb, 2004.

ARMOND, Edgar. *Iniciação Espírita*. Editora Aliança.

KARDEC, Allan. *O Livro dos Espíritos*. Tradução de J. Herculano Pires. 8ª edição, Editora Feesp.

MIRANDA, Hermínio. *Alquimia da Mente*. 2ª edição, Editora Lachâtre, 1994.

XAVIER, Francisco Cândido. *Emmanuel*. 27ª edição, Editora Feb.

BERNARDI, Ricardo Di. *Gestação – Sublime Intercâmbio*. 1ª edição, Editora Intelitera.

PEREIRA, Yvonne Amaral. *Memórias de um Suicida*. 2ª edição, Editora Feb, 2004.

XAVIER, Francisco Cândido. Emmanuel. *O Consolador*. 28ª edição, Editora Feb.

Esta edição foi produzida pela Gráfica Viena, Santa Cruz do Rio Pardo (SP), sendo impressos 2.000 exemplares em formato fechado 16x23 cm, em papel Offset 75 g/m² para o miolo e papel cartão 250 g/m² para a capa. O texto principal foi composto em Adobe Garamond Pro e os títulos em Trajan Pro. Fevereiro de 2025.